S0-BJY-438

Серия «Шкатулка рукоделия»

Анастасия Корфиати

Кройка и шитье: основные техники и приемы

Москва
Издательство АСТ

УДК 746.41
ББК 37.248
К 70

Корфиати, Анастасия.

К 70 Кройка и шитье: основные техники и приемы / Анастасия Корфиати. — Москва: Издательство АСТ, 2016. — 144 с. — (Шкатулка рукоделия).

ISBN 978-5-17-092329-8

Вы всегда мечтали научиться шить самостоятельно, но не знали с чего начать? Книга Анастасии Корфиати, модельера и автора методики обучения моделированию и пошиву одежды, откроет вам все секреты швейного мастерства. Вы узнаете, как выбирать ткань, нитки и фурнитуру, работать с выкройками, выполнять основные виды швов. Следуя пошаговым мастер-классам, вы с легкостью сможете вставить молнию и притачать рукав, научитесь выполнять разные виды карманов и воротников, грамотно обрабатывать пояс и шлицу, благодаря чему ваши изделия всегда будут отличаться не только идеальным пошивом, но и нести нотку индивидуальности и стиля. Строчка за строчкой, вы и не заметите, как научитесь шить легко и быстро!

УДК 746.41
ББК 37.248

ISBN 978-5-17-092329-8

Содержание

Вместо предисловия

Жила-была маленькая девочка, которая могла часами сидеть у швейной машины и с восторгом наблюдать за тем, как шила бабушка. В воображении этой девочки ее бабушка была настоящей волшебницей: взмахнет ножницами — и на столе горка бесформенных кусочков ткани, которые постепенно преображались под ее руками, превращаясь в удивительно красивые платья, достойные королевского бала. Это было настолько яркое зрелище, что завороженная малютка не могла от него оторваться. И в один из дней, когда девочка, сидя у швейной машины, не отрывая взгляд от иголки, следила за тем, как рождаются строчки, она пообещала себе, что, когда вырастет, обязательно станет такой же волшебницей, как и ее бабушка. Девочка выросла, и ее обещание, данное самой себе, было выполнено: ведь если ты чего-то очень сильно хочешь, то обязательно добьешься.

Уверена, что у многих из вас, мои дорогие читатели, тоже есть истории, связанные с таким увлекательным занятием, как шитье. И все мы с вами немного волшебницы: знаем, чего хотим, и идем к своей цели, будь то шитье или воспитание детей, работа по дому или собственная карьера.

Начинать всегда непросто, однако, шаг за шагом проходя любой путь, мы становимся сильнее и увереннее. Понимаем, что перед нами открыты любые горизонты, и то, чего мы уже достигли, — это лишь начало еще больших побед.

Сегодня я хочу поделиться с вами одним из моих личных достижений — книгой, которая создавалась с большой любовью и заботой о вас. Мне очень хочется, чтобы она стала вашей доброй помощницей и советчицей на пути, выбранном вами, — замечательном пути освоения швейного мастерства.

В данной книге есть все, чтобы самостоятельно разобраться практически во всех тонкостях шитья, освоить большинство швейных операций, научиться выбирать нитки и фурнитуру для ваших изделий, грамотно работать с выкройками, и многое другое.

Приглашаю вас в увлекательное путешествие в мир шитья, и пусть эта книга послужит вам надежным проводником. Желаю вам усердия, выдержки и неиссякаемого творчества!

С пожеланиями безграничного творчества.
Искренне Ваша, Анастасия Корфиати.

Швейные термины

Выкроить — вырезать детали швейного изделия по намеченным контурам, с припусками на швы. Как правило, припуски составляют по краям изделия 1,5 см, по низу — 4 см.

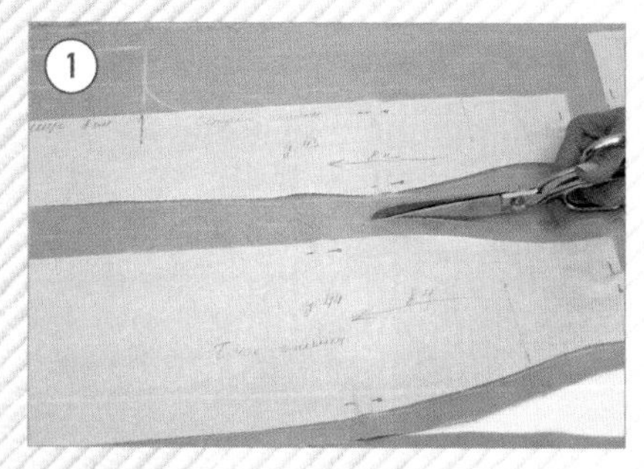

Выметать детали изделия (иногда — *чисто выметать*) — временно закрепить нитками края деталей для сохранения формы с переокантовкой шва на внутреннюю сторону изделия. Применяется при обработке горловины, пройм платья, клапанов карманов пиджака, поясов и т. п.

Описание работы

Стачанные детали изделия с лицевой стороны сложить таким образом, чтобы шов был виден с изнаночной стороны. При помощи стежков закрепить детали. Проутюжить детали, удалить наметку.

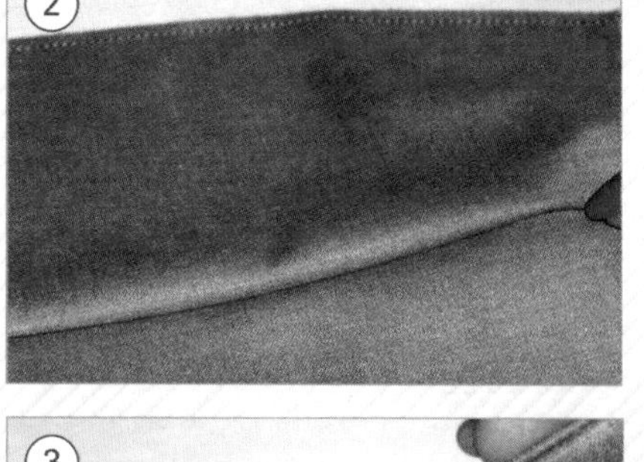

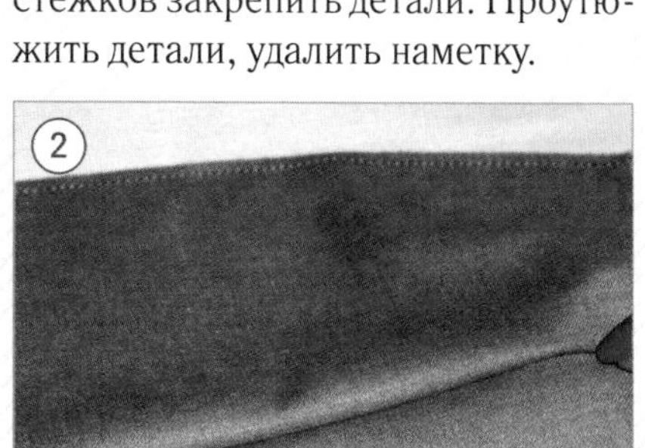

Гульфик — деталь швейного изделия для обработки застежки брюк, предназначенная для петель, молнии, кнопок, текстильной застежки.

Дублирование деталей — соединение по поверхности двух или более деталей путем склеивания при помощи утюжки.

6

Застрачивание шва — стандартизированный технологический термин, обозначающий прокладывание строчки (обычно с изнаночной стороны) для закрепления подогнутого края детали или изделия, складок, вытачек, защипов и др.

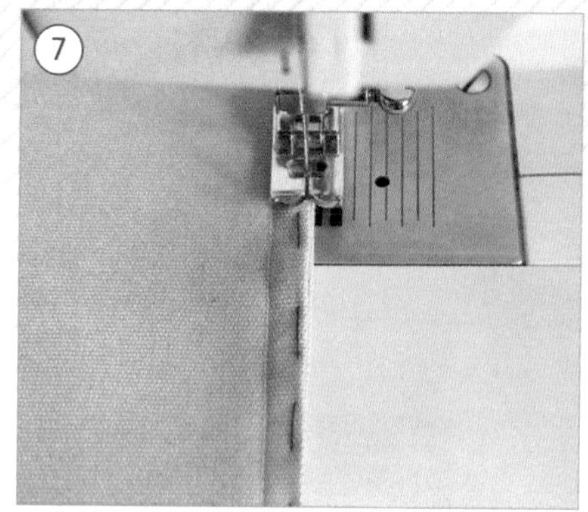

7

Заутюживание шва — технологический термин, обозначающий укладывание припусков ткани на шов, складку или подогнутого края детали на одну сторону и закрепление их в этом положении с помощью утюга.

8

Изнанка — оборотная, внутренняя (или нижняя), не лицевая сторона одежды, ткани и пр.

Крой — детали изделия и их части, полученные в результате раскроя.

Обметывание детали — обработка среза детали для предохранения от осыпания. Обычно выполняется на оверлоке или швом зигзаг.

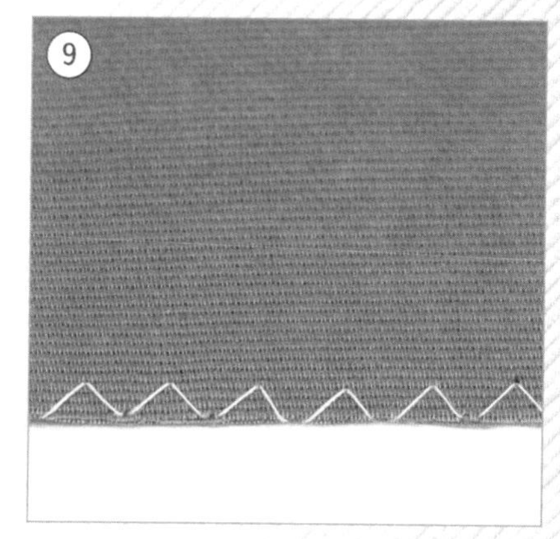

9

Обтачка — деталь швейного изделия для обработки срезов (например, обтачка карманов или горловины платья); для обтачки берут основной материал и дублируют его термотканью. Ширина обтачек, как правило, 3–4 см.

Окантовка припусков детали — обработка среза детали косой тесьмой для отделки или предохранения от осыпания.

Отлет воротника — отгибающаяся часть воротника, вшивается в воротник-стойку.

Отпаривание швейного изделия — обработка изделия паром при помощи утюга или парогенератора.

Основа и уток — две системы нитей, образующие ткань. Основа — нити, расположенные параллельно друг другу и идущие вдоль ткани. Уток — нити, расположенные перпендикулярно основе. В результате последовательного переплетения нитей основы и утка на ткацком станке вырабатывается ткань. Основа перед ткачеством подвергается шлихтованию — дополнительной обработке клеевыми веществами для придания ей большей гладкости и увеличения прочности.

Отстрочить деталь изделия (по краю) — проложить машинную строчку по краю изделия, предварительно выметав детали.

Описание работы

Детали отстрочить по краю, удалить наметку, проутюжить. На фото показана выполненная отстрочка с лицевой стороны.

Приметывание — временное ниточное соединение мелких деталей швейного изделия с крупными. Приметывают карманы, кокетки, шлевки и т. п.

Притачивание — ниточное соединение мелких деталей с крупными при помощи швов на швейной машине.

Приутюживание шва — уменьшение толщины шва, сгиба или края детали посредством утюга и тепловой обработки.

Припосаживание деталей изделия — уменьшение размерных признаков длины изделия путем прострачивания по краю, стягивания нижних нитей и влажной утюжки. Обычно припосаживают окат рукава.

Описание работы

Размерный признак детали между контрольными метками — 15 см. Необходимо припосадить до 14 см. Для этого проложить 2 строчки между контрольными метками шириной

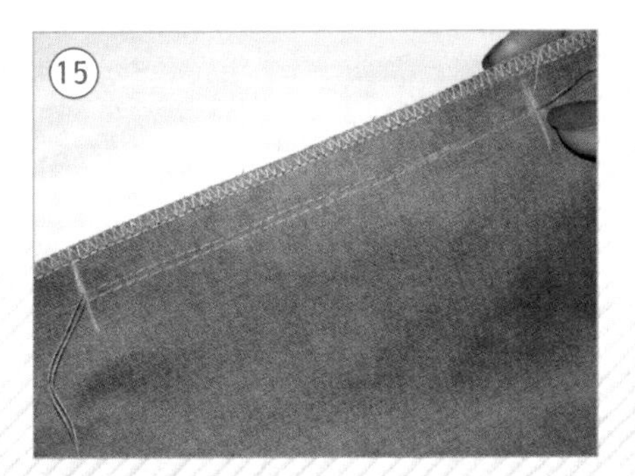

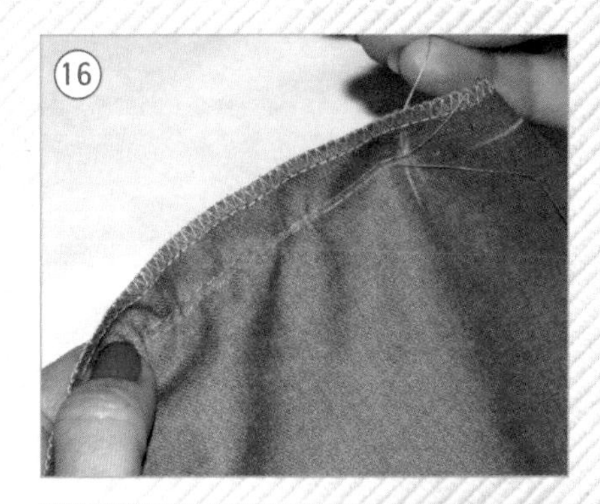

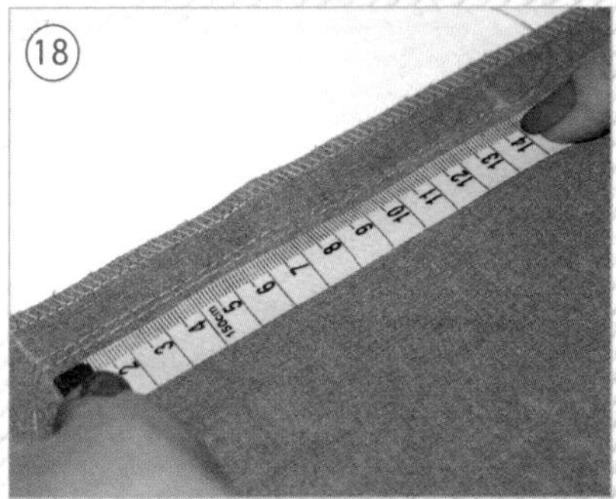

стежка 4 мм на расстоянии 2 мм друг от друга. Взяв вместе нижние нити, стянуть строчки до 14 см. Отпарить припосаженный участок, при этом не должно быть складок и заломов. Проконтролировать припосаженный участок — 14 см.

Проклеивание шва — нанесение клея на края детали в области шва с последующим приклеиванием полоски материала или тесьмы. Применяется при пошиве изделий из кожи.

Разутюживание детали или шва — технологический термин, обозначающий раскладывание припусков ткани на шов или складку на две противоположные стороны и закрепление их в этом положении посредством тепловой обработки.

Рельефные швы — швы, имеющие соединительное и декоративное значение, выполненные с вытачками и без них. Могут отстрачиваться декоративной строчкой. Применяются при пошиве пиджаков, блузок, платьев, изделий из кожи и т. п.

Сметывание деталей — временное ниточное соединение двух или более деталей швейного изделия.

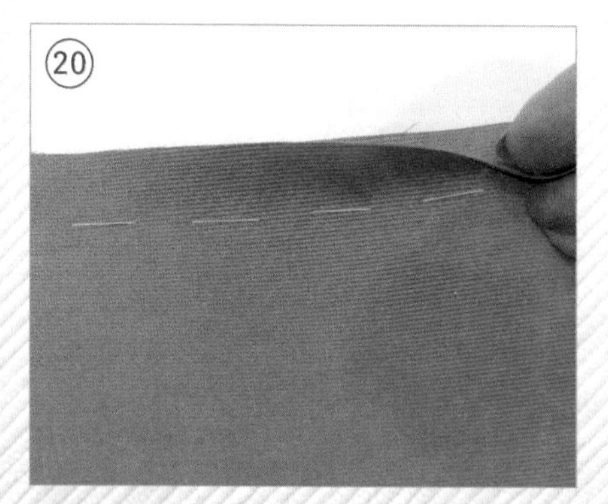

Стачивание деталей — ниточное соединение деталей швейного изделия на швейной машине по совмещенным краям.

Фурнитура — вспомогательные материалы для шитья. Обычно употребляется понятие «швейная фурнитура». Включает пуговицы, кнопки, крючки, блочки, пряжки, застежки-молнии, текстильные застежки, пряжки для поясов.

Шлевка — деталь, предназначенная для продевания в нее и удержания другой детали, обычно пояса, погонов и т. п.

Нитки

Выбрать швейные нитки — такая же важная задача, как и покупка ткани для изделия. Качественные нитки не должны путаться и рваться в процессе шитья, иметь узелки или неоднотонную прокраску. Все типы современных ниток подходят для шитья, и с помощью наших советов вы легко сможете подобрать подходящие нитки для любой швейной операции. Ниже приводятся основные типы ниток, их характеристики и указывается, для каких целей каждые из них используются.

Нитки общего назначения (1)

Стандартные швейные нитки, которые изготовлены из туго скрученных волокон. Производятся из полиэстера (1а), из мерсеризованного хлопка или могут быть с синтетической сердцевиной, покрытые хлопком. Последний вариант объединяет в себе лучшие свойства первых двух. Нитки общего назначения прекрасно подходят для пошива стандартных вещей: одежды, штор или детских игрушек.

Мерсеризация — процесс обработки хлопчатобумажных тканей и нитей, который придает им блестящий внешний вид.

Хлопчатобумажные нитки (2)

100%-ные мерсеризованные хлопчатобумажные нитки отлично подходят для пошива одежды из хлопчатобумажных тканей. Готовые изделия можно стирать в горячей воде без опасений ухудшения качества ниток. И нитки, и ткани долго сохранят свой внешний вид и прочность. Хлопчатобумажные нитки не тянутся в отличие синтетических, поэтому их можно использовать для декоративных вышивок, а также для машинных швов.

Шелковые нитки (3)

Используются при работе с шелком и шерстяными тканями, потому что их природные волокна схожи по характеристикам, также шелковые нитки хорошо подходят для шитья вручную без узелков. Шелковые нитки дорогие, поэтому для многих работ синтетические нитки могут быть более дешевой альтернативой.

Нитки для ручной вышивки (4)

Мотки скрученных нитей для вышивания сматывают в пучки. В основном они производятся из хлопка, шелка или вискозы. Так называемые нитки мулине — это скрученные нитки для ручной вышивки. Такие нитки идеальны для вышивок, декорирования одежды.

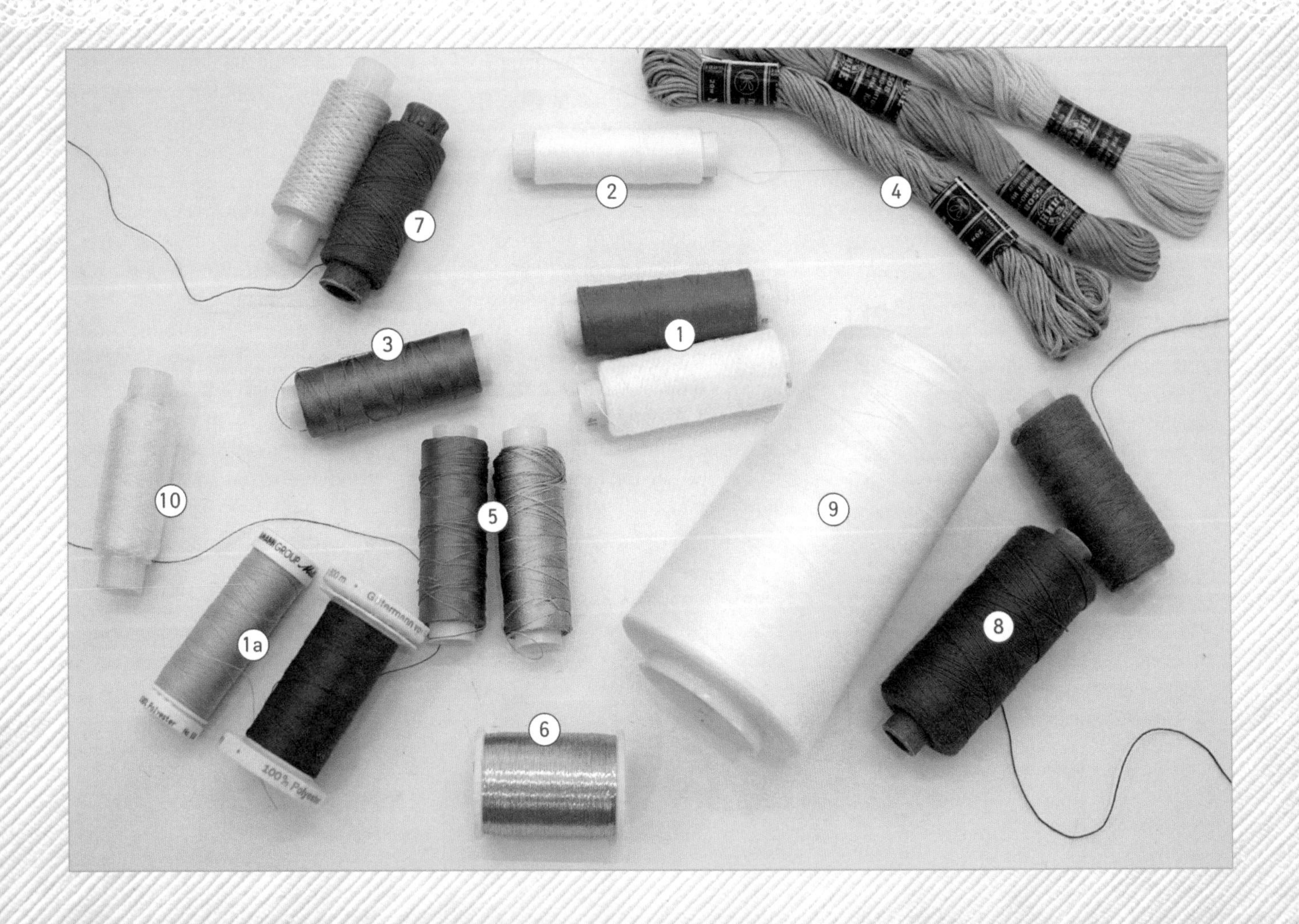
7
2
4
1
3
10
5
9
1a
8
6
100% Polyester

Нитки для машинной вышивки (5)

Эти нитки обычно изготавливают из вискозы или полиэстера, они имеют характерный блеск. Такие нитки очень хорошо смотрятся и могут использоваться для заполнения цветных областей/пятен при машинной вышивке. Продаются в бобинах/катушках в комплекте с иглой для машинной вышивки. Для придания глубины рисункам имеется широкая гамма оттенков.

Металлические нитки (6)

Это полностью тонкие металлические нитки или нитки с металлической сердцевиной. Они добавят блеска вашим вещам. Используйте их с металлической иглой, храните в катушках во избежание порезов.

Нитки для сметывания (7)

Это нитки, смотанные с меньшим усилием, чем стандартные, что делает их подходящими для временного наметывания и удаления без повреждения ткани, когда они больше не нужны.

Нитки для отстрочек (8)

Нитки для отстрочек толще всех стандартных ниток для шитья, это придает им прочность и выделяет на ткани. Поэтому они хороши для декоративных стежков, пришивания пуговиц «наглухо» и шитья обивочных тканей. Для этих ниток подходит игла с большим ушком.

Нитки для оверлока (9)

Для выполнения оверложных швов требуется много ниток, поэтому они продаются в больших катушках или конусах по 1000–5000 метров. Варианты палитры ограничены, но для оверложных швов хватает и этого.

Бесцветные нитки (10)

Нитки мягкие и эластичные, очень тонкие, не имеют цвета, похожи на леску, что позволяет им гармонировать с тканью. Применяются для вышивки бисером, пайетками и т. п.

Нитки специального назначения

Специализированные нитки существуют для разных целей. Вот некоторые из них:

Нитки для сборки

От горячего утюга такая нить сжимается, чем придает морщинистый эффект ткани.

Светящиеся в темноте нитки

Как уже сказано в названии, нитки светятся в темноте и очень интересны для новаторских приемов в вышивке или для обводки рисунков на тканях. Такой эффект точно не останется без внимания!

Водорастворимая нить для наметки

Такие нитки хороши для наметывания, скрепления частей в местах, которые нужно прострочить, пройти стежками.

Основные требования к швейным ниткам

Прочность, упругость, равномерность крутки, равномерная толщина нити, стойкость к истиранию, отсутствие разрывов и узелков в бобине, прочность окраски; для синтетических ниток — термостойкость при использовании в высокоскоростных машинах.

Советы.

1. Подбирайте для каждой вещи нитки хорошего качества и сохраняйте винтажные катушки. Старые нитки испортятся намного раньше современных тканей, поэтому может потребоваться ремонт изделия, и нитки будут как раз кстати.
2. Выбирайте соответствующие иглы (ручные и машинные) к ниткам и ткани. Например, машинные иглы сделаны под металлические нитки и имеют ушко, которое не порежет их, а иглы для «вышивания шерстью» имеют длинное ушко, чтобы было проще работать с вышивальными нитками.
3. Используйте хлопчатобумажные нитки для хлопчатобумажных тканей, полиэстровые — для синтетических, шелковые — для шелковых и шерстяных тканей.

Фурнитура

Фурнитура — это полезные мелочи, такие как молнии, ленты, тесьма и крепления, заклепки, которые придают изделиям законченный вид.

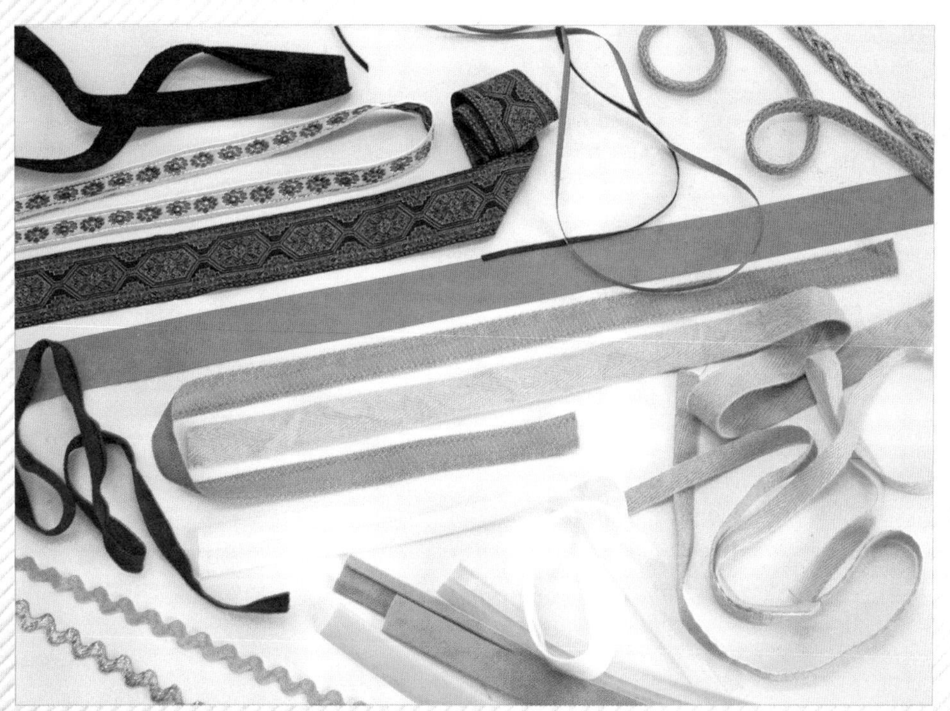

Если вы работаете по готовым журнальным выкройкам, то, конечно же, обращаете внимание на список необходимых материалов в инструкциях к выкройкам. Но если вы шьете по собственным эскизам, то лучше заранее продумать, какая фурнитура и в каком количестве вам потребуется, например, количество и размер пуговиц или длина ленты для отделки края. Покупая в магазине ткань, постарайтесь сразу приобрести и необходимую фурнитуру, чтобы сэкономить время.

Молнии

В настоящее время выбор молний огромен. И вы легко можете подобрать молнию, которая вам требуется для пошива изделия, практически в любом магазине фурнитуры.

①

Виды молний

Молнии бывают особо прочными, с металлическими зубцами, предназначенными для джинсов, и легкими и длинными — для корсажей.

✿ *Совет.* **Используйте подходящую прижимную лапку, чтобы легче вшить любую молнию, например, специальную лапку для притачивания потайной молнии.**

Пуговицы

Пуговицы бывают любых размеров, форм и стилей. Используются как для крепления, так и для декорирования одежды.

②

✿ *Совет.* **Внимательно подбирайте пуговицы и учитывайте размер петель, если они уже пробиты в изделии.**

Металлическая фурнитура

Металлическая фурнитура — это многочисленные кнопки, пробивные пуговицы, хольнитены, блочки, крючки и т. п. Как правило, часто такая фурнитура используется при пошиве и декорировании одежды в джинсовом стиле, а также одежды из кожи.

③

✿ *Совет.* **Для установки пробивных пуговиц, хольнитенов и блочек требуется специальное оборудование, поэтому дешевле будет установить их в мастерской.**

Ленты

Существует широчайшая палитра цветов лент разной ширины, предназначенных для любых целей. Ленты из полиэстера хорошо блестят и довольно жесткие, а ленты из вискозы немного мягче.

Применение: декорирование воротников, манжетов, краев одежды, а из узких лент можно делать воздушные петли.

✿ *Совет.* **Когда пришиваете атласные ленты вручную, делайте это крошечными стяжками, а при машинном способе — прямой строчкой. Используйте тонкую машинную иглу, чтобы избежать повреждения атласа.**

Репсовые ленты

Это рифленые ленты, довольно прочные, различной ширины, которые используют для разных целей.

Применение: для защиты ткани с изнаночного края брючных манжет или для поддержки талии, для окантовки краев на внешней стороне жакетов или юбок.

Тесьма

Вьюнчик — плотная тесьма волнообразной формы, широкой цветовой гаммы. В массе стилей такой тесьмой можно декорировать одежду.

Применение: для отделки краев жакетов и манжет выбирайте богато украшенные вьюнчики.

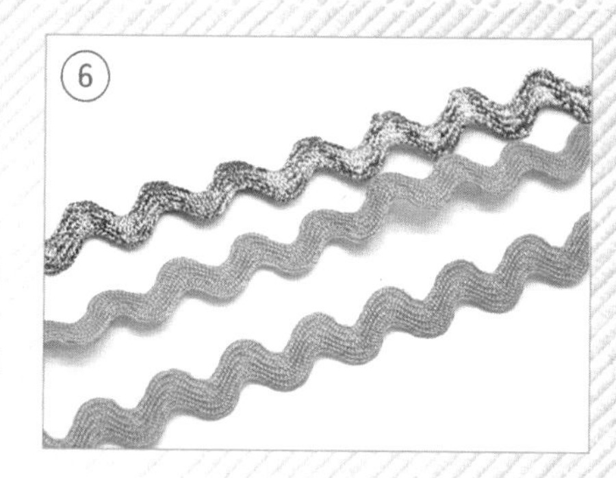

✿ *Совет.* **Пришивайте тесьму маленькими, почти незаметными стежками, используйте шелковые нитки, подходящие по цвету и маленькую иглу.**

Декоративная тесьма

Декоративная тесьма — хлопчатобумажная или синтетическая

тесьма с вышитым с лицевой стороны орнаментом. Бывает различной ширины, односторонней и двухсторонней. Огромное количество орнаментов и расцветок позволяет создавать настоящие эксклюзивные изделия.

Применение: широко используется при декорировании одежды, а также подушек, скатертей и т. п.

Шнуры

Декоративные и функциональные шнуры имеют много разных применений, в основном — для декорирования одежды, штор и т. п.

8

✿ *Совет.* **Используйте лапку для молний, чтобы сделать стежки максимально близко к шнуру.**

Клеевая лента

Сухая лента с клеем, который плавится при контакте с разогретым утюгом и склеивает два слоя ткани. Выпускается полосой 1–2 см, смотанной в катушку с бумажной лентой, отклеивающейся с одной стороны для облегчения использования. Продается как катушкой, так и на метраж.

Применение: для подгиба припусков по низу платьев, брюк, юбок, для закрепления аппликаций.

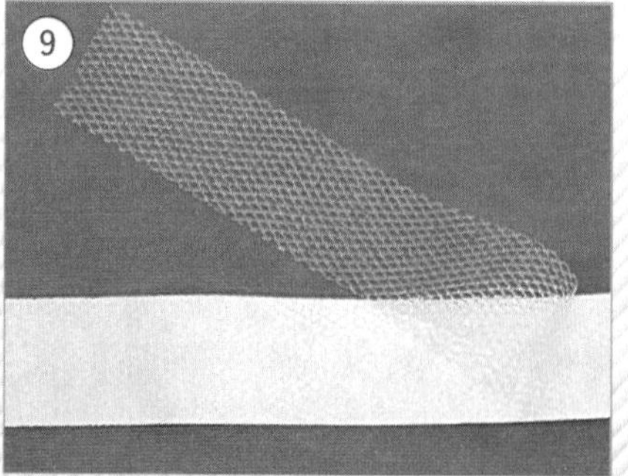
9

Киперная лента

Киперная лента —хлопчатобумажная (реже — шелковая или полушелковая) тесьма из киперной ткани диагонального переплетения. Материал ленты отличается высокой плотностью за счет переплетения.

Применение: такая лента вшивается в швы изделий, чтобы предотвратить их от растягивания.

10

✿ *Совет.* **Выбирайте ленты из 100%-ного хлопка. Поскольку хлопок дает усадку, предварительно намочите и высушите ленту, прогладьте и только затем используйте.**

Косая бейка

Синтетическая или хлопчатобумажная косая бейка с подогнутыми краями шириной 1,5–2,5 см.

Применение: для обработки срезов изделий, изготовления воздушных петель.

11

✿ *Совет.* **При обработке внутренних припусков швов изделия выбирайте контрастную по цвету с основной тканью бейку.**

Отделочный кант

Отделочный кант, как правило хлопчатобумажный или синтетический, бывает двух видов: однослойный, в виде бейки с канавкой для притачивания, и в виде перегнутой пополам бейки, внутрь которой зашит тонкий шнур.

Применение: для отделки швов притачивания, например, подбортов на мужских пиджаках, женских жакетах, декорирования наволочек и т. п.

12

✿ *Совет.* **Для отделки пиджаков выбирайте контрастный по цвету кант, это считается у модельеров особым шиком.**

Тонкая бейка

Тонкая бейка — синтетическая бейка шириной 0,4 мм, бывает разных цветов.

Применение: притачивается по боковым швам юбок, брюк, по плечевым швам блузок, выполняет роль петель для закрепления одежды на вешалках.

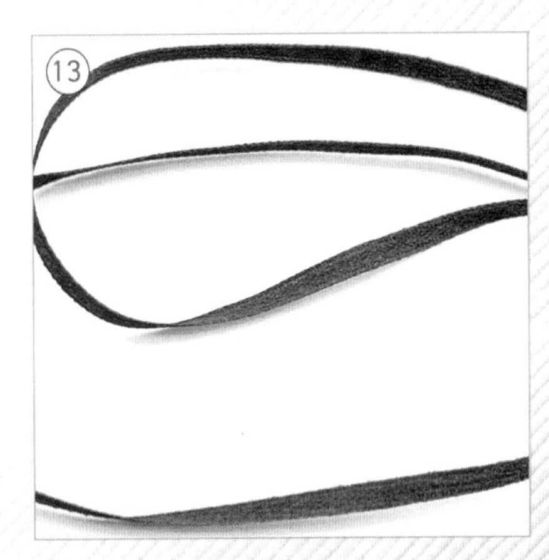

13

Прокладочные материалы

Вопросы, касающиеся выбора и использования прокладочных материалов, любительницы шитья задают достаточно часто. И поэтому мы решили рассказать об этих материралах и их применении. Поясним, что под прокладочными материалами понимаются как тканые, так и нетканые материалы, которые приклеиваются или пришиваются вручную к деталям одежды. Мы рассмотрим прокладочные материалы на клеевой основе, которые, как уже говорилось выше, приклеиваются к деталям изделия с изнаночной стороны при помощи утюга.

Для чего нужны прокладочные материалы?

Они незаменимы при пошиве одежды и применяются для дублирования отдельных деталей изделия, чтобы сделать их более жесткими. Это требуется при пошиве пиджаков и пальто или изделий из трикотажных тканей, чтобы избежать растяжения срезов. При пошиве верхней одежды применяется огромное количество прокладок и кромок.

Какие детали дублируются?

Как правило, в изделиях дублируются воротники, манжеты, обтачки горловины (кроме косых), борта, детали полочки (в пиджаках), подгибки низа и рукавов, срезы пройм и горловины, места под карманы, пояса. Для этого используют прокладочные материалы: дублерины, флизелины, бортовки, кромки и т. д.

Из названия следует, что прокладочные материалы находятся между слоями жакета или пальто, блузки или рубашки, обычно между тканью верха изделия (лицевой) и подкладочной тканью или между слоями ткани изделия (на манжетах и воротниках).

Прокладочные ткани приклеиваются к деталям изделия с изнаночной стороны при помощи горячего утюга с увлажнителем. Если прокладка толстая, можно воспользоваться куском увлажненной хлопчатобумажной ткани — бязи или марлевки. Из прокладочной ткани детали, как правило, выкраиваются без припусков, чтобы не создавать лишний объем на швах.

Дублирование изделия дублерином

Прокладочные материалы используются и в качестве вспомогательных, например, для машинной вышивки. Такие материалы могут растворяться в воде. После выполнения вышивки нужно прополоскать орнамент в воде — вышивка останется, а прокладочный материал смоется.

Большинство прокладочных материалов сделаны по принципу бутерброда: основа, на которую нанесен клеевой слой, и непосредственно сам клеевой слой. Клеевой слой бывает двух видов: сплошной, как пленка, и точечный, нанесенный точками. Основа, на которую нанесен клеевой слой, может быть тканой (термоткань) и нетканой (флизелин).

Клеевые прокладочные материалы также бывают односторонние (клеевой слой нанесен только с одной стороны основы) и двухсторонние, которые состоят из клеевого слоя (материал без основы). Комбинация основы и клеевого слоя определяет сферу применения всех клеевых прокладочных материалов.

Клеевые прокладочные материалы на тканой основе

Дублерин

Основа дублерина — ткань, именно поэтому такую прокладку еще называют термотканью. В зависимости от требуемой плотности

Дублерин пиджачный

дублерина, применяется более тонкая или более плотная ткань. При изготовлении эластичного дублерина используется трикотажный дублерин или дублеринстрейч.

При раскрое дублерина детали необходимо раскладывать по долевой нити, выкраивать без припусков на швы, чтобы не создавался дополнительный объем вдоль швов. Преимущества дублерина перед флизелином в том, что он не рвется, хорошо драпируется, практически не отклеивается. В зависимости от задачи, можно подобрать гибкий или практически

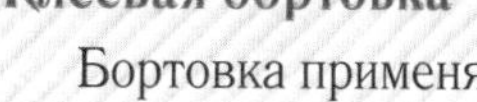

Воротничковый дублерин — более тонкий и более плотный

не гнущийся дублерин (для манжет и воротников мужских рубашек).

✿ *Совет.* Перед покупкой дублерина определитесь с тем, какой плотности он должен быть. Проведите тест на маленьком кусочке, прежде чем проклеивать детали изделия.

Клеевая бортовка

Бортовка применяется для укрепления полочек и бортов мужских пиджаков и другой мужской одежды.

Бортовка бывает двух видов: без клеевого покрытия (выстегивается вручную) и с клеевым покрытием. Бортовка отличается от дублерина, она более плотная и является узкоспециализированным материалом.

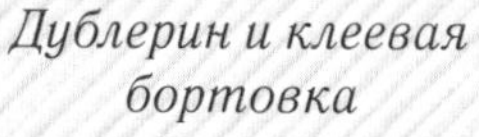

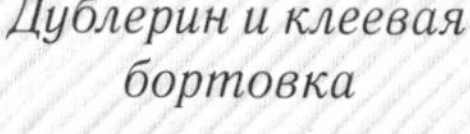

Дублерин и клеевая бортовка

Прокладки на нетканой основе

Основные представители нетканых прокладочных материалов — флизелин (нем. *Vlieseline*) и спанбонд. Оба материала имеют нетканую основу. Флизелины бывают клеевые и неклеевые, спанбонд — только неклеевой. Это бумагоподобные нетканые прокладочные материалы на основе целлюлозных волокон с возможным добавлением волокон полиэстера.

Флизелины, также как и дублерины, бывают разной плотности и толщины — от тончайших, практически невесомых до очень плот-

Флизелин

ных, по плотности схожих с тонким картоном. Поскольку основа флизелина не ткань, раскрой деталей можно производить по долевой и поперечной нити, но по долевой нити флизелин растягивается чуть меньше. Минусы флизелина: тонкий легко рвется, а плотный слишком жесткий, легко ломается при сгибах. Если детали, продублированные флизелином, не закрыты подкладкой, в процессе носки и стирки он может разлохматиться или отклеиться. Главное преимущество флизелина по сравнению с термотканью — его цена, он гораздо дешевле.

Разновидность флизелина — нитепрошивной флизелин. Это флизелин, который для прочности простеган на машинке. Такой флизелин — что-то среднее между флизелином и дублерином. Он не рвется и хорошо драпируется.

Клеевое покрытие у флизелинов, как и у дублерина, бывает точечным или сплошным. Ширина флизелина — 80, 90 или 100 см.

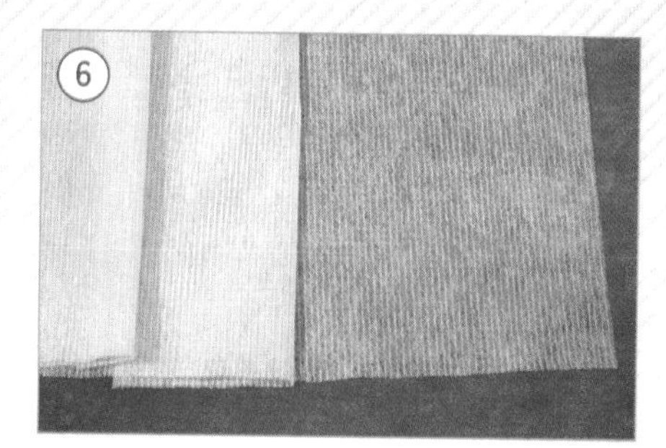

Нитепрошивной флизелин

Флизелиновая кромка — нитепрошивная и простая

Флизелиновые кромки применяются для укрепления отдельных деталей одежды, которые подвергаются в процессе пошива и эксплуатации большим нагрузкам. Это срезы горловин и пройм, края борта, низа и т. д.

Нитепрошивная кромка — это флизелиновая полоса шириной, как правило, от 1 до 4 см, простроченная для дополнительной эластичности и прочности. Также бывают нитепрошивные кромки с сутажным шнуром вдоль всей кромки — для прочности.

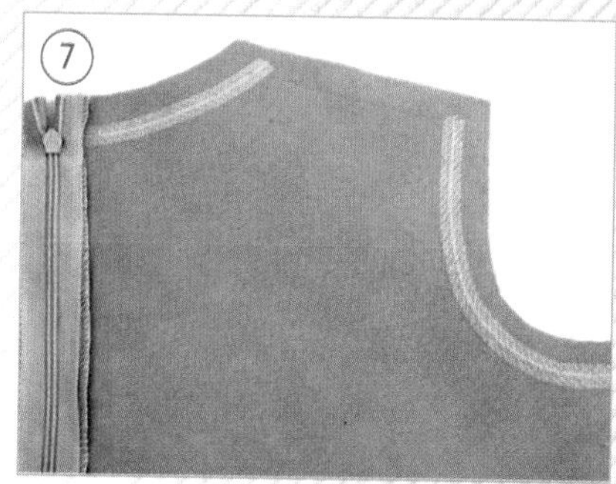

Укрепление срезов изделия клеевой кромкой

Совет. Клеевую кромку можно заменить нарезанными по косой нити тонкими полосками дублерина или флизелина.

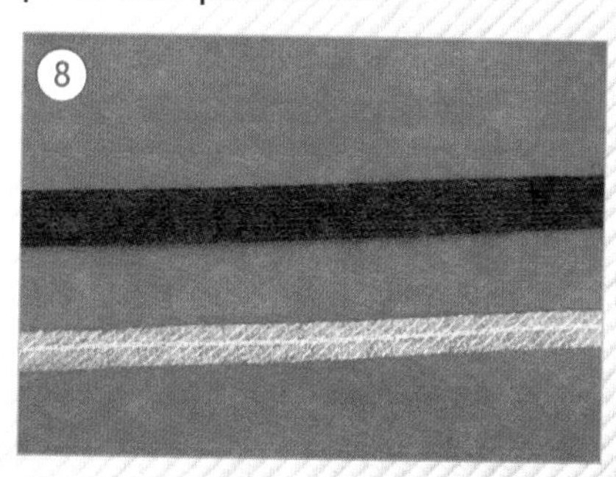

Клеевая кромка — нитепрошивная и с сутажным шнуром

Клеевая корсажная лента

Корсажная лента используется для дублирования и уплотнения пояса при шитье юбок и брюк. Корсажные ленты бывают разной ширины и плотности и подбираются соответственно ткани, из которой шьется изделие. Цвета — белый, черный.

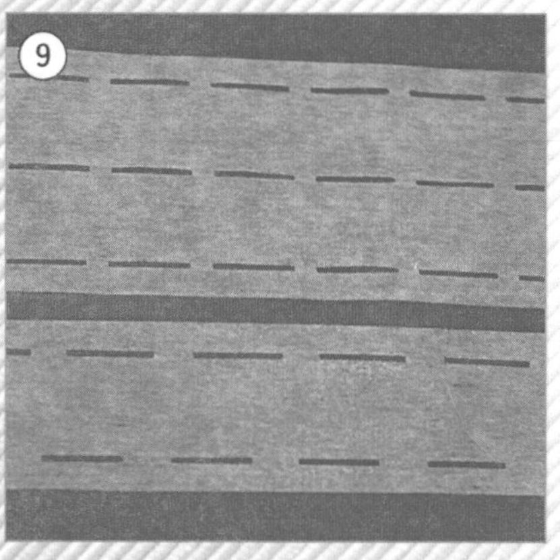

Клеевая корсажная лента

Клеевые паутинки, сеточки, флизофикс

Клеевые паутинки и сеточки — это класс прокладочных материалов, которые сотканы из клеевых нитей. Они не имеют основы и клеятся между слоями изделия. Такие материалы используются для подгиба низа изделий и рукавов, обтачек и т. д. Клеевые паутинки, более тонкие и невесомые, ставятся на тонкие ткани: тонкий хлопок, шифон, марлевку. Клеевая сеточка более жесткая, поэтому применяется для плотных тканей. Продается на полоске бумаги, которую необходимо снять перед приклеиванием.

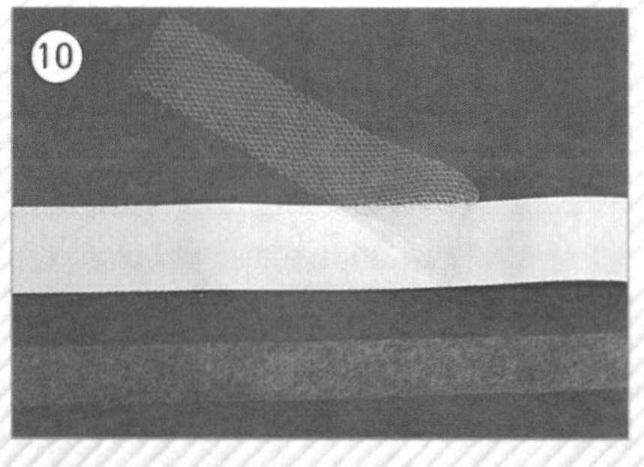

Клеевые паутинки

Флизофикс (нем. *Vliesofix*) — это двухстороннее клеевое полотно шириной 90 см. Как и клеевая сеточка, флизофикс продается прикрепленным с одной стороны к бумаге или без нее. Флизофикс используется также для приклеивания аппликаций.

Флизофикс

Таблица 1

Виды термоткани

Термоткань плательная	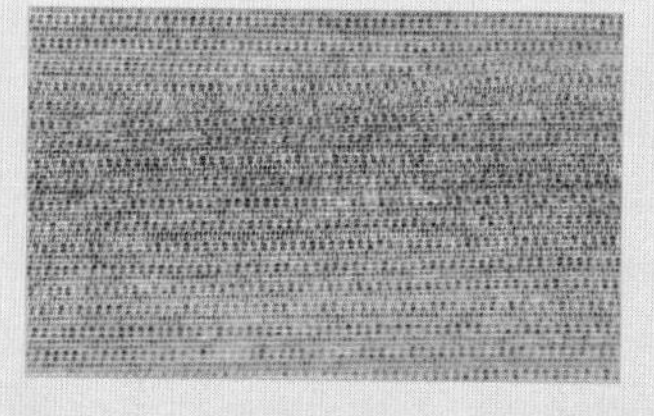	Используется для тонких и средних тканей.	Дублируются обтачки горловины и пройм, подгибы низа изделия и рукавов и т. п.
Термоткань пиджачная	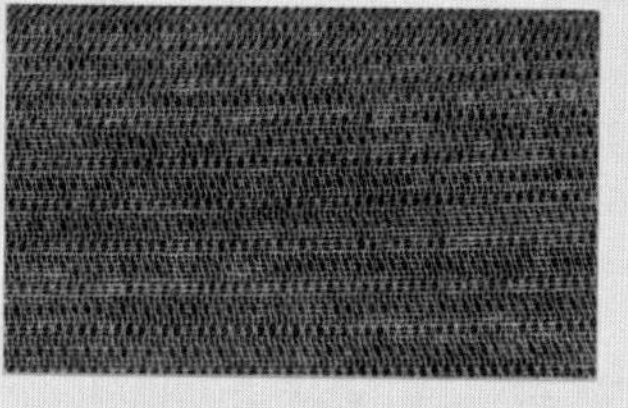	Используется на средних и более толстых тканях.	Дублируются полочки пиджаков, воротники, подгибы низа изделия и рукавов, детали поясов и т. п.
Бортовка		Используется на более толстых и толстых тканях, на тех местах, где требуется дополнительная жесткость, при пошиве мужских пиджаков и пальто.	Дублируются части полочек, подборта и т. п. Бывает клеевая и неклеевая.
Воротничковая ткань		Используется для дублирования воротников-стоек, отлетов воротников на мужских и женских рубашках, а также манжет.	Дублируется верхняя деталь отлета воротника, внутренняя деталь воротника-стойки и внешняя деталь манжеты. Отлет на некоторых изделиях для жесткости дублируется дважды.

Как читать выкройку

Любую выкройку можно читать, ведь каждая выкройка содержит в себе очень много важной информации, которая зашифрована в символах, цифрах и надписях.

1. **Направление долевой нити.** На каждой детали выкройки вы обязательно найдете стрелку с надписью «Долевая нить» или с буквами «Д. Н.», что одно и то же. О чем это говорит? О том, что прикалывать деталь к ткани нужно строго по направлению долевой нити, чтобы направление стрелки и долевой нити на ткани совпало.
2. **Сгиб ткани.** Если на деталях выкройки есть надпись «Сгиб ткани», такие детали нужно раскладывать не только по долевой нити, но и по сгибу ткани — точно по краю. Припуски по сгибам не делают.
3. **Специальные маркеры.** Короткие черточки и треугольнички означают, что по этим меткам детали необходимо совместить при сметывании. Метки в виде коротких черточек дополнительно сопровождаются цифрами, что позволяет не запутаться при сметывании изделия. Обязательно используйте такие метки при моделировании выкройки. Как правило, помечают верхнюю точку оката рукава, промежуточные точки участка припосаживания оката, молнии.

   Прямыми короткими отрезками размечают складки, защипы и т. п. Для складок дополнительно используют стрелки, которые показывают направление закладывания складок.
4. **Разметка прорезных и накладных деталей.** Если на вашем изделии планируются прорезные или накладные карманы, нашивки или аппликации, любые декоративные элементы, они намечаются по месту в натуральную величину.
5. **Припосаживание и сборка отдельных участков изделия.** Участок, который требуется припосадить или присборить, обозначается волнистым отрезком или пунктирной линией со звездочками по краям. Такое обозначение поможет вам не ошибиться с тем, на каком именно участке нужно припосадить или присборить изделие. Обычно припосаживают окаты рукавов, рукава на локтевых сгибах, плечо спинки, отдельные детали

по тем сторонам, где требуется сборка.

6. **Вытачки.** Вытачки размечаются на выкройке такими же линиями, что и внешние контуры деталей.
7. **Дополнительно размечаются** все необходимые уточнения, такие как линии стрелок на брюках, места притачивания пат и шлевок, линии подбортов и т. п.
8. Такие детали, как **мешковины карманов, подборта**, переснимают с выкройки дополнительно и выкраивают отдельно.

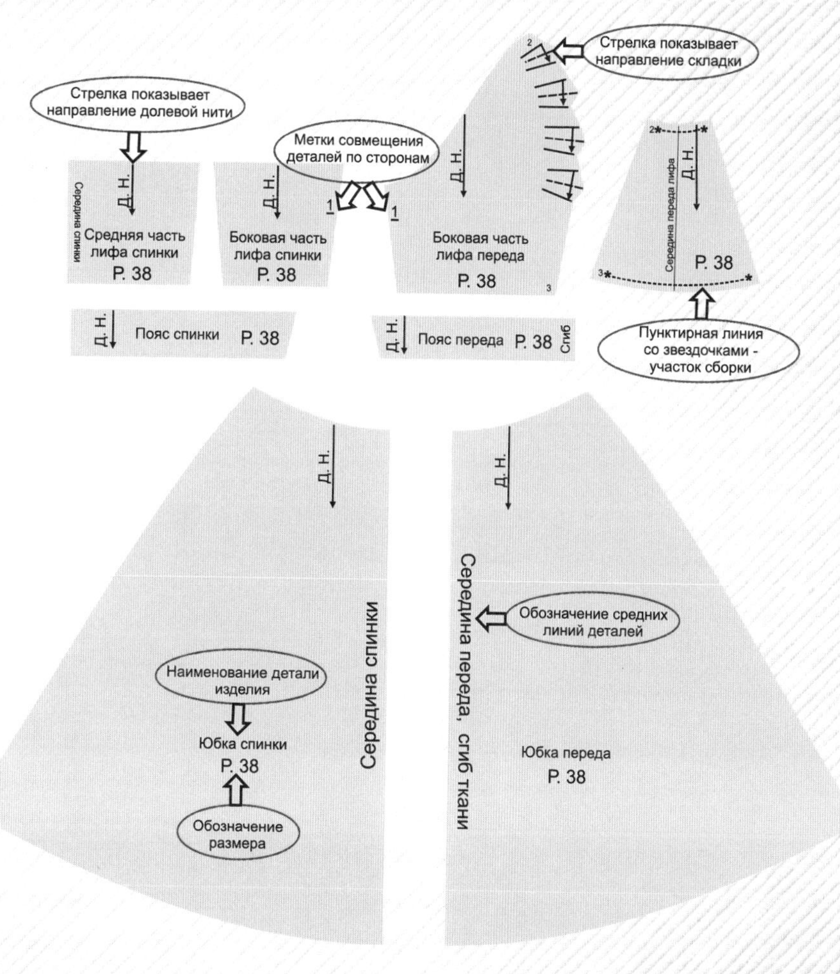

✿ *Важно!* Если вы шьете по журнальным выкройкам, обозначения могут отличаться от приведенных в этом разделе книги. Обычно эти обозначения приведены на отдельной странице журнала.

Лапки для швейной машины

Любая швейная машина продается с набором швейных лапок, и чем дороже модель, тем больше лапок к ней прилагается. Однако, как правило, достаточно иметь в своем арсенале необходимый набор основных лапок, которые используются постоянно.

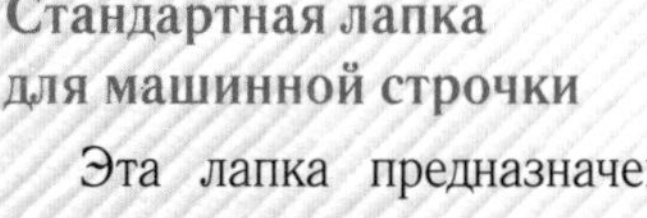

Стандартная лапка для машинной строчки

Эта лапка предназначена для выполнения прямых строчек и строчек зигзаг. Длина и ширина стежков определяются установками на швейной машине. Используется при пошиве и декорировании одежды, вышивки.

Чтобы получить прямые строчки без затяжек, после выполнения строчки надо проутюжить ее с обеих сторон деталей.

Затем разутюжить припуски, разложив их в разные стороны (в некоторых случаях припуски необходимо заложить на одну сторону).

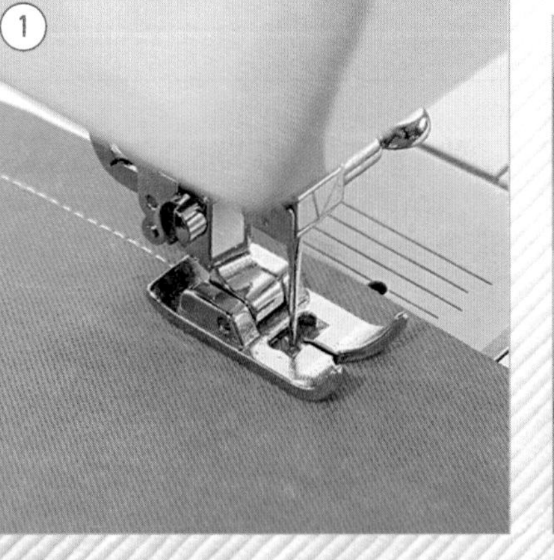

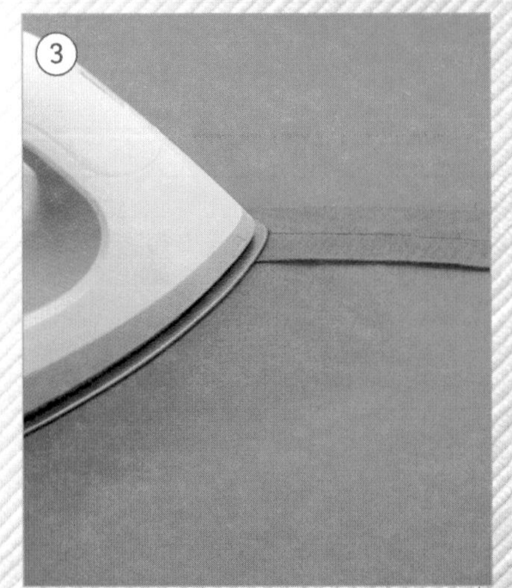

Лапка для притачивания потайной молнии

Если вы любите шить платья или юбки, без лапки для притачивания потайной молнии не обойтись. Безусловно, сделать это можно и без этой лапки, но с ней вы выйдете на совершенно новый уровень выполнения этой швейной операции и ваши изделия будут выглядеть идеально.

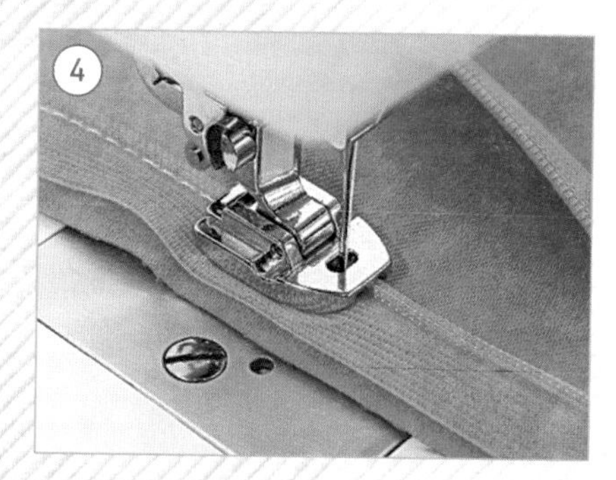
4

Лапка для притачивания потайной молнии по низу имеет два продолговатых желобка, которые фиксируют зубчики молнии и позволяют притачать ее максимально близко к ним.

Совет. **Левую и правую стороны молнии притачивайте, начиная сверху. Чтобы зубчики фиксировались в желобках лапки, меняйте положение иглы.**

Лапка для притачивания стандартной молнии

Эта лапка используется не только для притачивания стандартной молнии, но и для закрытия шва после притачивания потайной застежки-молнии, а также в тех случаях, когда нужно получить открытый доступ к шву.

Лапка имеет два варианта расположения: правое и левое положение от иглы, что позволяет начинать правую и левую строчки с верхней стороны молнии.

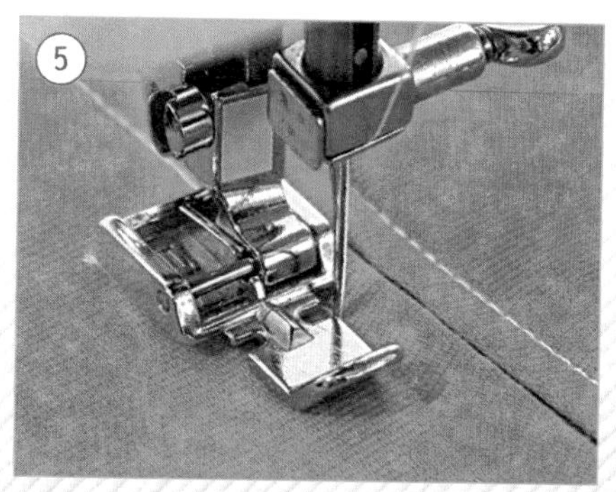
5

Лапка для узкой подгибки

При помощи этой лапки вы получите тонкую равномерную подгибку по всей длине ткани. Лапку следует использовать на тонких и средних тканях при пошиве платков, детской одежды, для подгибки низа и рукавов изделия.

Если вы никогда раньше не использовали такую лапку, вначале потренируйтесь на ненужном куске ткани.

Для того чтобы выполнить подгиб, в уголке ткани надо закрепить несколько вспомогательных нитей.

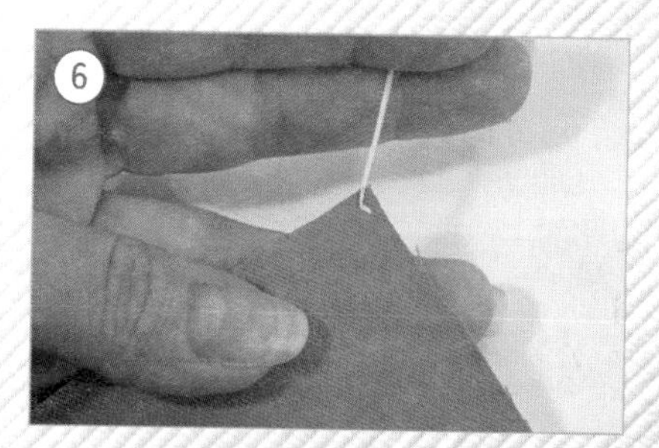
6

Заправить ткань в лапку, используя вспомогательные нити.

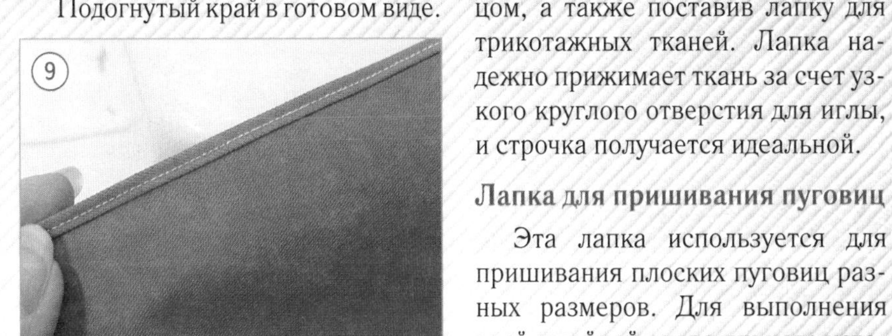

Аккуратно начать строчку, слегка потянув за вспомогательные нити, убедиться, что край подгибается равномерно. Загнуть край ткани, как показано на фото.

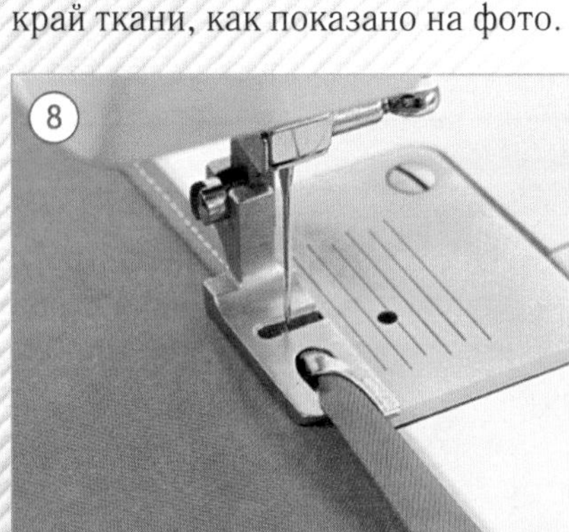

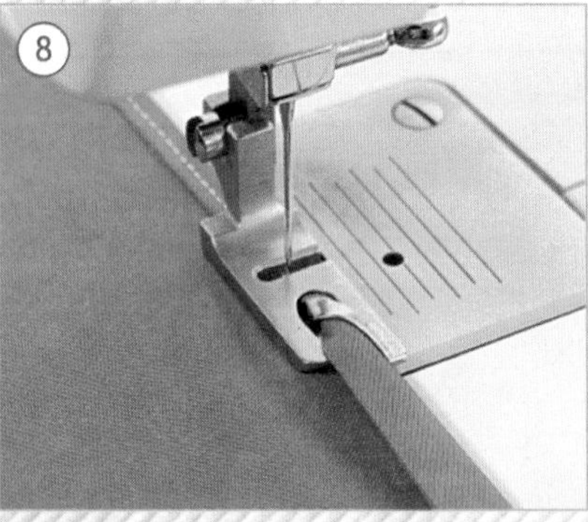

Подогнутый край в готовом виде.

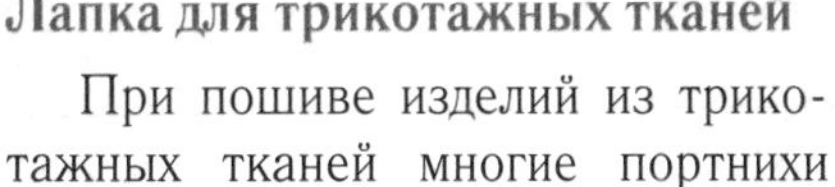

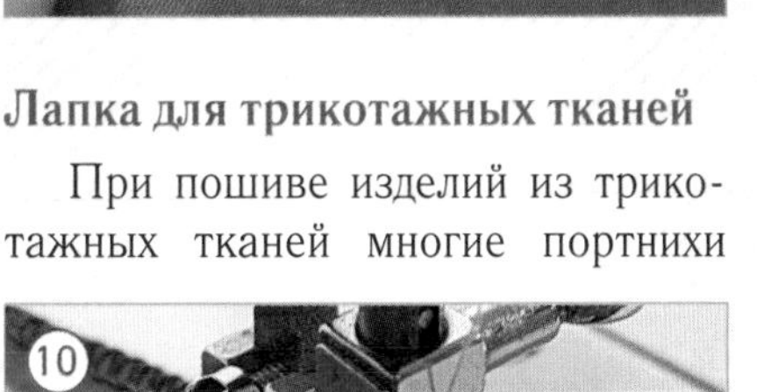

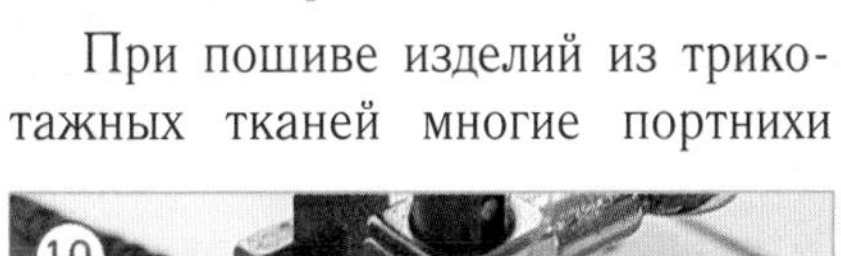

Лапка для трикотажных тканей

При пошиве изделий из трикотажных тканей многие портнихи

сталкиваются с проблемой пропущенных стежков. Такую проблему можно решить, заменив иглу иглой для трикотажа со скругленным концом, а также поставив лапку для трикотажных тканей. Лапка надежно прижимает ткань за счет узкого круглого отверстия для иглы, и строчка получается идеальной.

Лапка для пришивания пуговиц

Эта лапка используется для пришивания плоских пуговиц разных размеров. Для выполнения этой швейной операции надо установить ширину стежка по ширине дырочек, длину стежка установить на отметку ноль.

Подложить пуговицу под лапку, вколоть иглу в правую дырочку, аккуратно опустить лапку, прижать пуговицу.

Выполнить 3–4 горизонтальных стежка, поднять иглу.

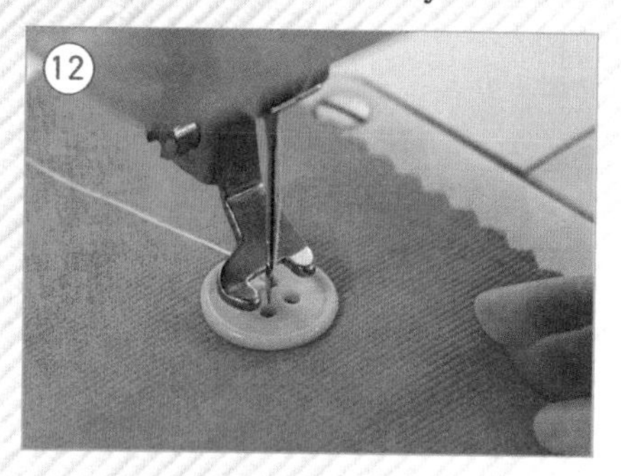

Сместить пуговицу вверх, пристрочить пуговицу по нижней паре дырочек.

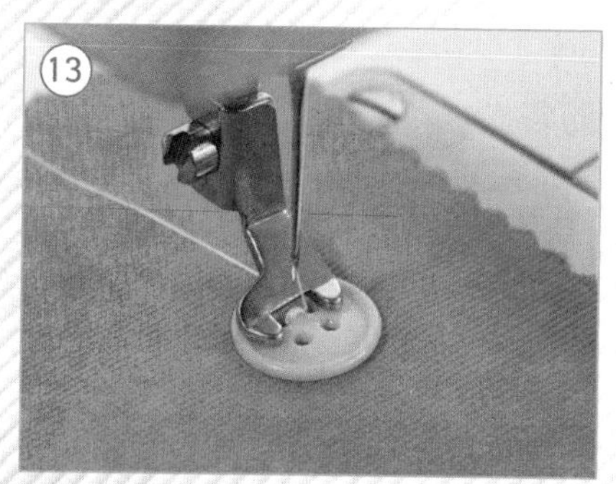

Концы нитей закрепить и обрезать.

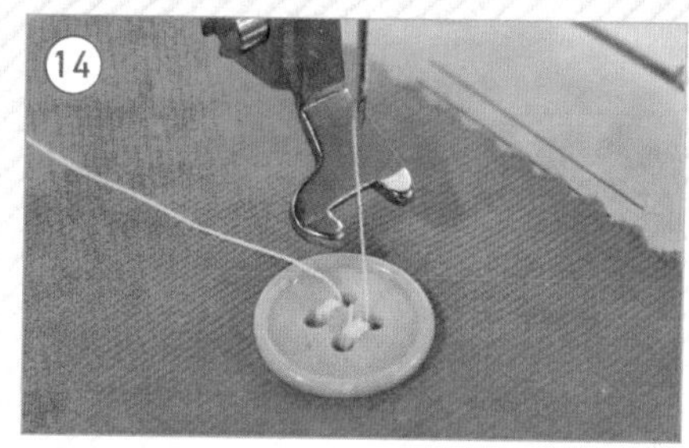

Лапка с открытым носком

Лапка предоставляет дополнительный обзор спереди, который позволяет лучше контролировать качество выполняемых стежков и строчек. Применяется для притачивания аппликаций, декоративных лент и т. п.

Используя такую лапку, также можно выполнить прорезную петлю с подъемом. Для этого следует увеличить натяжение верхней нити до 6, установить ширину стежка 1,5, длину — 0,5. Выполнить правую сторону петли, затем развернуть ткань и выполнить левую сторону петли.

Для выполнения закрепок по коротким сторонам установить ширину стежка 3 мм, длину — ноль.

По краям петли выполнить закрепки тремя горизонтальными стежками, концы нитей закрепить и обрезать.

Чтобы аккуратно разрезать петлю, воспользуйтесь специальным вспарывателем. По краям петли вколоть булавки, тогда можно прорезать петлю, не повредив закрепки.

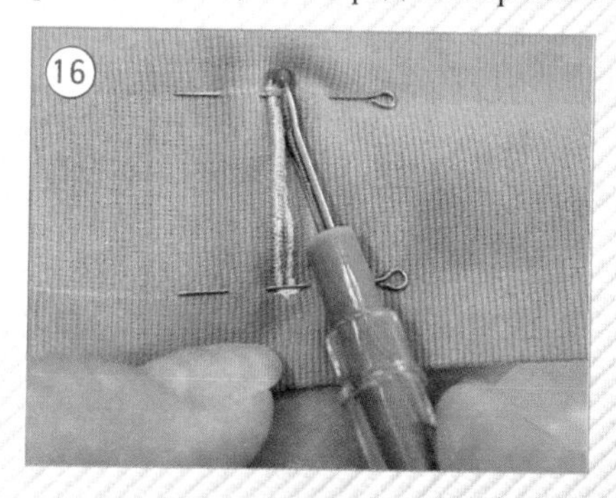

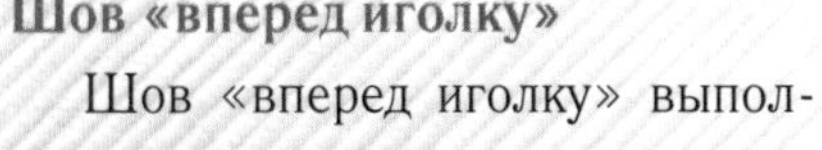

Основные виды швов

Описанные ниже виды швов могут применяться при пошиве одежды из легких и смесовых тканей, а также из джинсовых тканей (запошивочный шов). При пошиве изделий из тонких тканей, технологии выполнения швов, описанные ниже, могут использоваться для обработки припусков швов.

Шов «вперед иголку»

Шов «вперед иголку» выполняется вручную и применяется для сметывания (сшивания) деталей изделия, а также для переноса необходимой разметки с лицевой стороны ткани на изнаночную. Как правило, это прорезные карманы в рамку, складки, вытачки, необходимые метки и т. д.

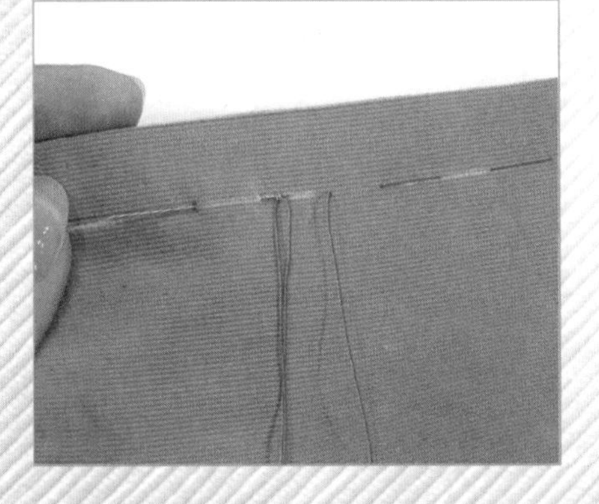

Швом «вперед иголку» также прокладывают силки для обозначения мест вытачек или складок на тонких тканях, где нет возможности использовать портновский мелок или карандаш.

Маленькая хитрость для тех, кто хочет сэкономить время: сколите детали булавками поперек шва и строчите прямо поверх булавок.

Обметочный шов

Самый простой способ обработать припуски изделия — использовать оверлок.

На тонких прозрачных тканях припуски сложить вместе и выполнить обметочный шов с применением ножа, срезая припуск до ширины 0,5–0,7 см, для остальных видов тканей каждый припуск обработать отдельно, а затем разутюжить.

Обработка шва «в разутюжку»

Стачать срезы по припускам на расстоянии 1,5 см от края, припуски разутюжить.

Подвернуть каждый припуск на изделие до ширины 0,75 мм, приметать и пристрочить к основному изделию близко ко шву — на расстоянии 1–2 мм от края припуска. С лицевой стороны по обе стороны шва должны получиться две строчки на одинаковом расстоянии от шва.

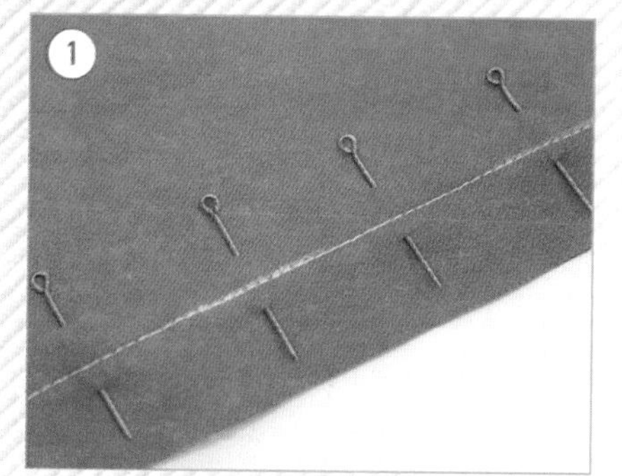

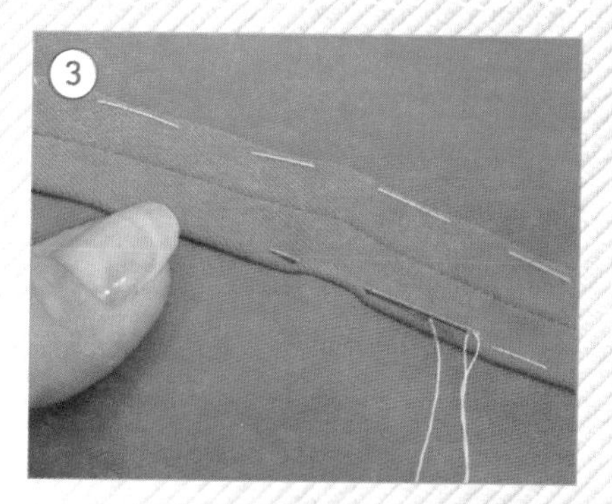

Обработка шва «в разутюжку»

Запошивочный шов

Этот шов широко применяется при пошиве изделий из джинсовых тканей. Детали сложить лицевыми сторонами вовнутрь, сметать, стачать. Срезы заутюжить в одном направлении (ширина припусков должна быть не менее 1,5 см). Нижний припуск срезать до ширины 0,5 см.

Край верхнего припуска подвернуть на ширину 0,5 см, обернуть нижний срез верхним и проложить строчку точно по подвернутому краю верхнего припуска на расстоянии 1–2 мм от основного шва, пристрачивая припуск к изделию.

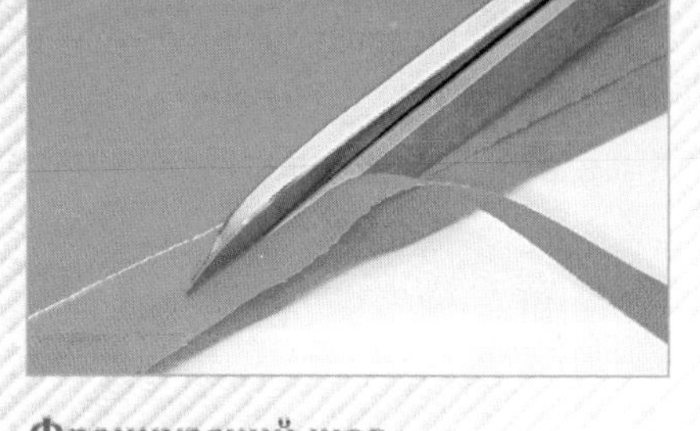

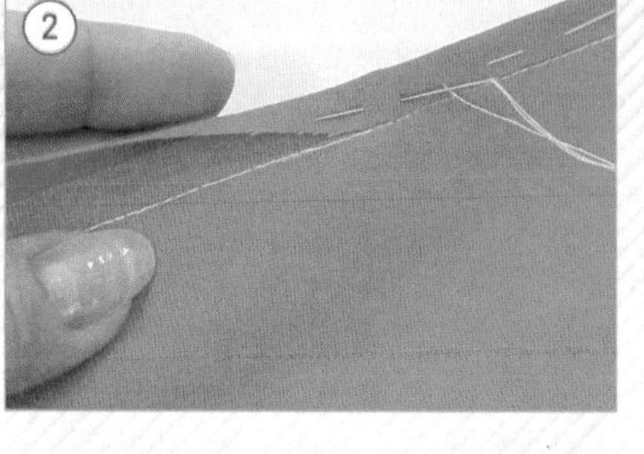
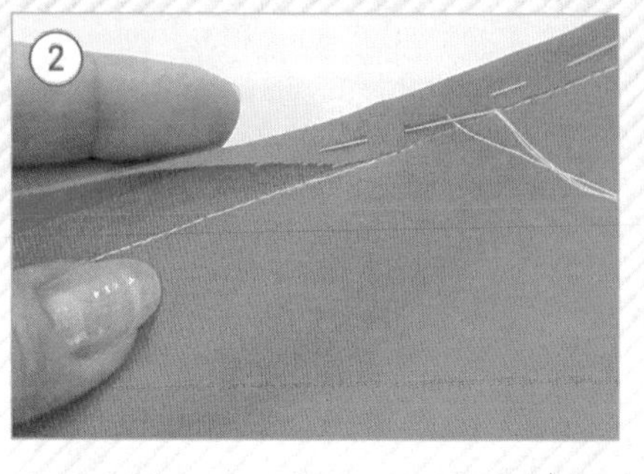
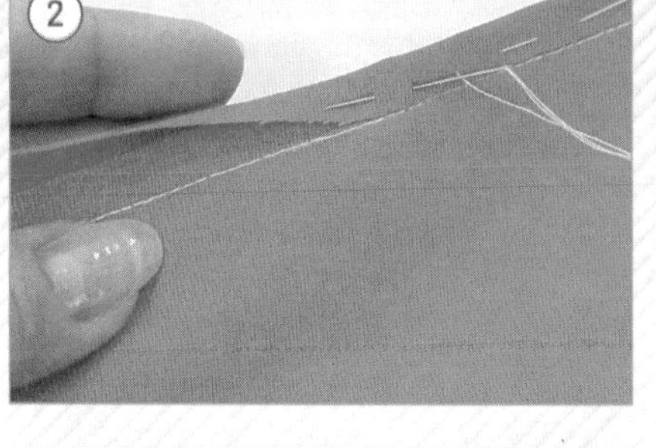
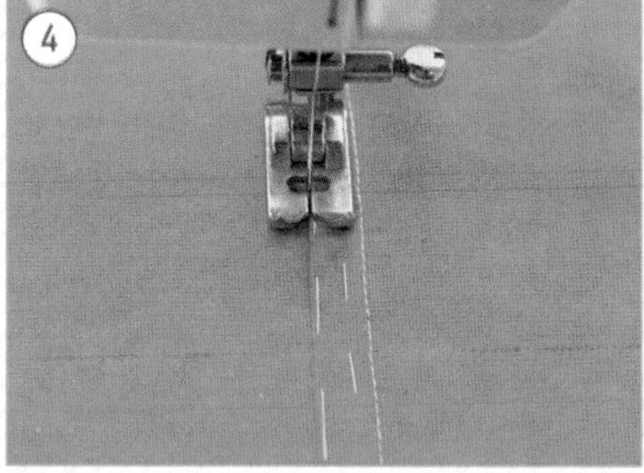
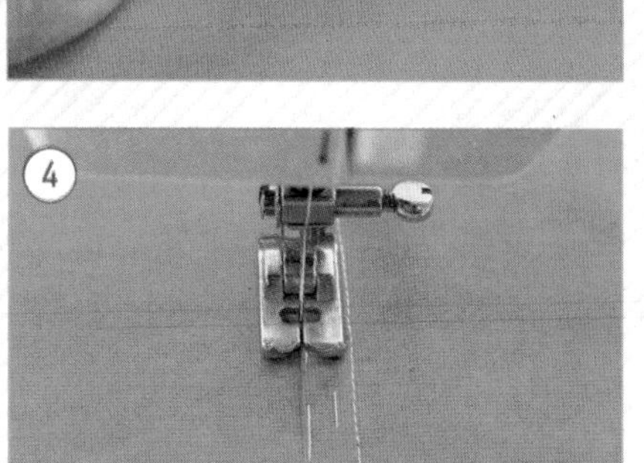

Запошивочный шов

Французский шов (двойной шов)

Это немного измененная версия французского шва, которая, несомненно, понравится любительницам шитья своей простотой выполнения и аккуратным видом.

Сложить детали лицевыми сторонами вовнутрь. Сметать и стачать. Шов разутюжить. Срезать припуски до 1–1,2 см. Подвернуть каждый припуск вовнутрь на 4–5 мм. Ширина подвернутых припусков должна быть одинаковой и равняться примерно 5–6 мм. Сложить вместе оба припуска, по краю на расстоянии 1–2 мм проложить строчку. Заутюжить припуск на одну сторону.

Обработка припусков швов косой шелковой бейкой

Этот способ обработки швов рекомендуется использовать тем портнихам, которые хотят добиться того, чтобы их изделия были выполнены на самом высоком уровне. Такая обработка швов используется в изделиях высокого уровня, и именно по ней можно отличить вещь экстра-класса от ширпотреба. Способ достаточно трудоем-

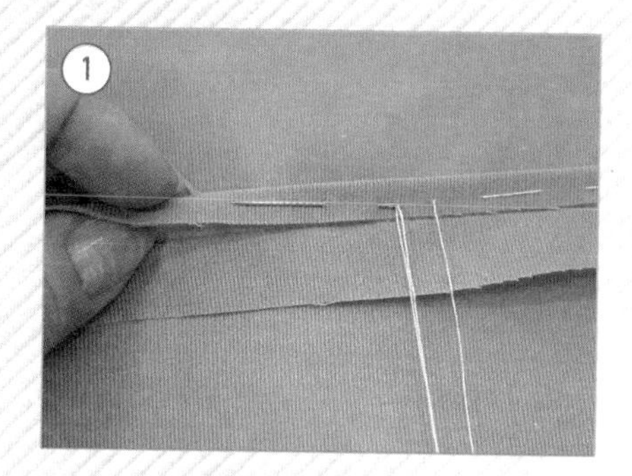

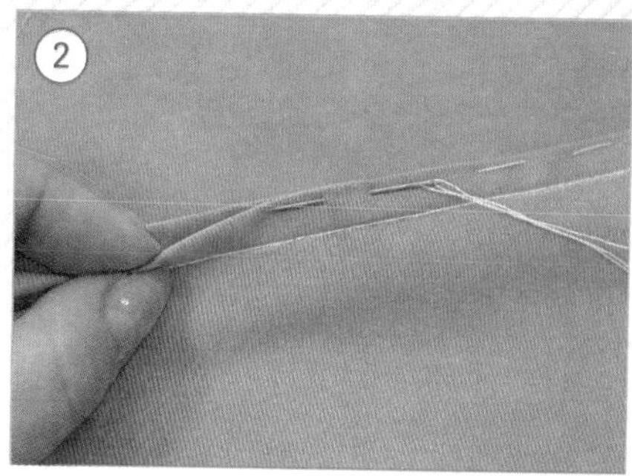

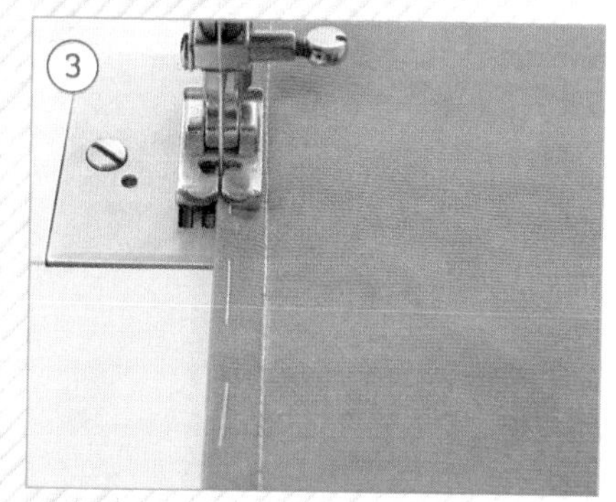

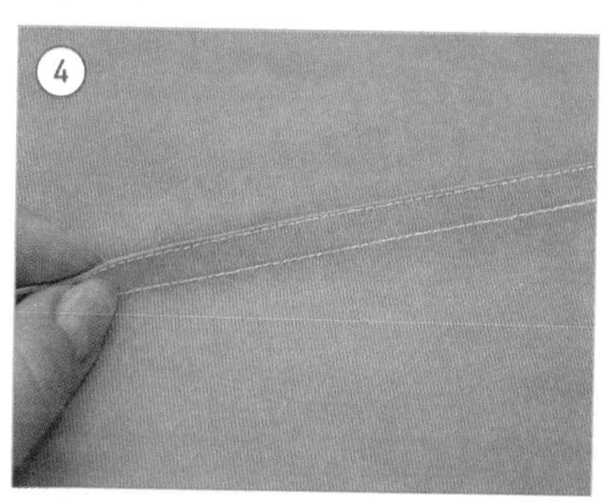

Французский шов (двойной шов)

кий, поскольку занимает намного больше времени, однако по сложности он не стоит на первом месте.

Перед тем как приступать к работе, необходимо купить косую бейку с подгибом по обеим сторонам. Косую бейку можно найти в любом магазине фурнитуры, она бывает разных цветов и оттенков, так что подобрать нужный цвет не составит труда. Подбирая цвет бейки, имейте в виду, что особым шиком у модельеров считается обрабатывать припуски швов контрастной по цвету бейкой, например, черное изделие может быть обработано фиолетовой лентой.

Описание работы

Измерить общую длину припусков на швы, которые необходимо обработать. Прибавить к этому значению 10–20 см. Срезать припуски на швы до 1 см.

Бейку перегнуть пополам таким образом, чтобы нижняя половинка была немного шире (на 1–2 мм) верхней. Утюжить бейку не нужно. Обернуть припуск изделия бейкой (нижняя часть бейки — более широкая) и прострочить точно в край, слегка натягивая бейку, чтобы не образовывались складочки или морщинки. После того как будет обработана одна сторона, бейку обрезать и переходить к следующей. Когда все швы будут обработаны, проутюжить их.

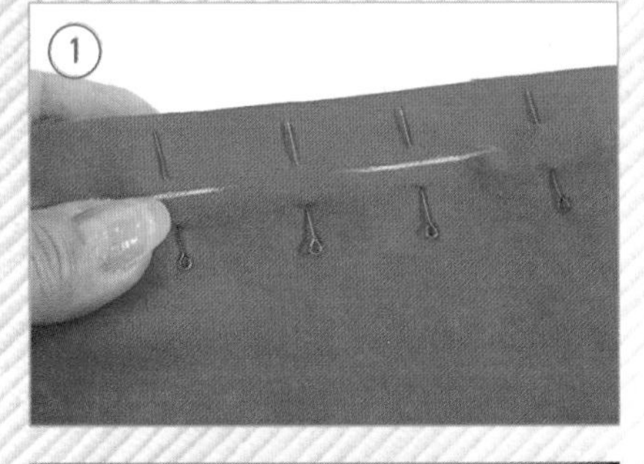

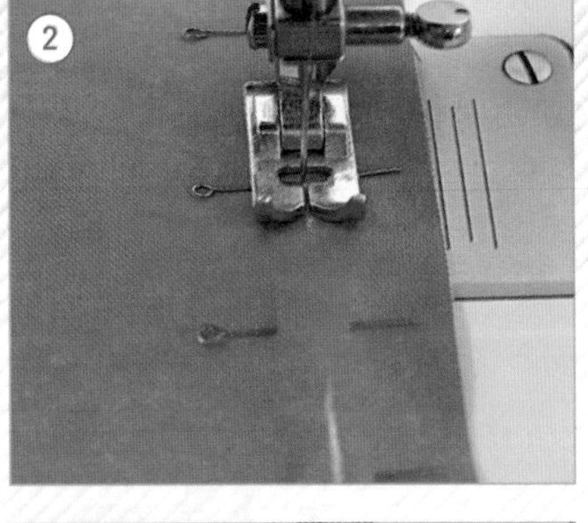

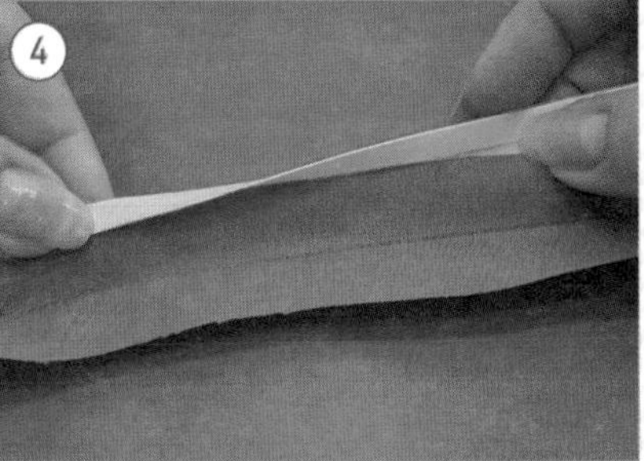

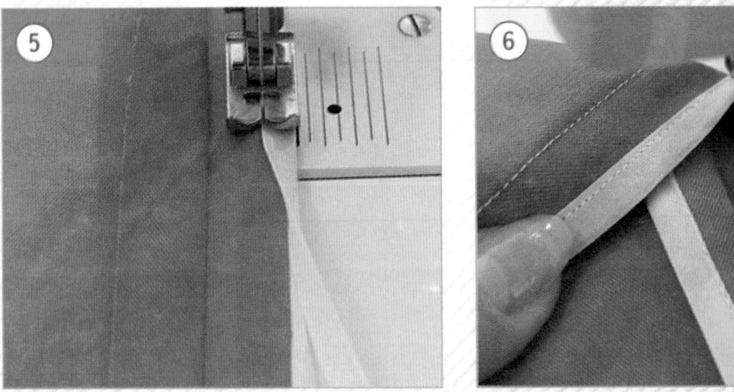

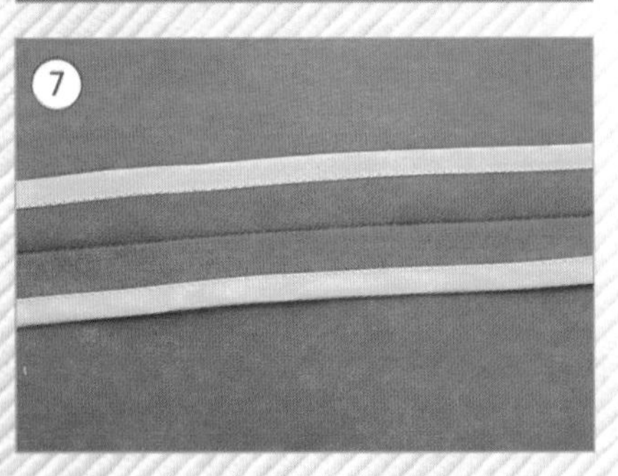

Обработка припусков швов косой шелковой бейкой

Совет. Если вы решите обрабатывать припуски швов изделия подобным способом, не стоит совмещать его ни с каким другим, в том числе с обработкой швов на оверлоке.

Обтачки

ПОДКРОЙНАЯ ОБТАЧКА (на примере обработки горловины)

Подкройная обтачка — это один из видов обтачек, который позволяет обрабатывать вырезы самой сложной формы идеально точно. Простое платье-футляр при помощи такой обработки можно превратить в вещь экстра-класса.

Совет. **Подкройные обтачки кроятся шириной 4 см и полностью повторяют вырез горловины. Необходимо переснять подкройную обтачку с выкройки на кальку и выкроить с такими же припусками на швы, как и изделие.**

Описание работы

Из основной ткани выкроить подкройную обтачку для выреза горловины передней половины изделия (1 деталь со сгибом) и подкройную обтачку для горловины спинки (поскольку по среднему шву спинки предусмотрена застежка-молния, выкроить 2 детали обтачки для спинки).

Продублировать обтачки термотканью. Термоткань выкроить без припусков на швы. Стачать плечевые швы на изделии, припуски швов обработать и разутюжить.

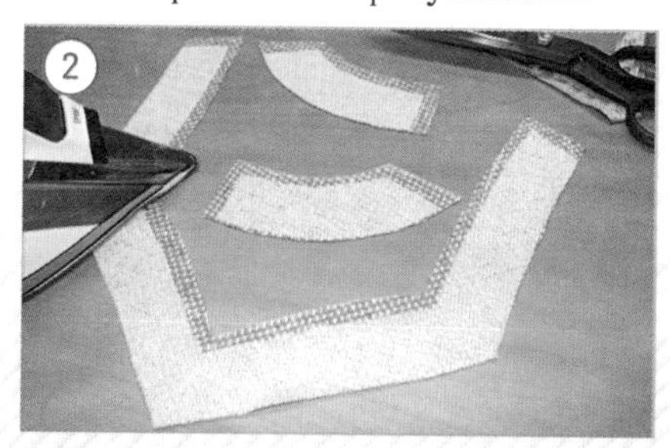

Стачать плечевые швы на обтачках. Припуски плечевых швов на обтачках разутюжить, но не обрабатывать. Обработать обтачку по внешней стороне оверложным швом.

По спинке платья вшить потайную застежку-молнию.

Отогнуть тесьмы застежки-молнии. Наложить обтачку лицевой стороной на лицевую сторону изделия по вырезу горловины, сколоть булавками или приметать.

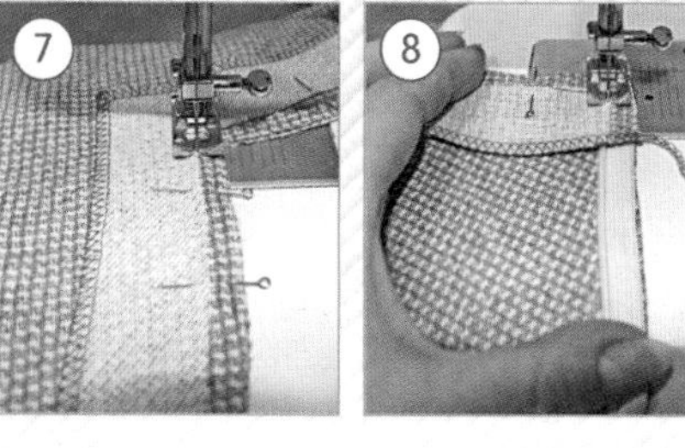
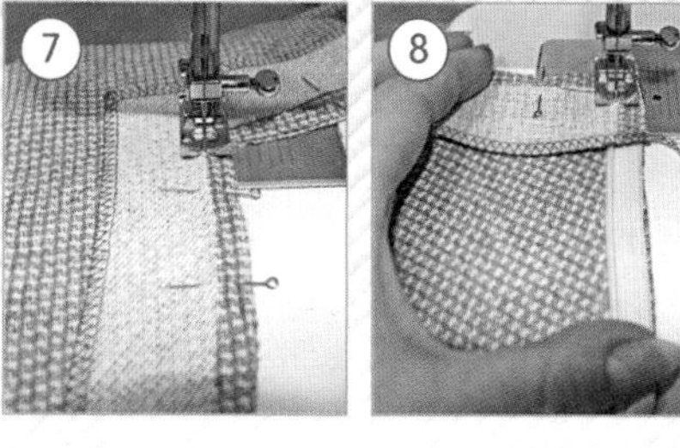
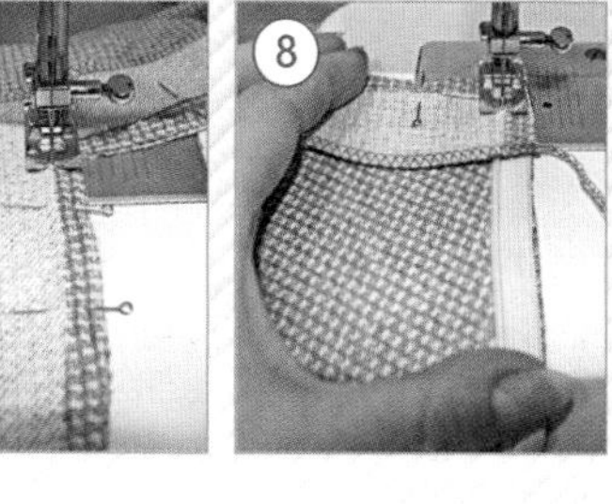

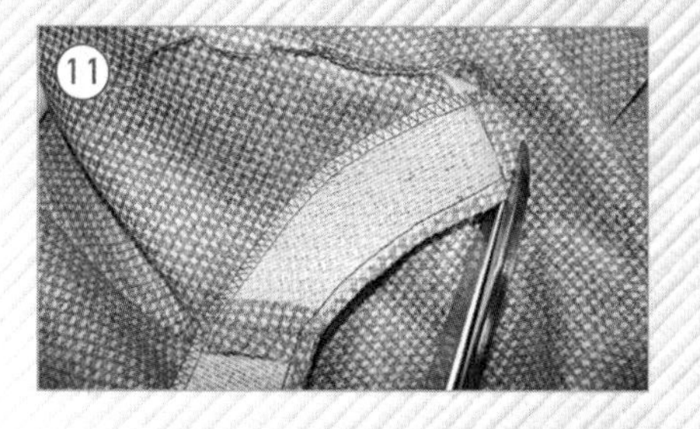

Припуски срезать, в уголках рассечь, не доходя до строчки около 2 мм. Углы припусков срезать.

Обтачку отвернуть на лицевую сторону, чисто выметать, проутюжить.

Притачать обтачку по припускам к горловине. Дойдя до тесьмы молнии, прострочить зубчики молнии парой стежков, развернуть изделие на 90° и притачать обтачку по короткой стороне. Зубчики застежки-молнии должны находиться внутри.

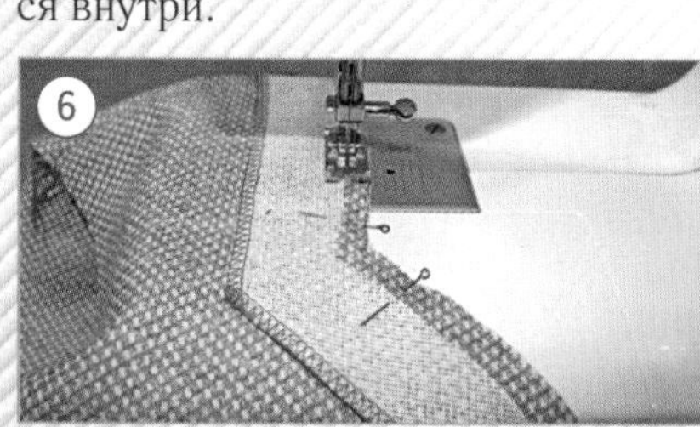
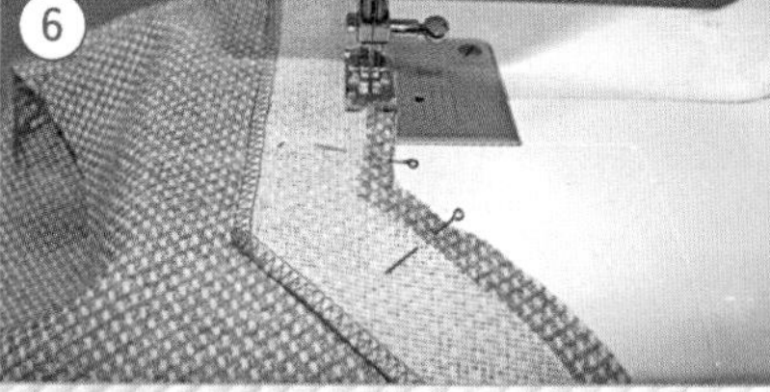

Разложить обтачку с изделием в одну плоскость таким образом, чтобы припуски были заложены на обтачку. Отступив от молнии около 3 см, близко к шву проложить строчку, пристрачивая припуски к обтачке. Такое закрепление необходимо, чтобы в готовом изделии подкройная обтачка красиво лежала и не отворачивалась.

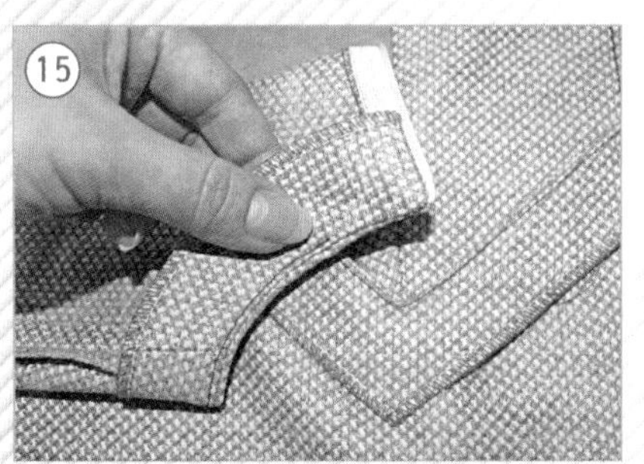

Вручную пришить обтачку к тесьму застежки-молнии и плечевым швам несколькими стежками.

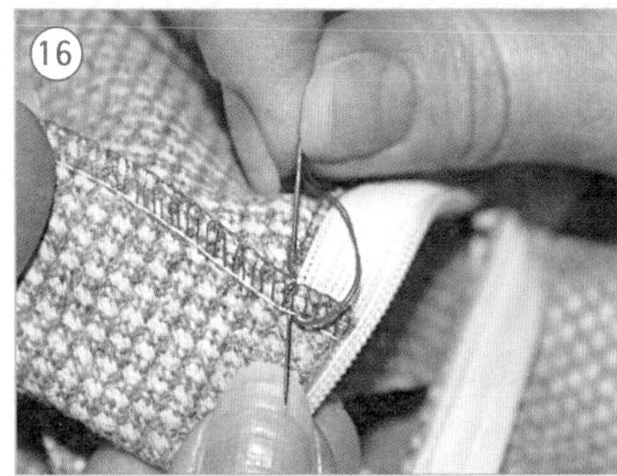

Так выглядит вырез горловины, обработанный подкройной обтачкой, в готовом виде с изнаночной и лицевой сторон изделия.

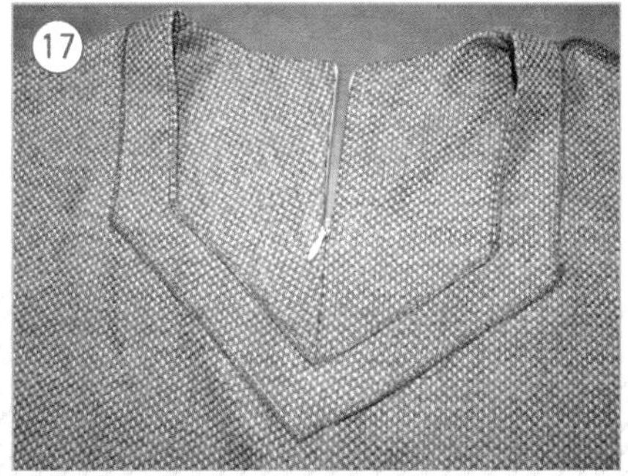

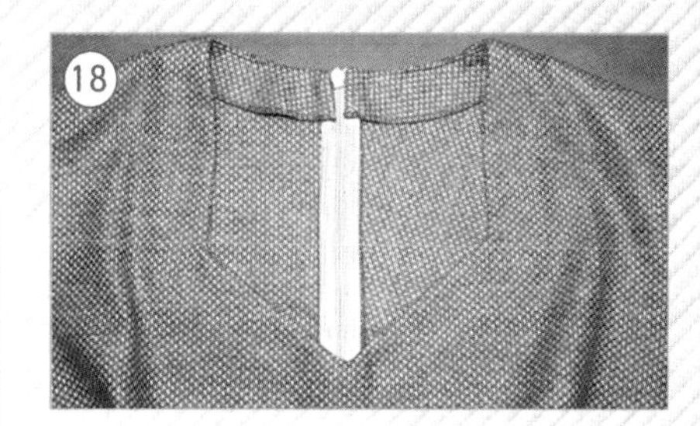

ЦЕЛЬНОКРОЕНАЯ ОБТАЧКА ГОРЛОВИНЫ И ПРОЙМ ПЛАТЬЯ

При этой технологии обработки горловина и проймы платья полностью закрыты обтачками и выглядят очень аккуратно. Кроме того, по этой технологии легко сшить платье на подкладке, достаточно лишь выкроить подкладку за вычетом обтачек и пришить по низу обтачек платья.

Перед тем как приступить к обработке пройм и горловины платья цельнокроеными обтачками, следует вшить в платье застежку-молнию, изделие полностью сметать и примерить.

Боковые швы застрочить, а плечевые оставить открытыми. Наметку с плечевых швов удалить.

Описание работы

На основном изделии обработать боковые срезы, сметать и стачать боковые швы (*рис. 1*). Плечевые швы платья должны оставаться открытыми.

Цельнокроеные обтачки выкроить точно по выкройке платья (по горловине и проймам шириной 4 см с припусками на швы 1,5 см). Обтачки полностью укрепить термотканью, которая выкраивается без припусков на швы. Если на платье предусматривались вытачки, их следует закрыть на бумажной выкройке, обтачки переснять по выкройке изделия с уже закрытыми вытачками.

Необходимо выкроить

(*рис. 2*):

- **обтачку переда платья** — 1 деталь со сгибом;
- **обтачку спинки платья** — 2 детали.

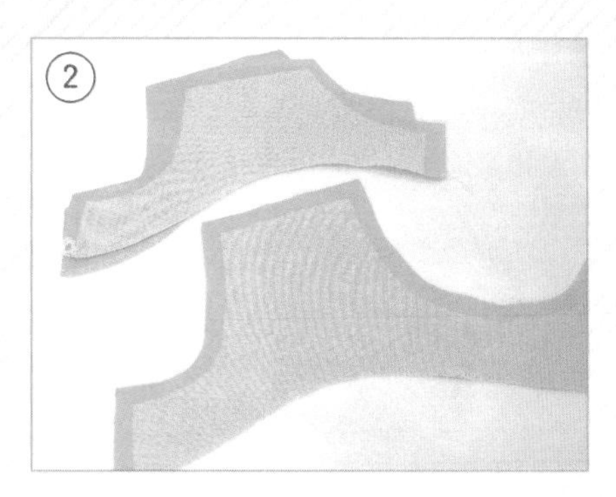

Стачать боковые швы на обтачках. Припуски разутюжить.

Обтачки сложить с платьем лицом к лицу, совместив по проймам изделия, горловине переда и горловине спинки платья (*рис. 3*).

На расстоянии 3 см от плечевых швов платья мелком поставить метки. Сметать платье по горловине и проймам, не доходя 3 см до плечевых швов.

На спинке платья отвернуть тесьму застежки-молнии и сметать горловину, не доходя 3 см до плечевых швов (*рис. 4, 5*). Продолжив сметывать, приметать обтачку к тесьме молнии чуть дальше шва втачивания молнии. Прострочить горловину платья и проймы платья до меток. Горловину спинки платья прострочить, как показано

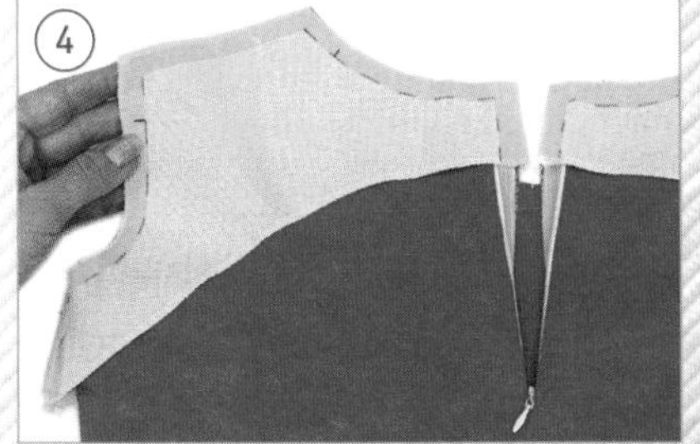

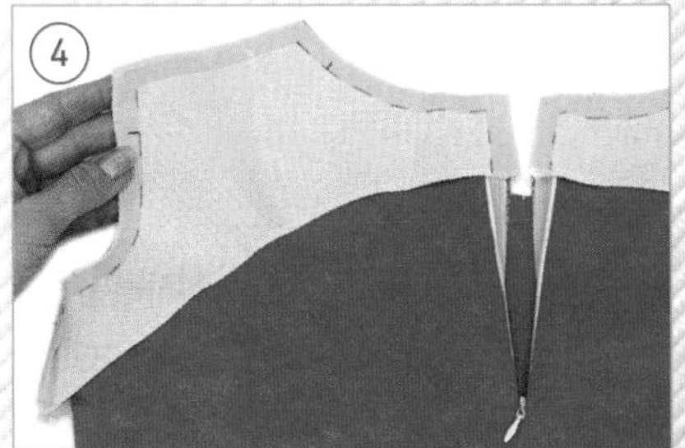

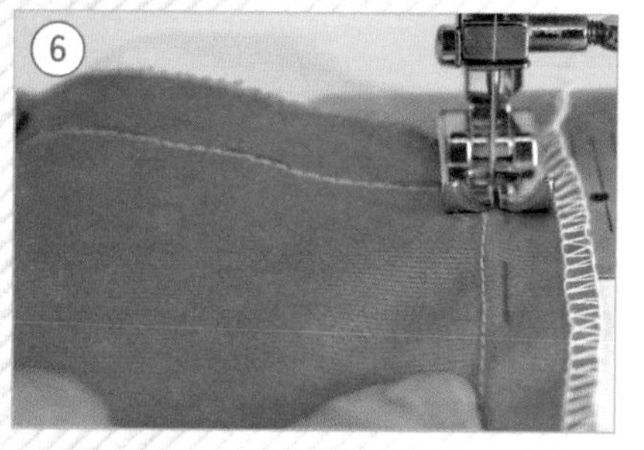

на *рис. 6* (линия вшивания молнии остается внутри).

Рассечь припуски, не доходя до строчек в местах скругления, у верхнего края молнии — наискосок (*рис. 7, 8*). Обтачку отвернуть на лицевую сторону, перекантовать срез на изнаночную сторону и слегка приутюжить (*рис. 9*). Открытые плечевые срезы сложить друг с другом по шву. Запустить руку под обтачку и вытащить наружу плечевые срезы платья и обтачки, взятые вместе (*рис. 10*). Сложить попарно плечевые срезы платья и обтачек, сметать и сострочить от края до края (*рис. 11*). Разутюжить плечевые срезы, как показано на *рис. 12*.

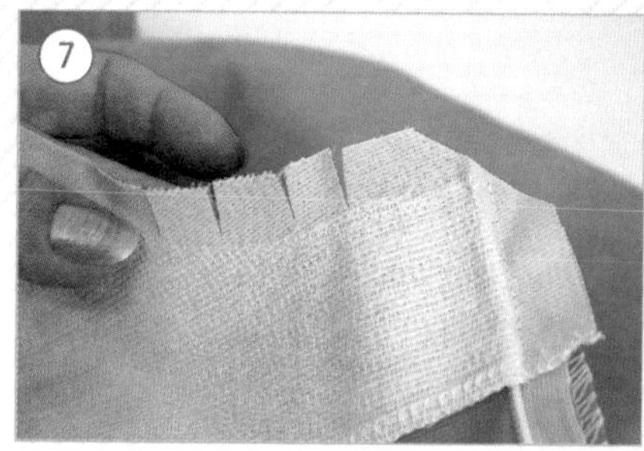

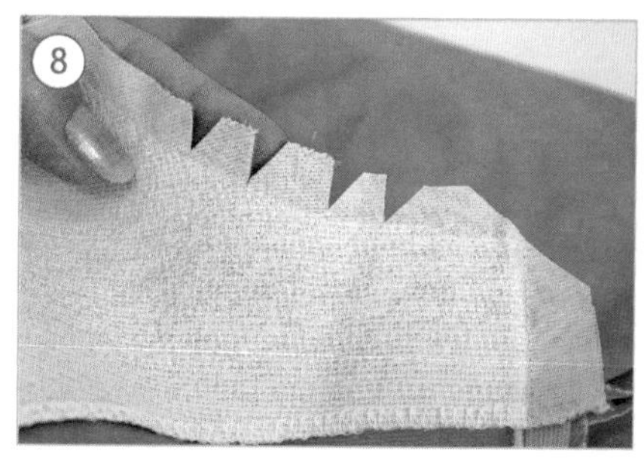

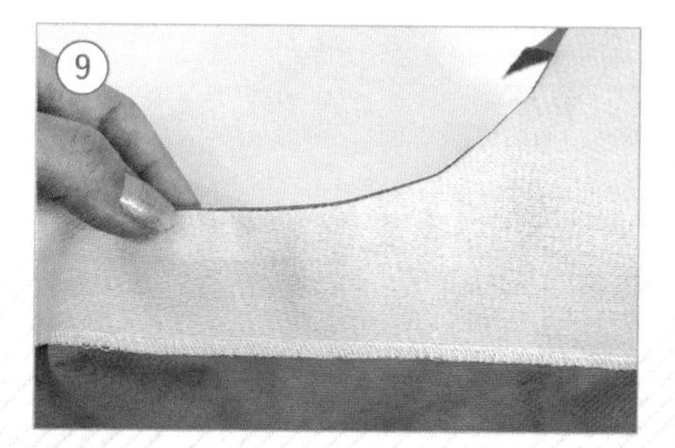

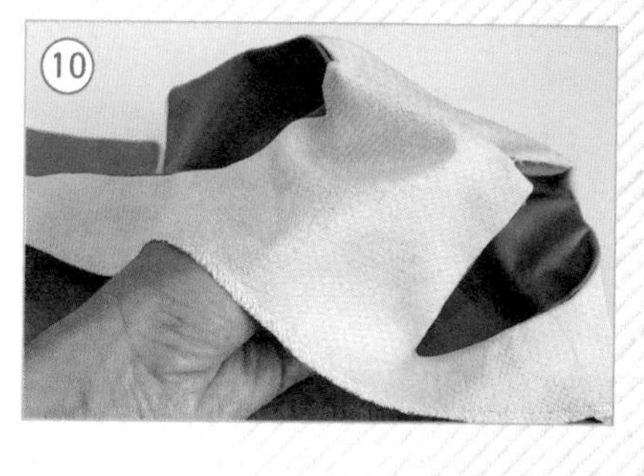

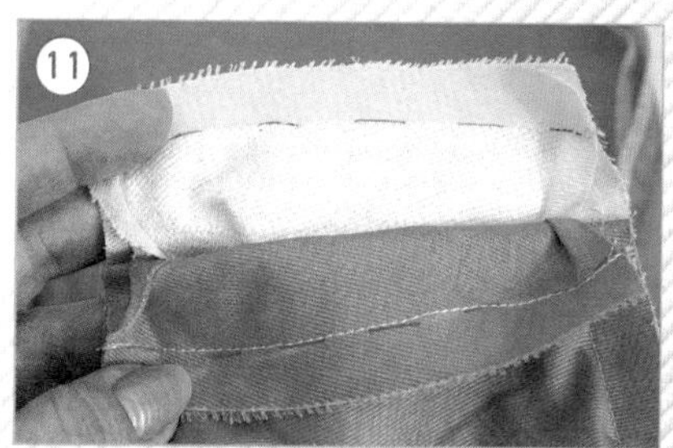

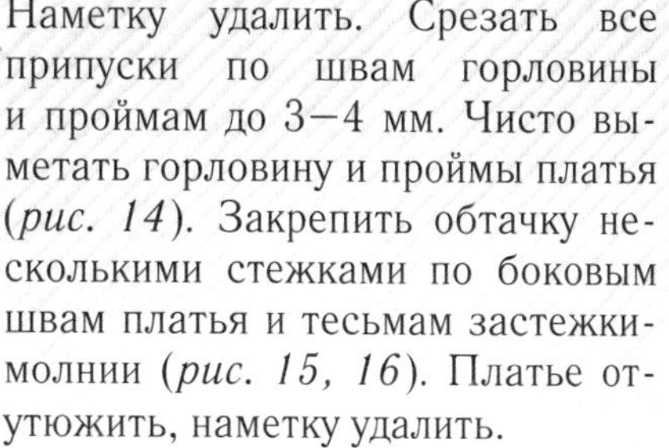

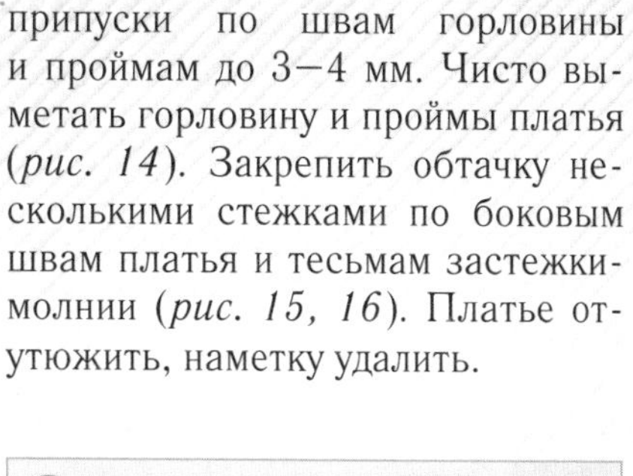

Вывернуть платье на лицевую сторону. Остается зашить открытые участки проймы. Вытянуть открытые участки наружу, запустив руку под обтачку. Расправить, чтобы не было складочек. Сметать и сострочить (*рис. 13*).

Наметку удалить. Срезать все припуски по швам горловины и проймам до 3–4 мм. Чисто выметать горловину и проймы платья (*рис. 14*). Закрепить обтачку несколькими стежками по боковым швам платья и тесьмам застежки-молнии (*рис. 15, 16*). Платье отутюжить, наметку удалить.

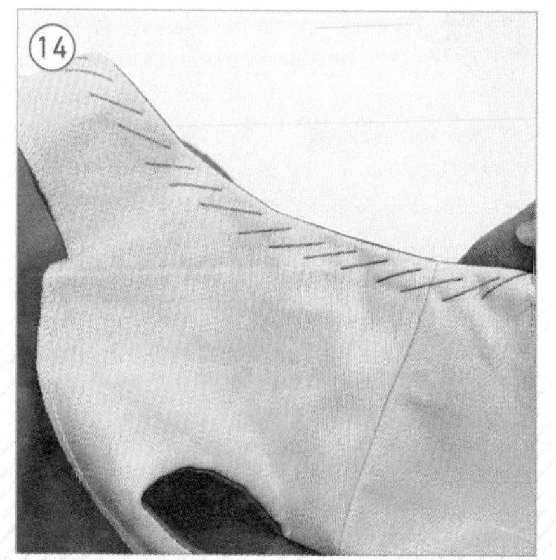

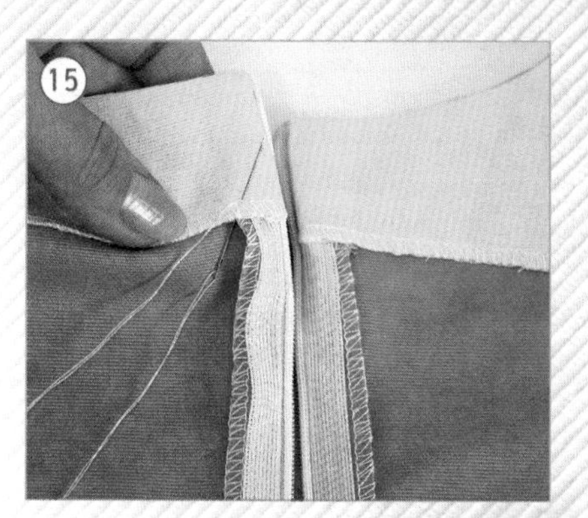

Молнии

ПОТАЙНАЯ МОЛНИЯ

Правильно втачанная потайная застежка-молния не видна в шве. Обычно ее втачивают в средний шов спинки платья или юбки. Однако, решив втачать потайную застежку-молнию в боковой шов платья или юбки, учитывайте, что форма бока может деформироваться, если вы неправильно вошьете молнию или материал изделия очень тонкий. В этом случае лучше все-таки остановить свой выбор на среднем шве спинки платья или юбки и втачать молнию в него.

Для того чтобы быстро и аккуратно втачать потайную застежку-молнию, следуйте подробным инструкциям.

Описание работы

В отличие от обычной молнии потайная втачивается в открытый шов.

Перед началом работы обработать швы изделия оверлоком или косой шелковой бейкой (*рис. 1*).

Наметить линию втачивания молнии при помощи портновского мелка на изнаночной стороне изделия. Припуски должны быть шириной 1,5 см.

Отвернуть припуски среднего шва платья на изнаночную сторону и слегка прижать, но не утюжить (*рис. 2*). Раскрыть застежку-молнию, наложить ее лицевой сторо-

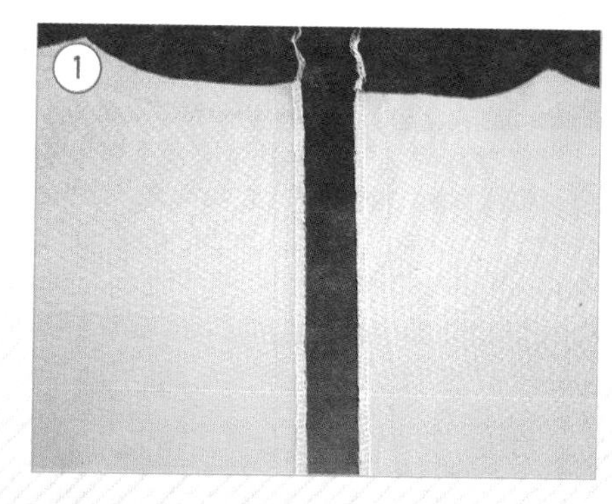

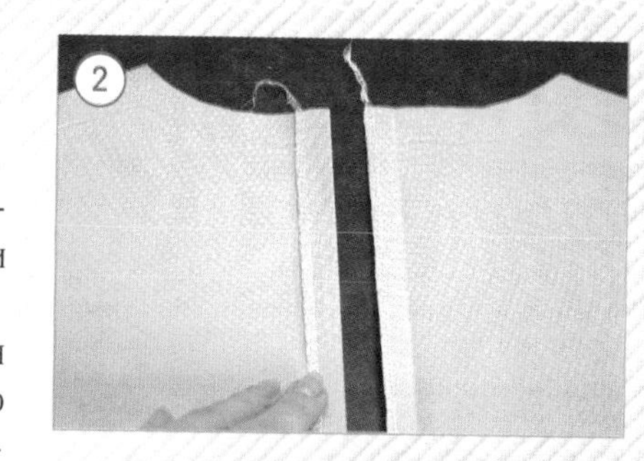

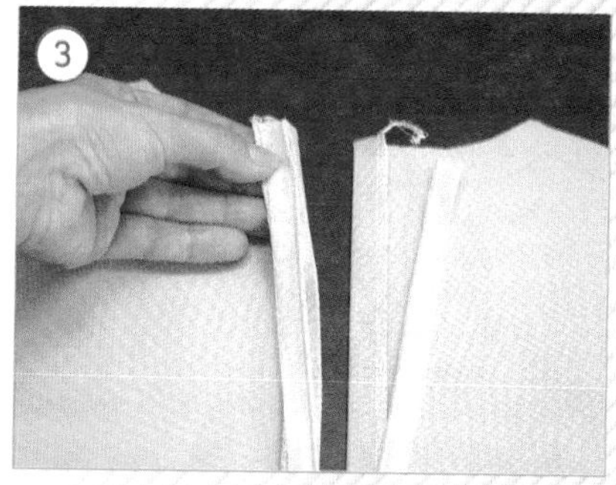

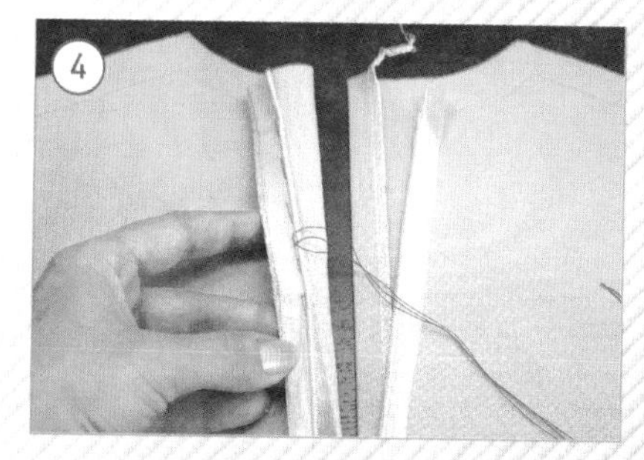

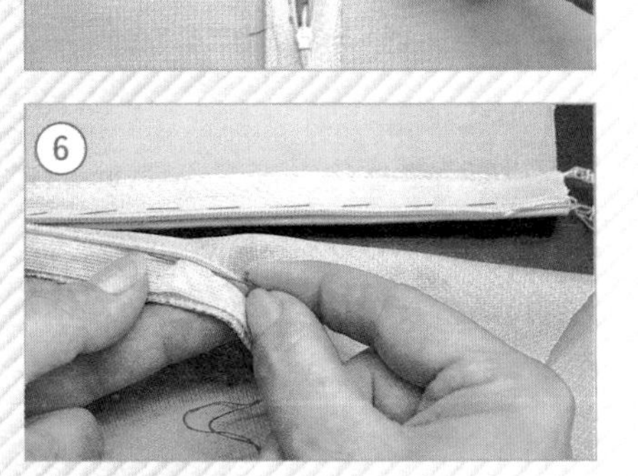

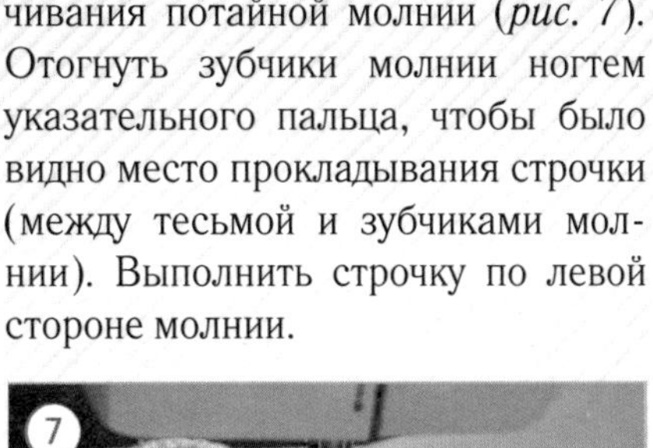

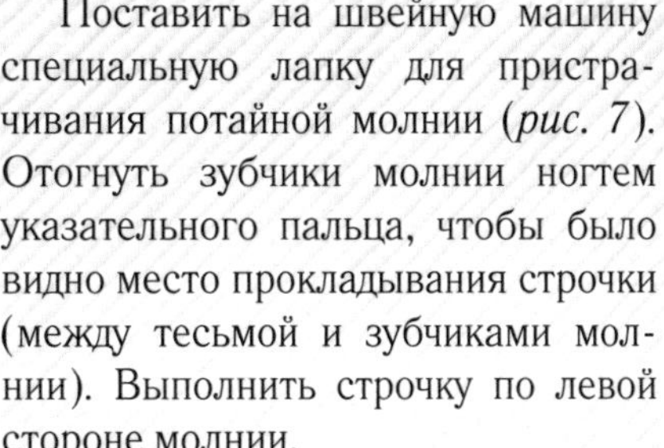

ной на припуски платья. Зубчики молнии должны совпадать с линией шва изделия (*рис. 3*). Вметать молнию, совместив верх тесьмы молнии с верхом выреза горловины спинки (*рис. 4*).

Вметывать левую и правую стороны молнии следует сверху (*рис. 5, 6*).

Поставить на швейную машину специальную лапку для пристрачивания потайной молнии (*рис. 7*). Отогнуть зубчики молнии ногтем указательного пальца, чтобы было видно место прокладывания строчки (между тесьмой и зубчиками молнии). Выполнить строчку по левой стороне молнии.

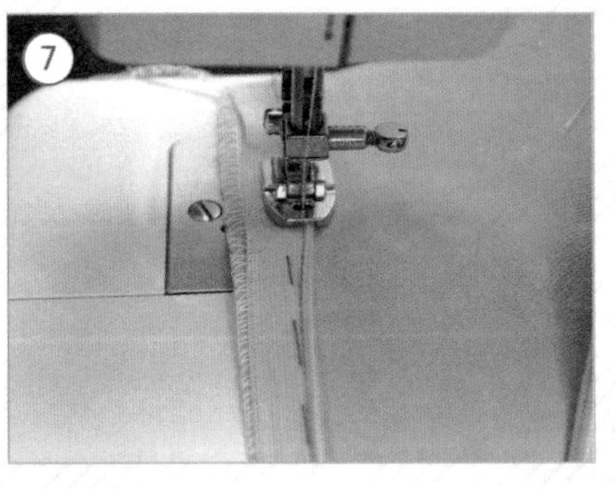

Строчка должна заканчиваться, когда лапка упрется в «собачку» молнии (*рис. 8*). Аналогичным образом выполнить строчку по правой стороне молнии (*рис. 9*). Начинать обе строчки нужно сверху. Закрепить концы строчек двойным узелком (*рис. 10*).

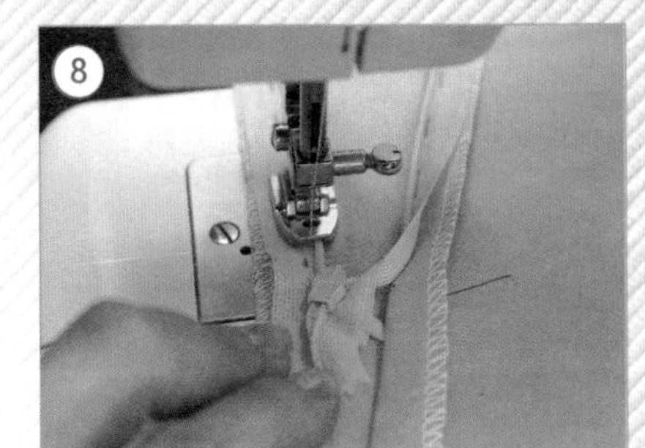

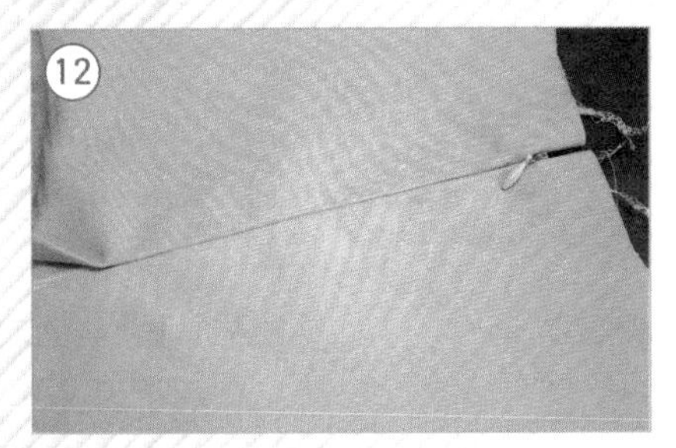

Молнию закрыть (*рис. 11*). Остается застрочить открытый шов спинки платья (*рис. 12*). Сметать средний шов платья, совместив срезы, ниже молнии, отогнув конец молнии, как показано на *рис. 13*. Поменять лапку, застрочить шов (*рис. 14*). Строчка должна перестрачивать строчку втачивания молнии и располагаться на 1 мм левее нее.

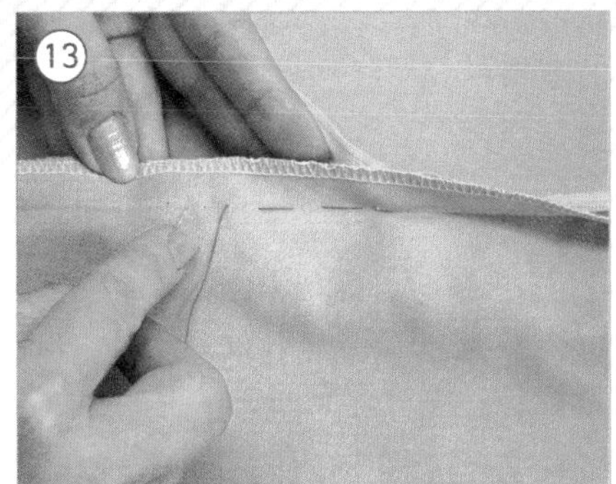

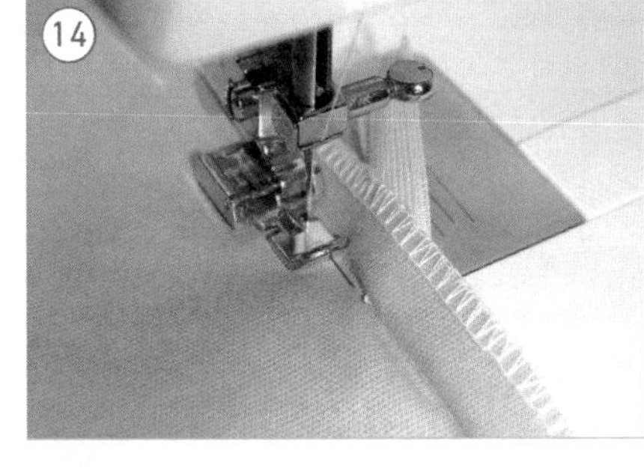

Выполняя эту операцию, придерживать конец молнии. Припуски разутюжить.

Правильно вшитая застежка-молния (*рис. 15, 16*).

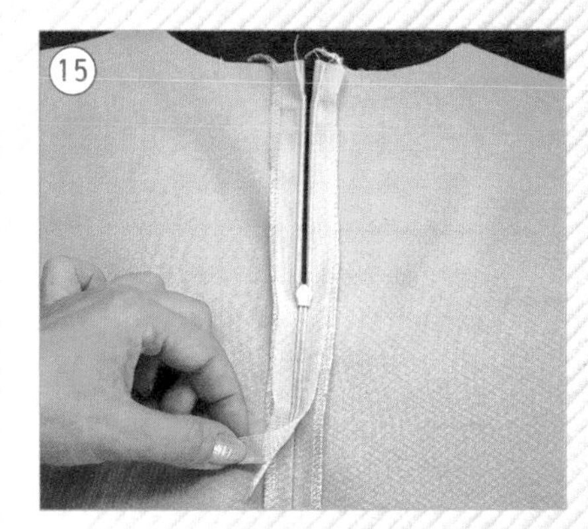

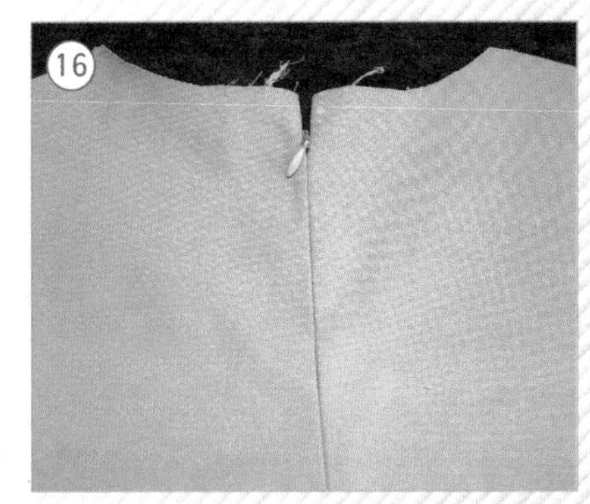

ДЕКОРАТИВНАЯ ЗАСТЕЖКА-МОЛНИЯ

Такая застежка выполняется по спинке платьев и является не только функциональным, но и декоративным элементом изделия.

Для выполнения этой швейной операции вам потребуется молния длиной 20 см и полоска термоткани.

Разметить застежку по спинке изделия длиной, равной длине молнии, и шириной 3 см.

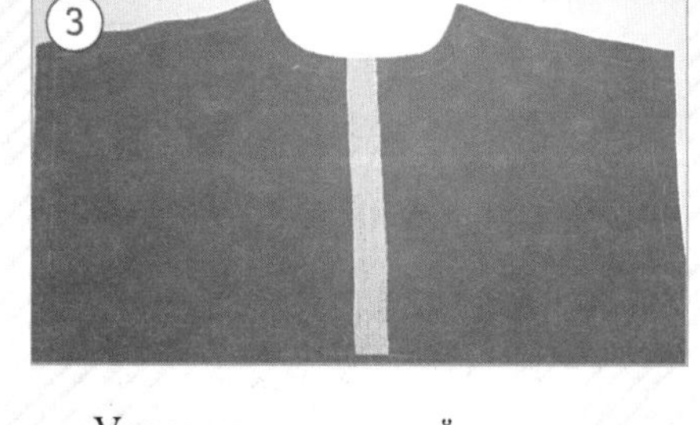

Укрепить полоской термоткани разрез под застежку.

Из основной ткани выкроить полоску для обработки разреза длиной, равной длине молнии, и шириной 3 см. С лицевой стороны изделия приколоть полоску для обработки разреза, отметить длину зубчиков молнии.

С изнаночной стороны проложить рамку по ширине зубчиков до метки длиной стежка 2,5 мм.

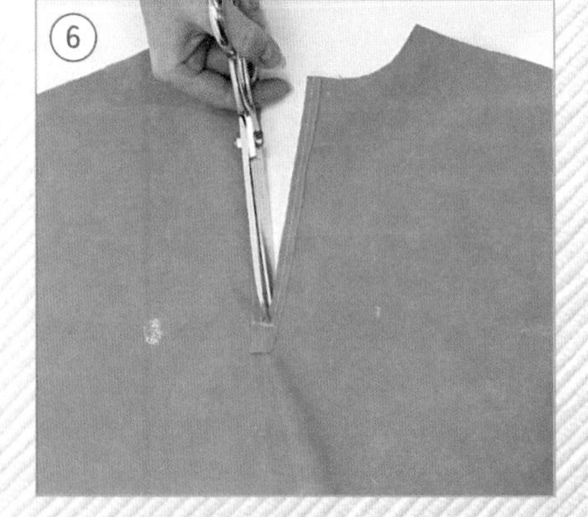

Разрезать рамку по центру, в уголках — наискосок.

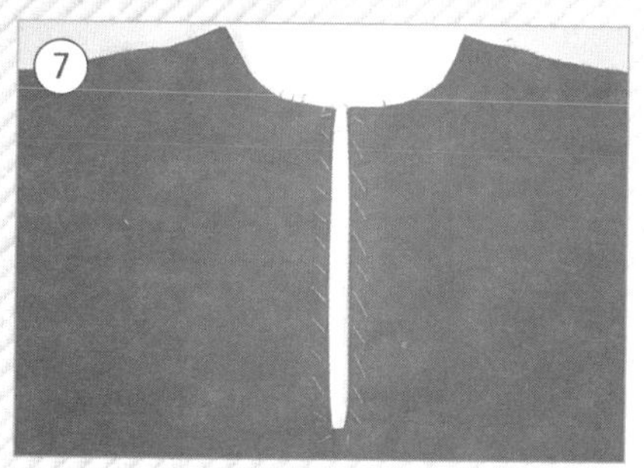

Отвернуть обтачку на изнаночную сторону и чисто выметать.

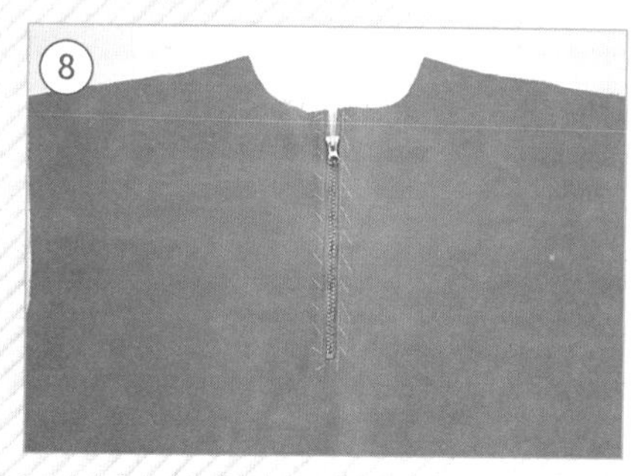

Под рамку подложить молнию и пристрочить.

Наметку удалить, проутюжить через увлажненную ткань.

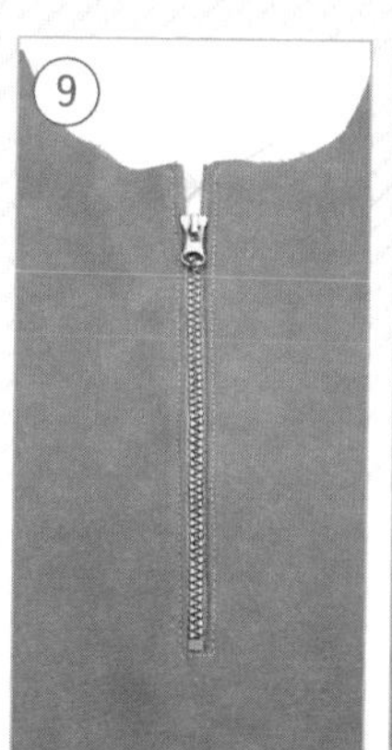

Вид застежки с изнаночной стороны

ПРОСТАЯ ЗАСТЕЖКА-МОЛНИЯ

Простая молния с пластиковыми зубчиками вшивается, как правило, в застежку юбки, куртки, брюк. Мы рассмотрим два варианта расположения молнии по центру и со смещением к одному краю.

Молния по центру

Стачать детали изделия по шву до метки разреза на молнию.

Открытый участок под молнию стачать вспомогательной строчкой длиной стежка 4 мм.

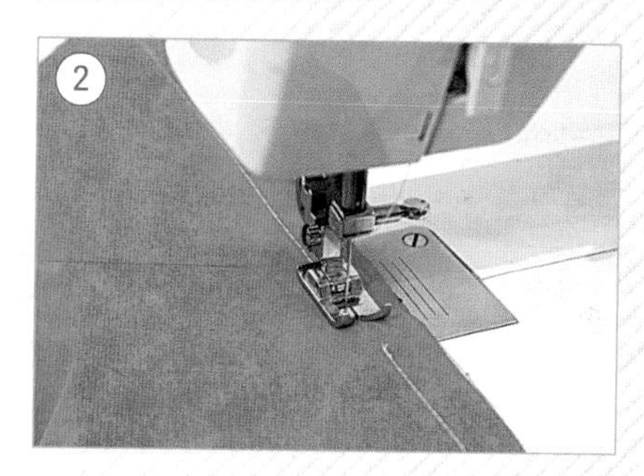

Припуски разутюжить и обработать косой бейкой или оверложным швом.

С изнаночной стороны по центру шва приколоть булавками молнию.

Молнию приметать наметочными стежками.

Установить на швейную машину специальную лапку для пристрачивания молнии, пристрочить молнию с лицевой стороны изделия, прокладывая строчку на расстоянии 5 мм от середины шва.

Наметку удалить, проутюжить изделие с лицевой стороны через влажную ткань.

При помощи вспарывателя для петель распороть вспомогательную строчку, нитки удалить.

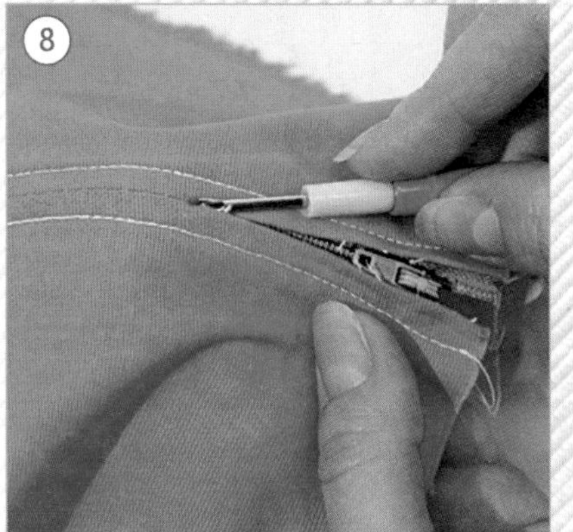

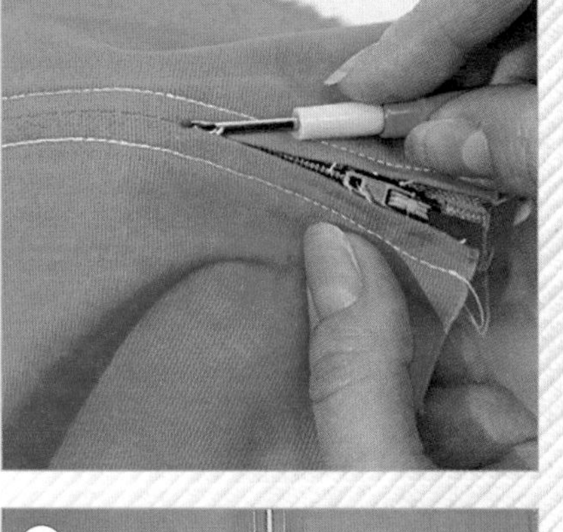

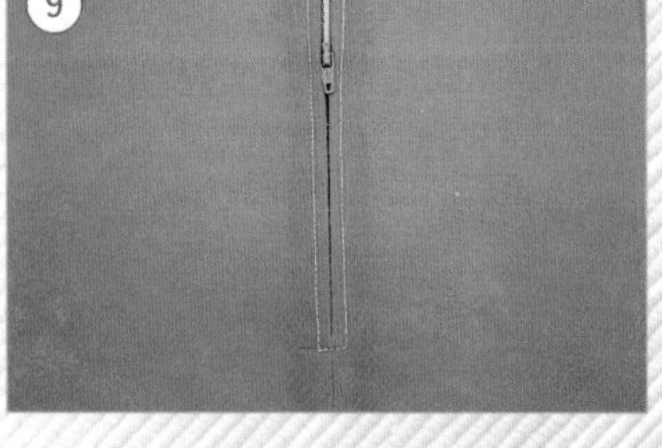

Молния в готовом виде с лицевой стороны

Молния со смещением к краю

Стачать детали изделия по шву до метки разреза на молнию.

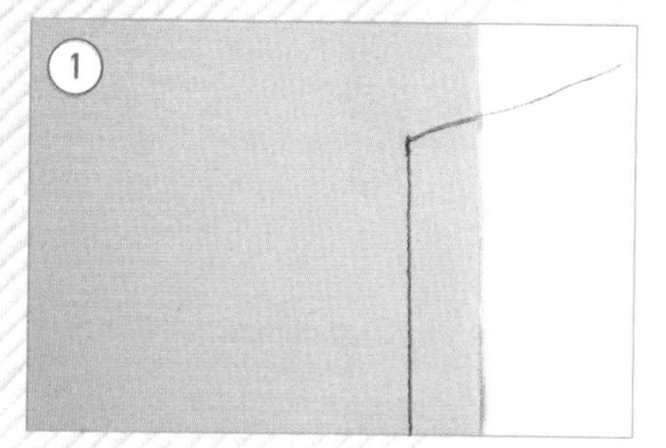

Припуски разутюжить и обработать.

Под правую сторону разреза приметать или приколоть булавками одну сторону молнии близко к зубчикам.

Установить специальную лапку для притачивания молнии, пристрочить молнию по краю.

Чтобы было удобно пристрочить молнию по всей длине, расстегнуть ее.

Когда до низа молнии останется прострочить 2 см, закрыть молнию, не прерывая строчки, и закончить строчку.

Чтобы закрыть молнию, воспользуйтесь нашим советом: вдеть в петлю собачки молнии нитку, сложенную в несколько раз, поднять лапку, потянуть за нить и закрыть молнию.

Вторую сторону изделия наложить на молнию, приколоть при помощи булавок или приметать.

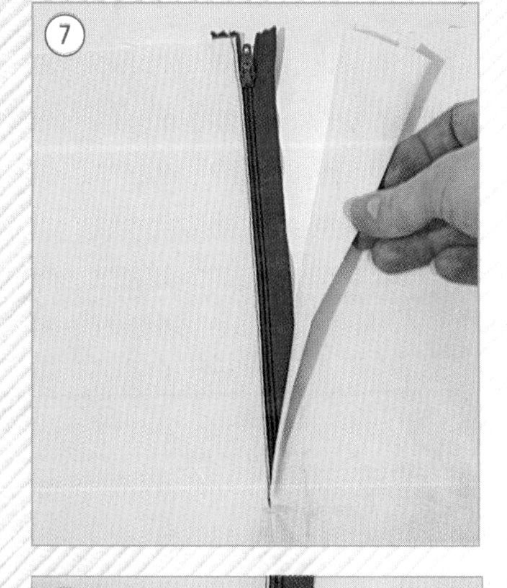

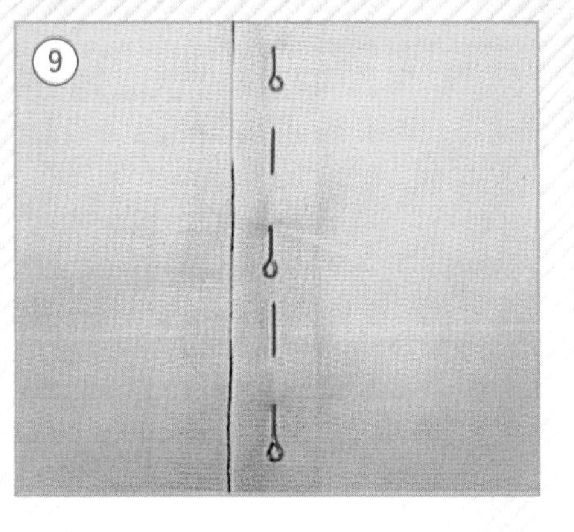

Начиная с низа, выполнить короткую горизонтальную строчку, затем развернуть изделие на 90 ° и продолжить строчку, пристрочить левую сторону молнии. Выполнять строчку на расстоянии 0,6–0,7 см от центра.

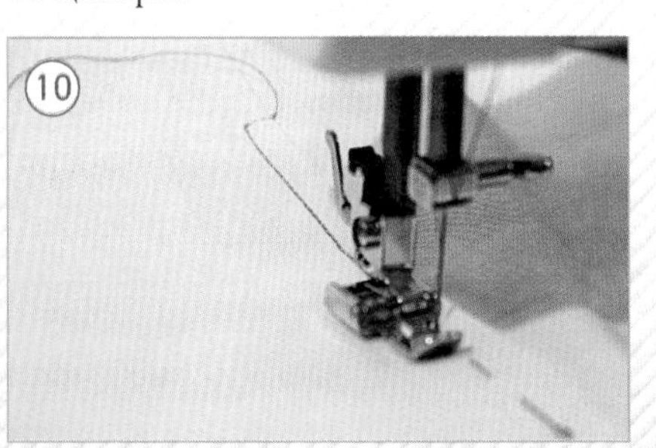

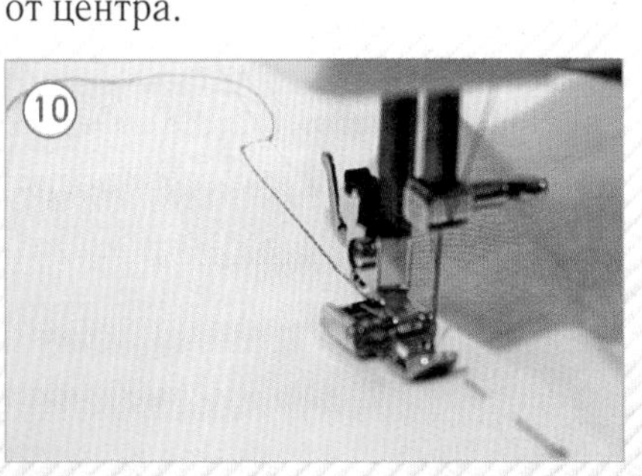

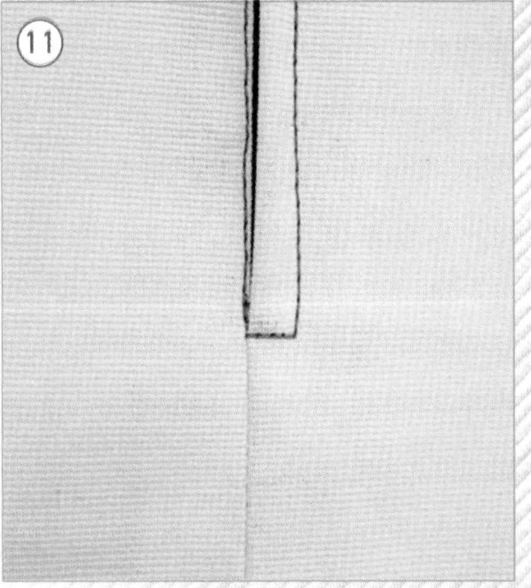

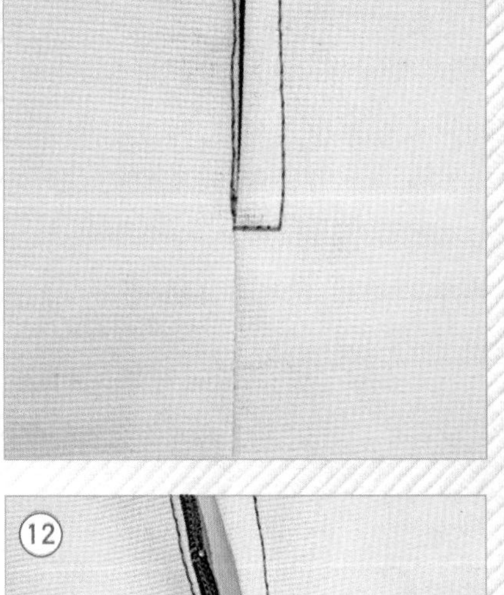

Молния в готовом виде

ЗАСТЕЖКА НА МОЛНИИ С ПРИТАЧНЫМ ПОДЗОРОМ

Отличие этой технологии от обработки молнии цельнокроеным подзором в том, что деталь подзора выкраивается отдельно и притачивается к юбке.

Выкроить передние половинки юбки (брюк). Деталь подзора выкроить шириной 4–4,5 см и длиной, равной длине молнии, с припусками на шов по талии изделия 1,5 см. Дополнительно выкроить деталь шириной 8 см и длиной, равной длине молнии + 1,5 см.

Описание работы

Детали для обработки молнии.

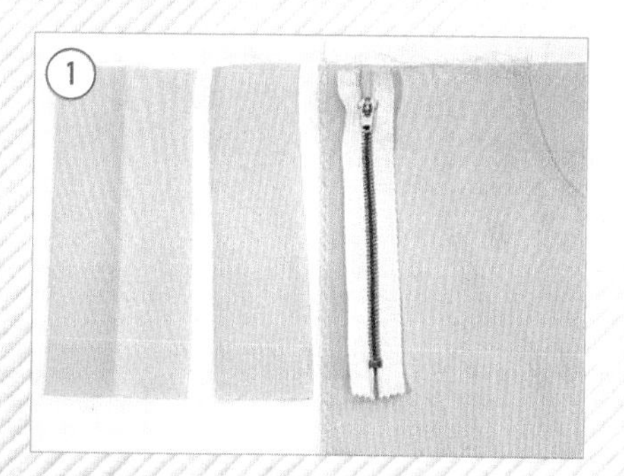

Обработать притачной подзор оверложной строчкой. Приколоть к правой стороне передней половинки юбки.

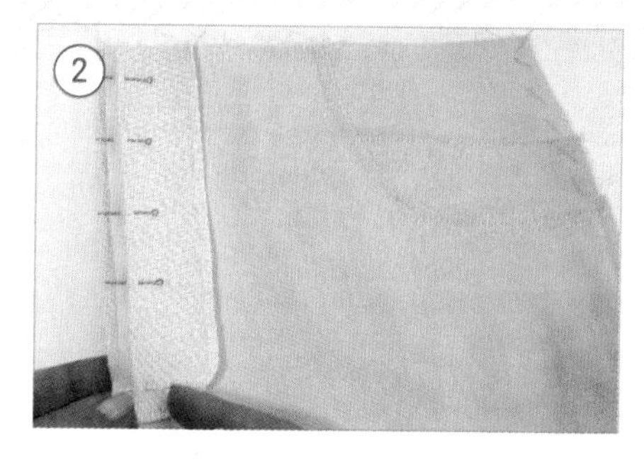

Притачать подзор по разметке.

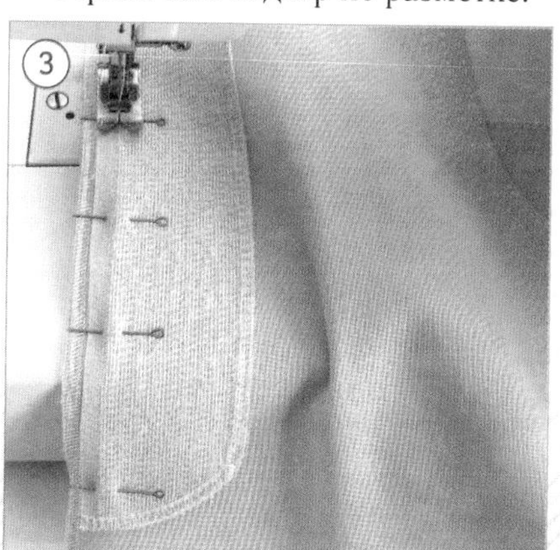

Отогнуть припуск на подзор и притачать с лицевой стороны близко к шву.

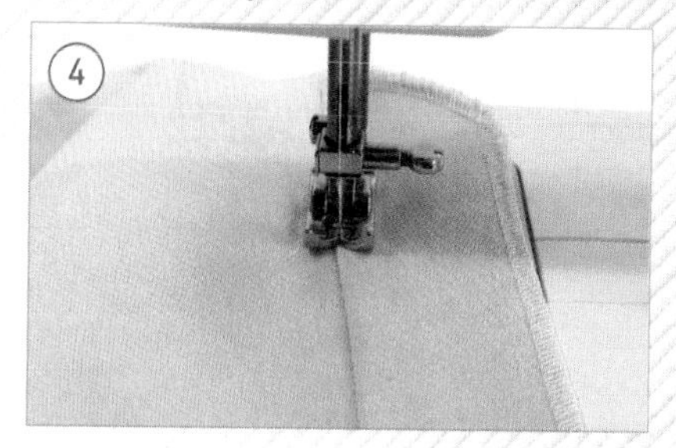

Подзор отогнуть на изнаночную сторону и проутюжить.

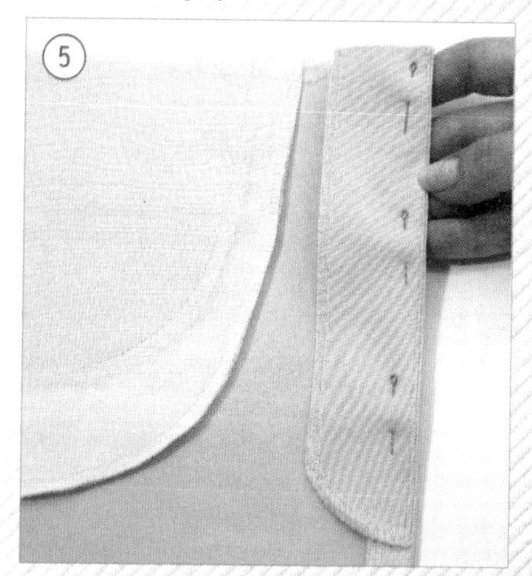

Совместить передние половинки юбки по среднему шву.

Стачать припуски по среднему шву переда юбки ниже разреза на молнию.

Обозначить средний шов на правой половинке юбки наметочными стежками. Припуск подогнуть, отступив 0,7 см от среднего шва, под припуск приколоть молнию. Под молнию приколоть согнутую пополам и обработанную по открытым краям деталь.

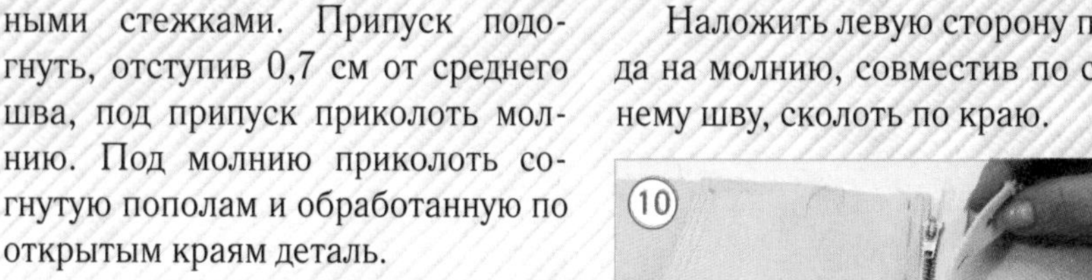

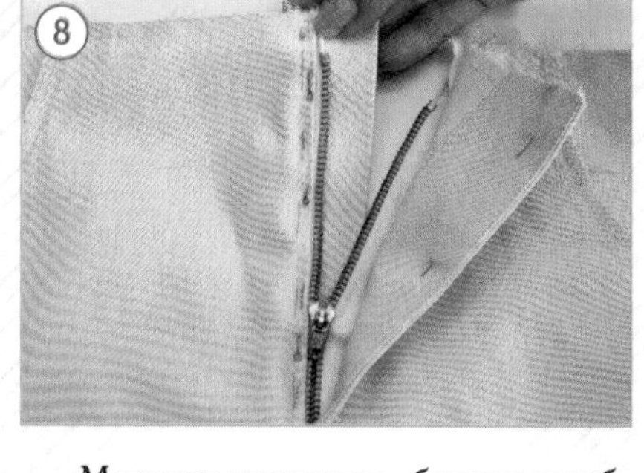

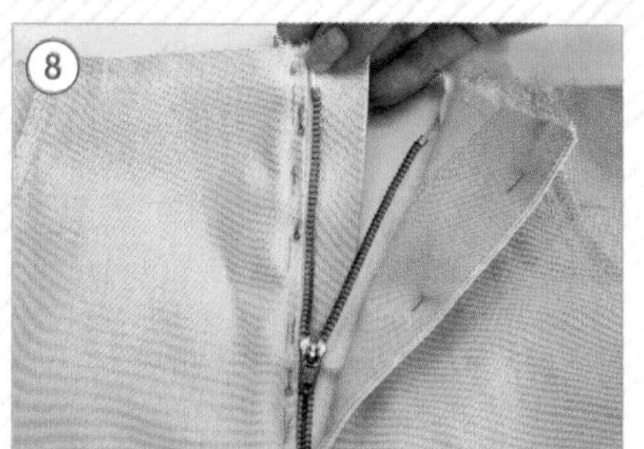

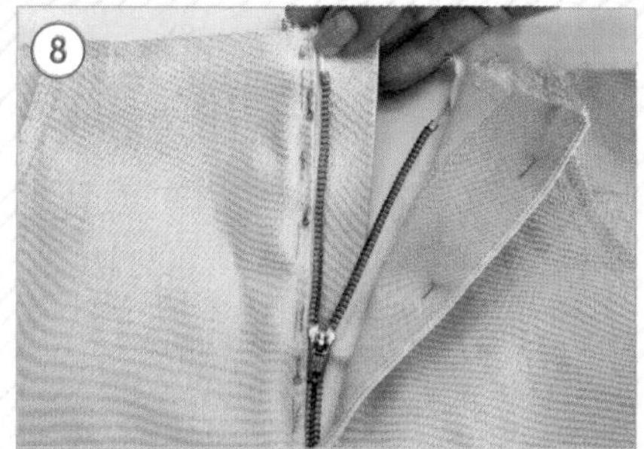

Молнию притачать близко к зубчикам.

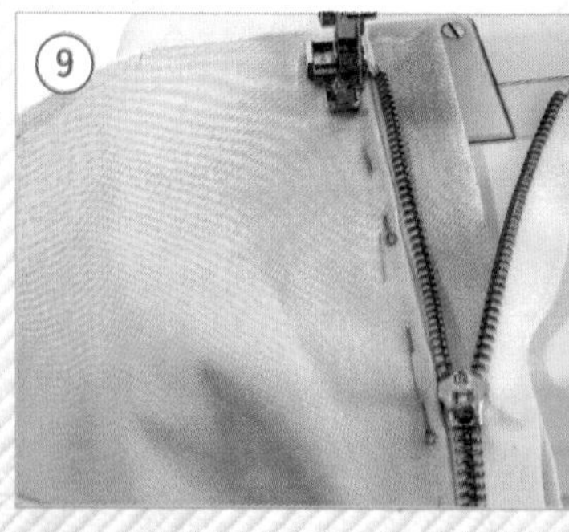

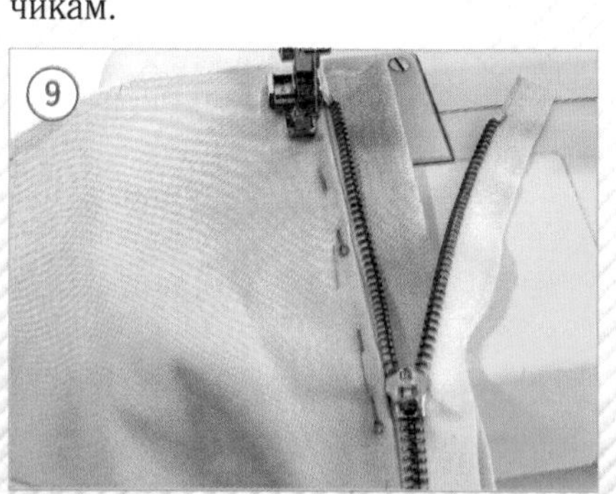

Наложить левую сторону переда на молнию, совместив по среднему шву, сколоть по краю.

Отогнуть левую сторону, как показано на фото.

Приметать тесьму молнии к подзору.

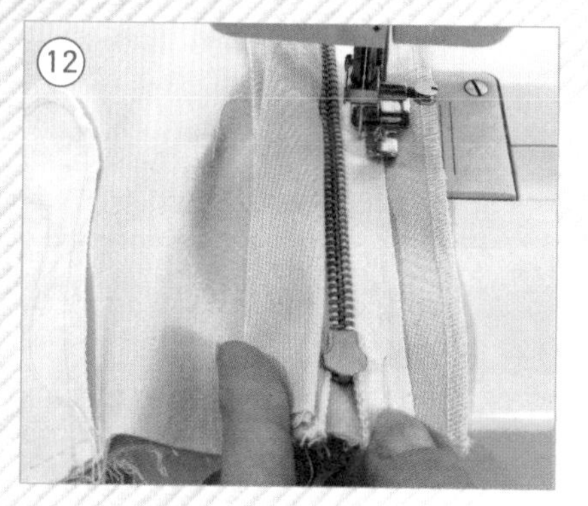

С лицевой стороны юбки разметить линию для отстрочки.

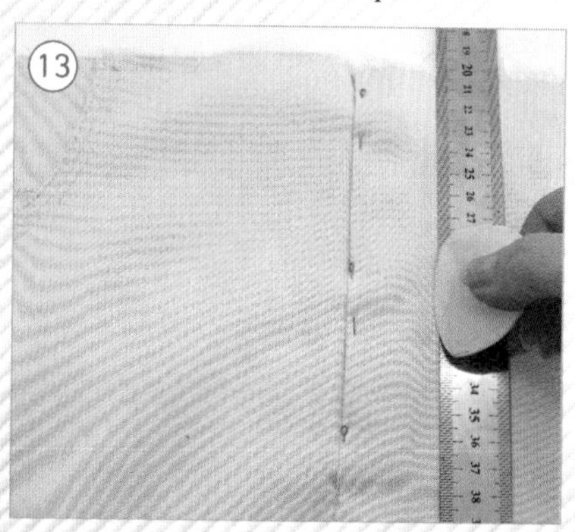

Отстрочить подзор с лицевой стороны с прерыванием строчки. Внизу сделать закрепку. Далее продолжать шить изделие.

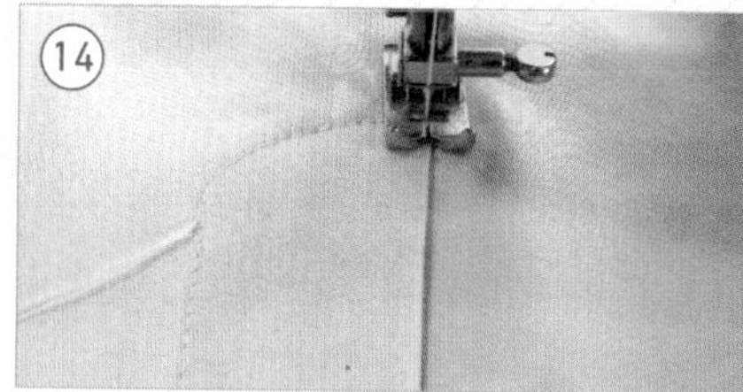

ЗАСТЕЖКА НА МОЛНИИ С ЦЕЛЬНОКРОЕНЫМ ПОДЗОРОМ

Технология обработки молнии, о которой пойдет речь, очень широко применяется при пошиве брюк и юбок в джинсовом стиле. Особенностью этой молнии является то, что она полностью закрыта дополнительно выкроенной деталью с изнаночной стороны.

Прибавку по линии середины переда изделия (подзор) для обработки левой и правой сторон банта делают длиной, равной длине молнии, и шириной около 4 см.

Описание работы

Выкроить передние половинки юбки (брюк) с цельнокроеным подзором шириной 4 см.

Дополнительно выкроить деталь шириной 8 см и длиной, равной длине молнии, нижние углы скруглить. Стачать шаговый шов на брюках или средний шов на юбке ниже метки разреза на молнию.

На лицевую сторону перенести линии середины переда обеих половинок изделия.

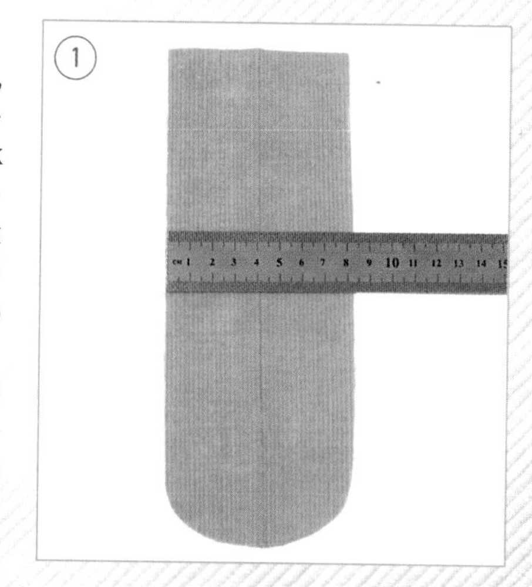

На мужских брюках на правой половинке, а на женских — на левой отложить от линии середины 1 см, излишки припуска срезать, подвернуть припуск, приметать.

Молнию подложить под припуск и приметать или приколоть булавками таким образом, чтобы зубчики были видны.

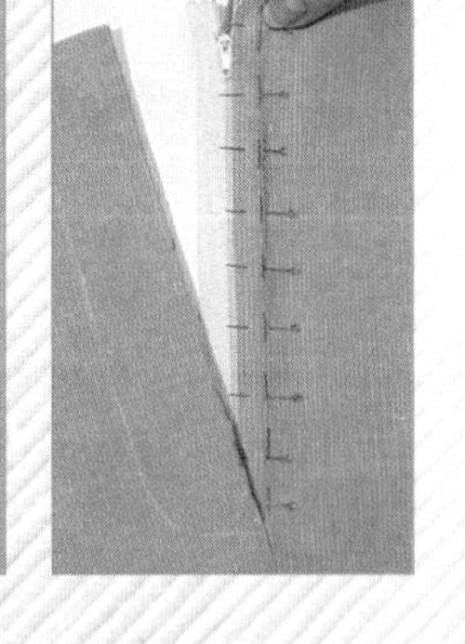

Деталь со скругленными уголками сложить пополам, лицевой стороной вовнутрь, обработать край косой бейкой или оверложным швом.

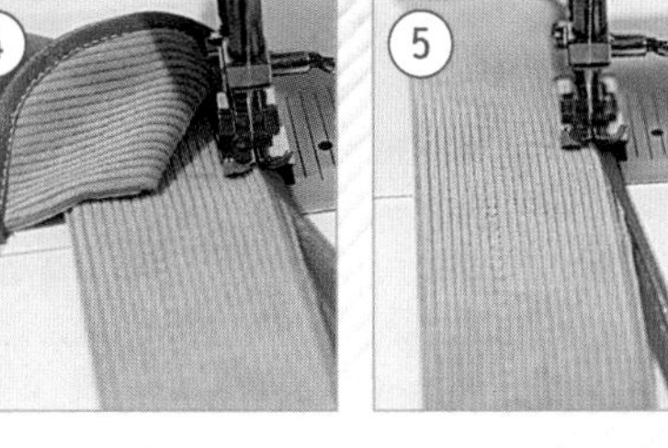

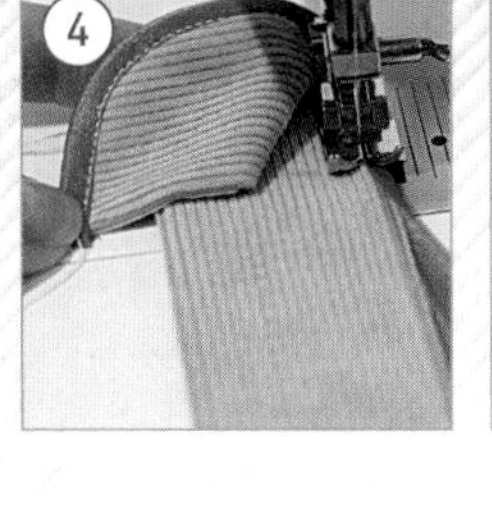

Подложить обработанную деталь под молнию, чтобы она полностью ее закрывала и не выступала за край молнии, приметать.

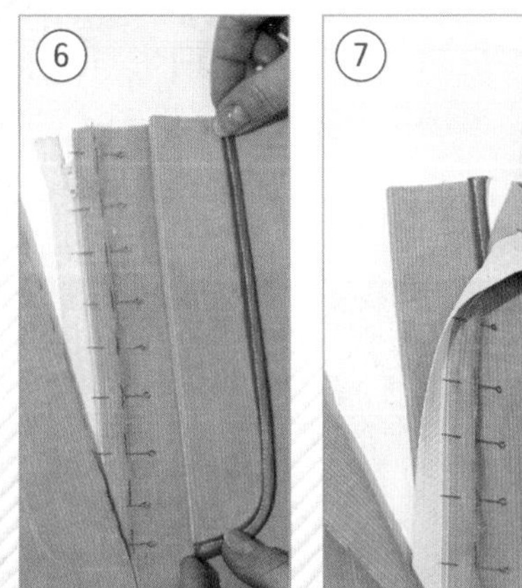

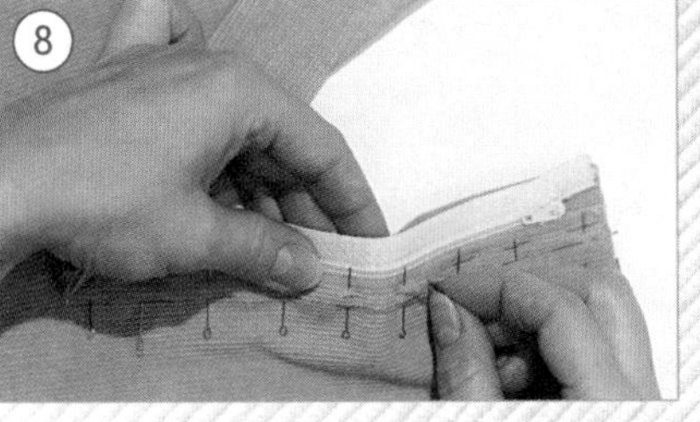

Пристрочить левую сторону молнии вместе с нижней деталью одной строчкой по краю.

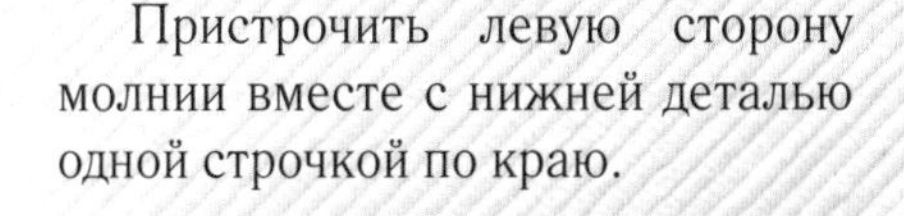

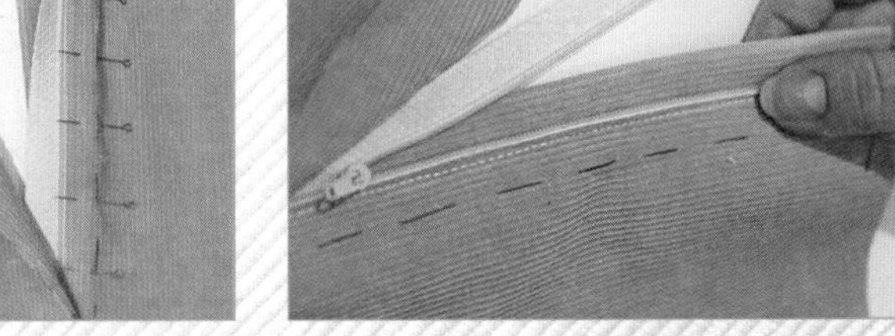

Молнию застегнуть, левую сторону изделия совместить с правой по центру, сколоть.

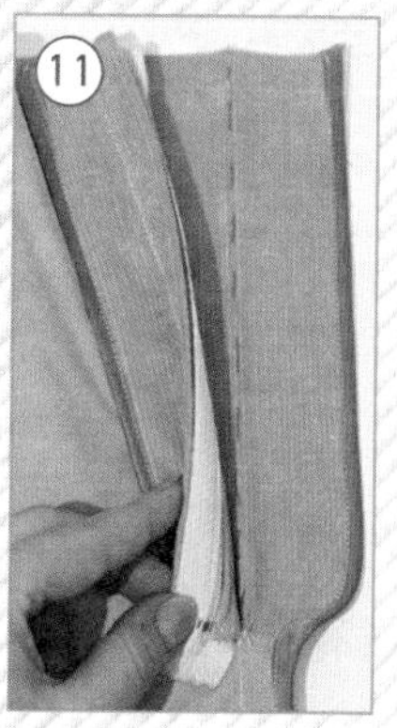

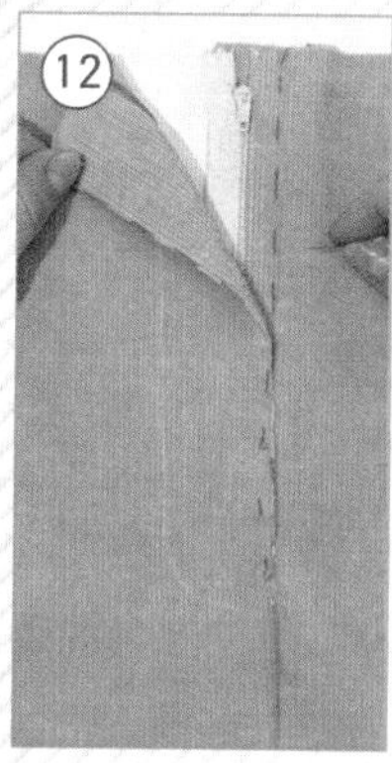

Аккуратно отогнуть левую сторону изделия вправо, приметать правую тесьму молнии только к цельнокроеному подзору.

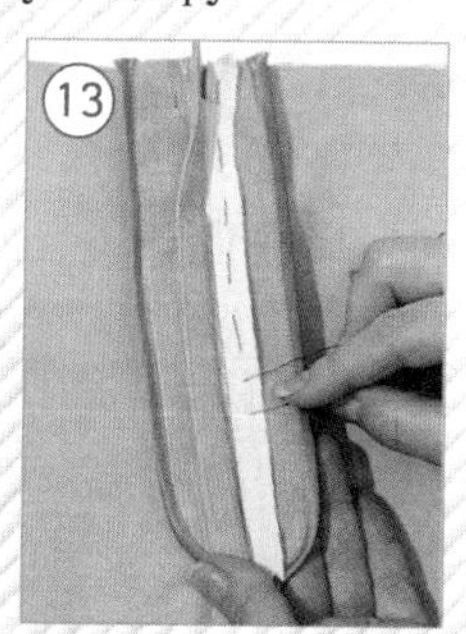

Притачать правую тесьму молнии только к цельнокроеному подзору.

С лицевой стороны изделия наложить лекало для разметки отстрочки гульфика шириной 3,5 см и длиной по молнии, обвести мелком.

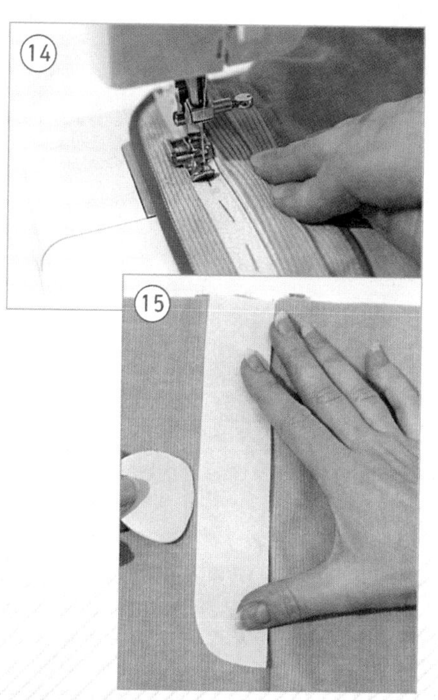

Отстрочить гульфик изделия с лицевой стороны, внизу перестрочить коротким швом зигзаг — выполнить плотную закрепляющую строчку по низу гульфика брюк.

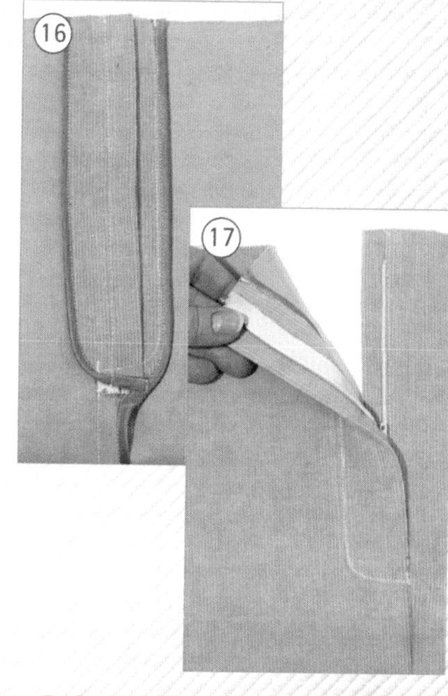

Вид обработанной застежки с изнаночной и лицевой сторон

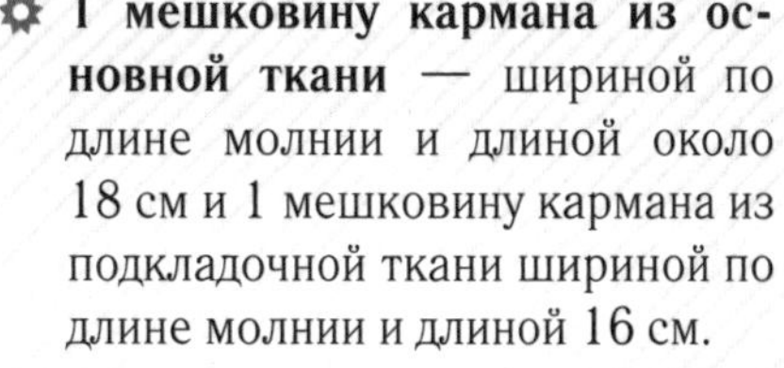
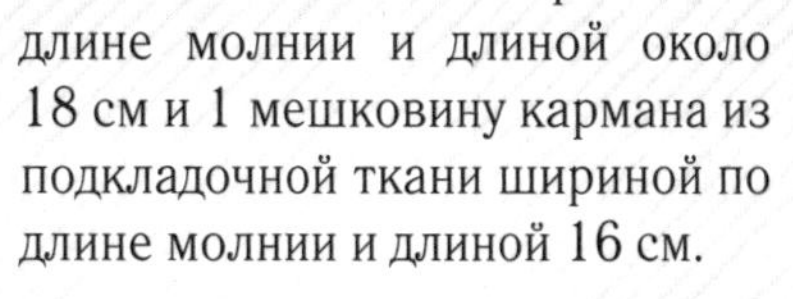

Карманы

КАРМАН НА МОЛНИИ

Карман на молнии — отличная идея для декорирования спортивной одежды: курток, брюк, пиджаков. Также карманы с молниями широко применяют при пошиве сумок. При помощи таких карманов можно полностью изменить вид изделия, используя простые пластиковые молнии в тон, контрастные молнии или металлические — позолоченные или посеребренные.

Для обработки кармана с молнией нам потребуется молния длиной 15 см (по ширине кармана).

Необходимо выкроить:

- **обтачку рамки кармана из основной ткани** — шириной 4 см и длиной по длине молнии вместе с тесьмой (если ткань тонкая или сыпучая, обтачка дублируется термотканью полностью);
- **1 мешковину кармана из основной ткани** — шириной по длине молнии и длиной около 18 см и 1 мешковину кармана из подкладочной ткани шириной по длине молнии и длиной 16 см.

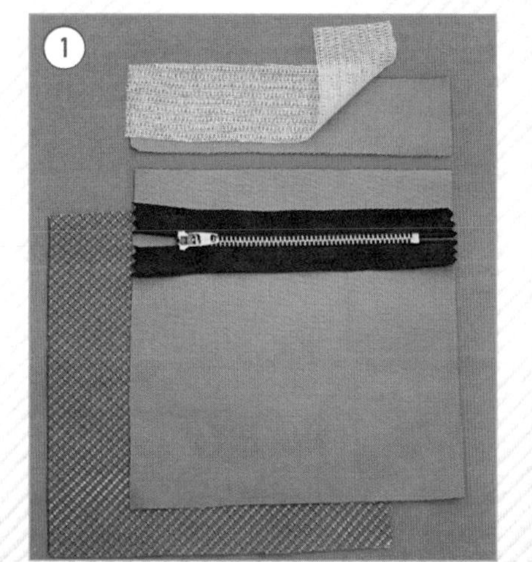

Место под разрез необходимо укрепить прямоугольником из термоткани.

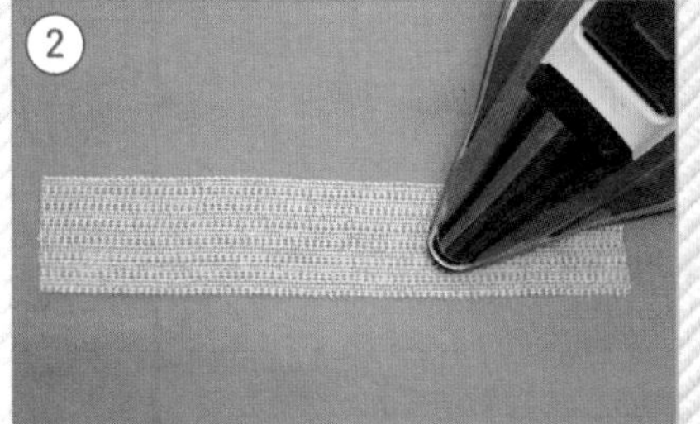

Измерить длину застежки молнии.

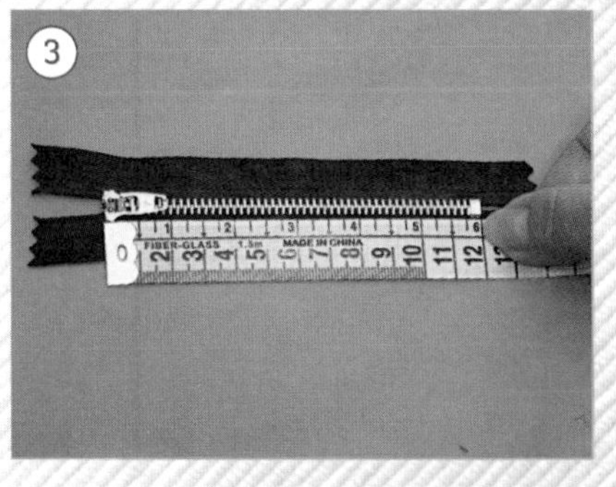

С изнаночной стороны изделия разметить рамку длиной 12 см (по длине молнии) и шириной 0,7 см.

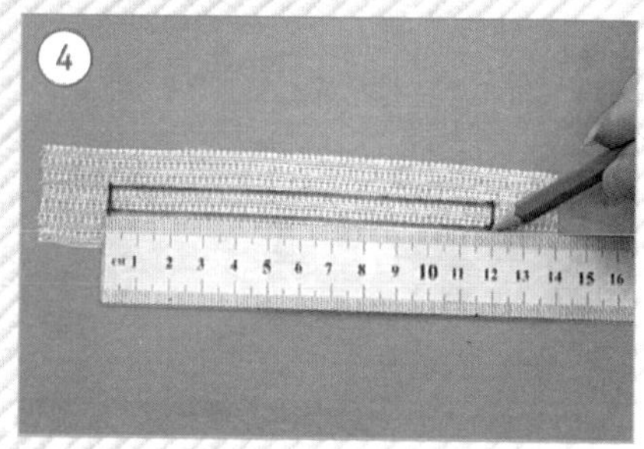

При помощи копировальных стежков перенести контуры рамки на лицевую сторону.

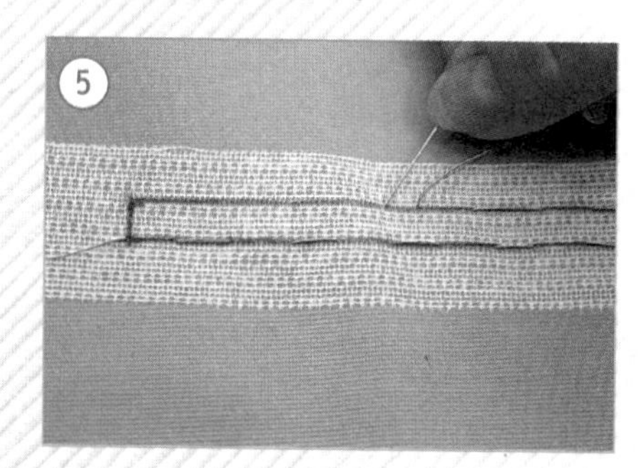

Обтачку наложить на контуры рамки лицевой стороной к лицевой стороне и приметать или приколоть булавками.

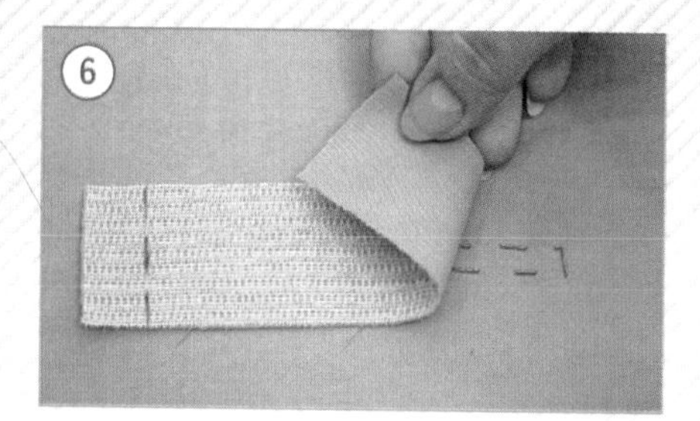

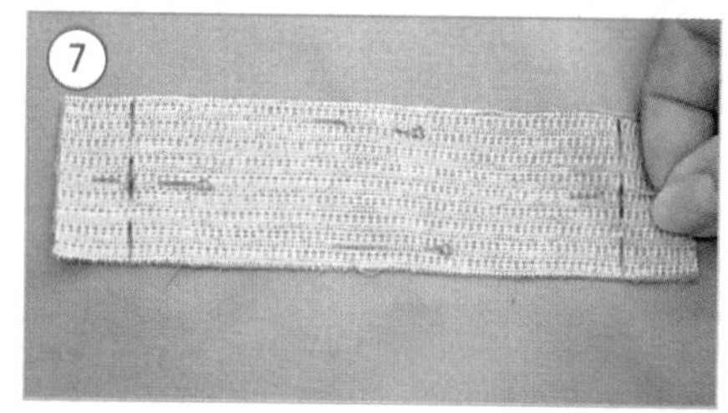

Прострочить рамку точно по контуру со стороны изделия.

Разрезать вход в карман вместе с изделием по центру рамки, в уголках — наискосок.

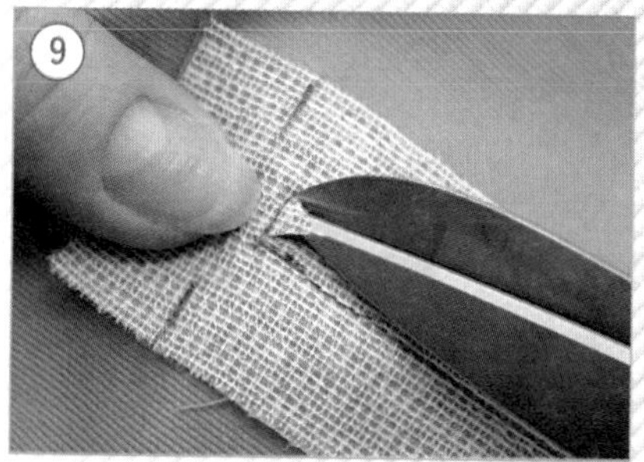

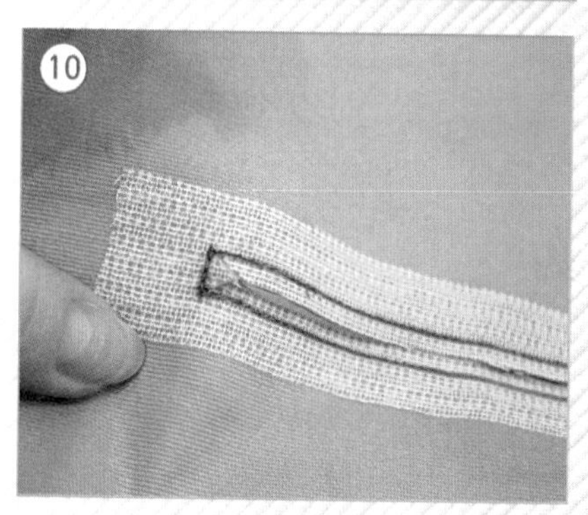

Обтачку отвернуть на изнаночную сторону, чисто выметать по рамке, отутюжить.

Молнию подложить под рамку и приметать или приколоть булавками по контуру.

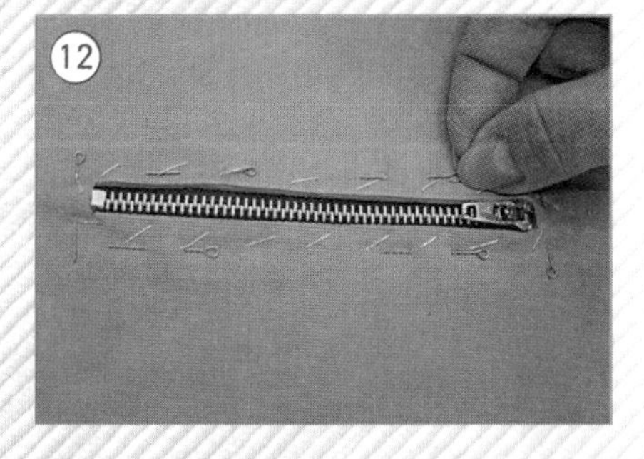

Установить на швейную машину лапку для притачивания молнии и притачать молнию по краю на расстоянии 2—3 мм от зубчиков.

Мешковину кармана из подкладочной ткани наложить на нижнюю тесьму молнии лицевой стороной, совместив по краю (мешковина направлена вверх), притачать к нижней обтачке рамки и тесьме молнии машинной строчкой.

Мешковину из подкладочной ткани отвернуть вниз, проутюжить.

Мешковину из основной ткани наложить на верхнюю тесьму молнии, приметать и притачать к обтачке и тесьме молнии.

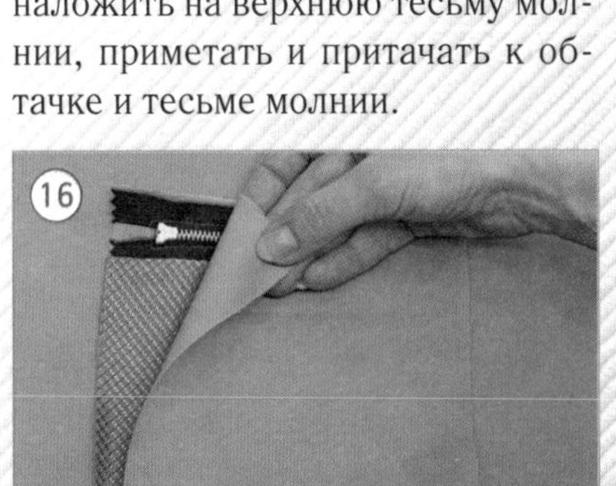

Стачать мешковины карманов по боковым и нижней сторонам.

Припуски обработать оверложной строчкой.

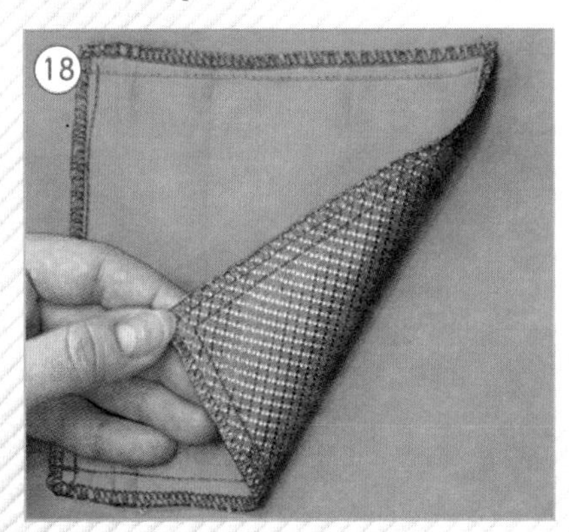

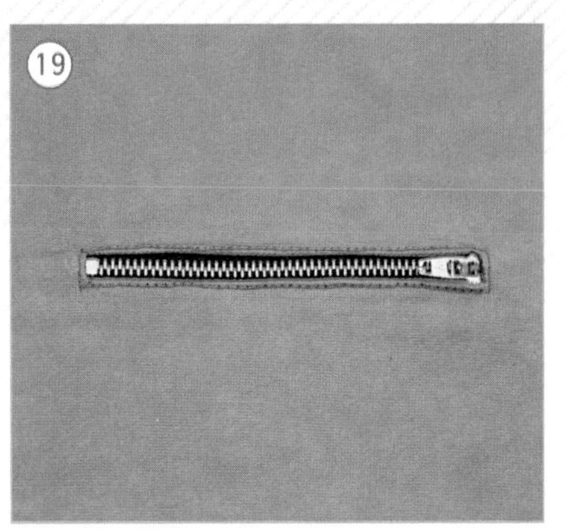

Карман на молнии в готовом виде

ПРОРЕЗНОЙ КАРМАН С ВТАЧНОЙ ЛИСТОЧКОЙ

Из всех видов обработки прорезных карманов карман с втачной листочкой, пожалуй, самый простой. Есть несколько способов обработки прорезного кармана с листочкой, в зависимости от изделия, на котором его располагают. Способ, который мы вам предлагаем в этом мастер-классе, подходит для обработки карманов на изделиях из тонких тканей.

Описание работы

Укрепить клеевой прокладкой деталь изделия, где будет располагаться карман.

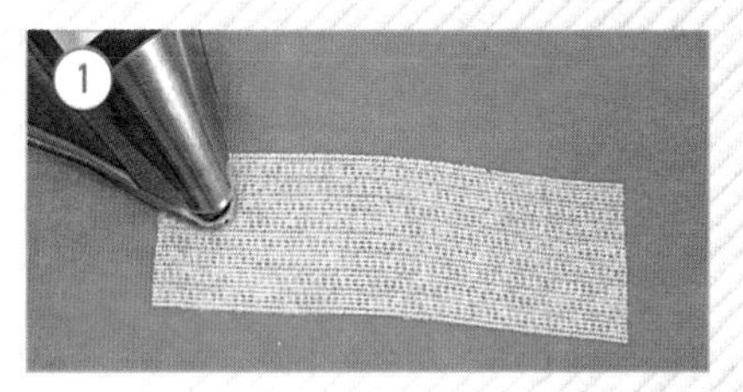

С изнаночной стороны наметить место кармана при помощи мелка или простого карандаша. Длина рамки кармана равна 15–17 см, высота — по ширине листочки (обычно — от 1,5 до 4 см, в зависимости от модели). Ширина нашей рамки — 2 см. Именно такая ширина должна быть и у листочки.

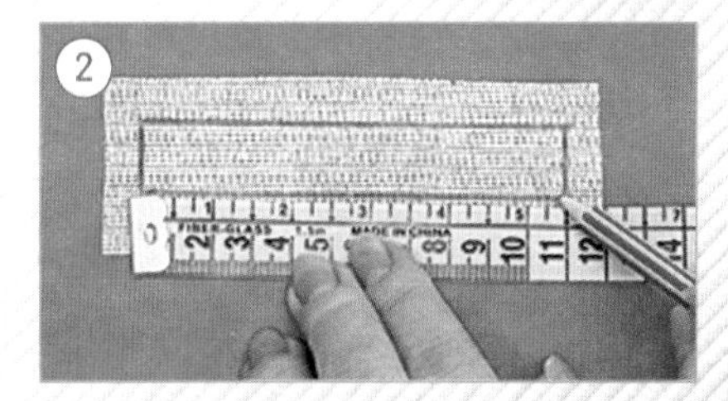

Из основной ткани выкроить 2 мешковины кармана шириной, равной ширине кармана + 3 см (припуски на швы), и длиной около 20 см.

При помощи булавок перенести контуры кармана на лицевую сторону. Можно также сделать это при помощи наметочных стежков «вперед иголку».

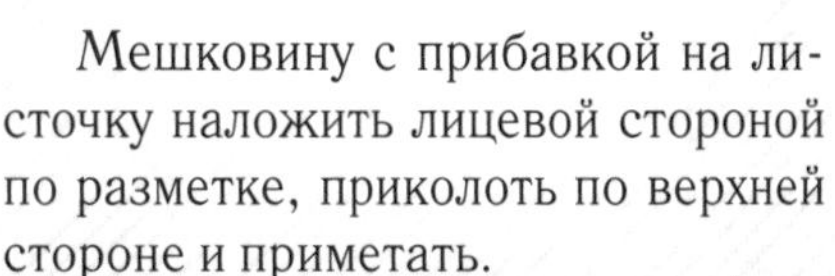

Мешковину с прибавкой на листочку наложить лицевой стороной по разметке, приколоть по верхней стороне и приметать.

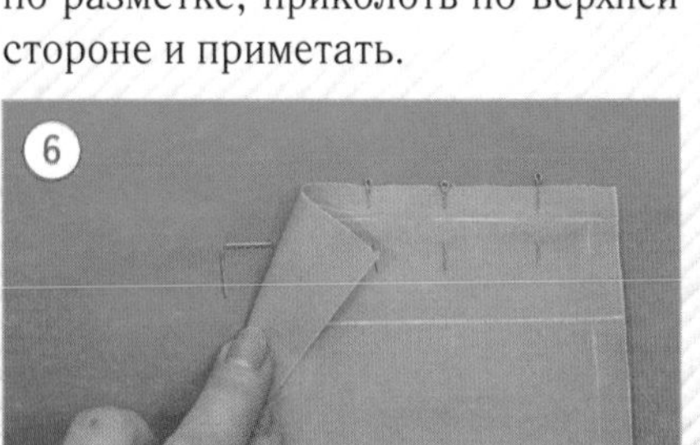

Важно! **Длина одной мешковины должна быть больше другой на 4 см — прибавка на листочку (ширина листочки 2х2).**

С изнаночной стороны изделия, по всем сторонам рамки проложить машинную строчку, включая короткие стороны рамки.

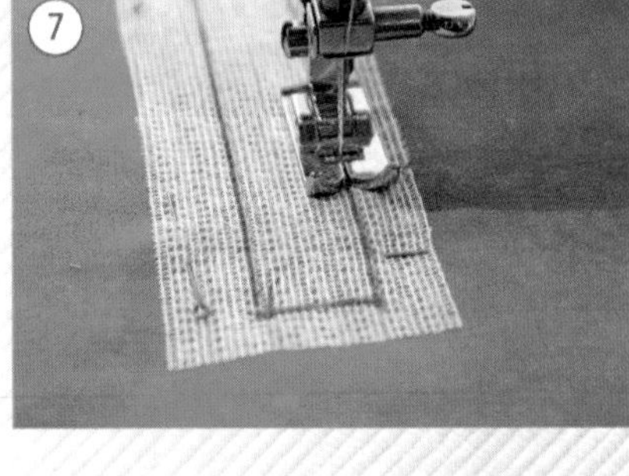

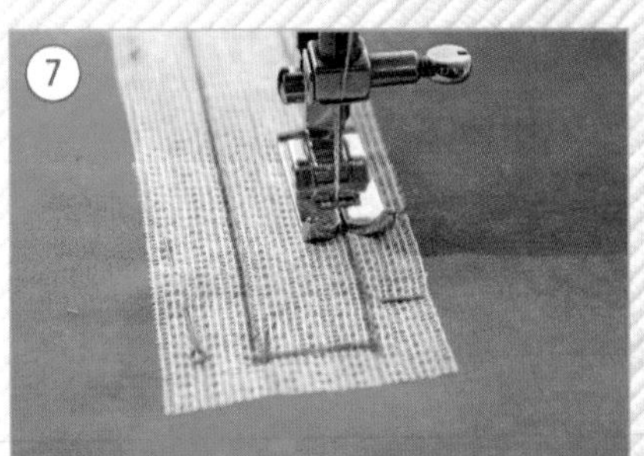

Рамку перегнуть пополам и сделать надрез.

Затем разрезать рамку точно по центру, не доходя 1 см до короткого края, в уголки наискосок.

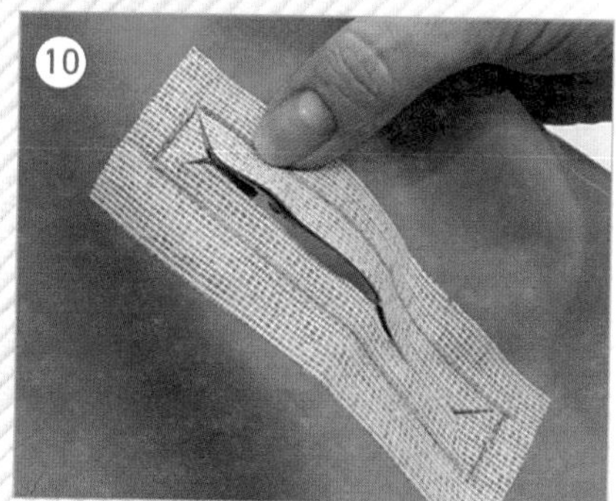

Отвернуть мешковину на изнаночную сторону и чисто выметать, проутюжить.

Мешковину отвернуть вверх.

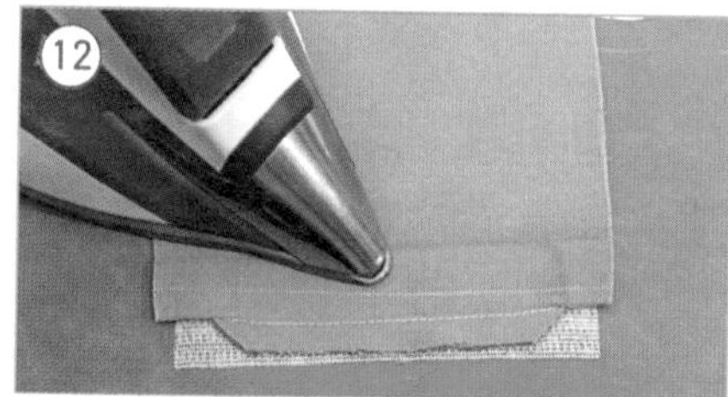

От нижней стороны рамки отмерить вниз 2 см (ширина листочки), перегнуть мешковину по всей длине и проутюжить, заложив складку вверх.

По краям мешковину сколоть.

Проложить фиксирующие строчки по обеим сторонам мешковины. Для этого отвернуть мешковину и прострочить по основаниям.

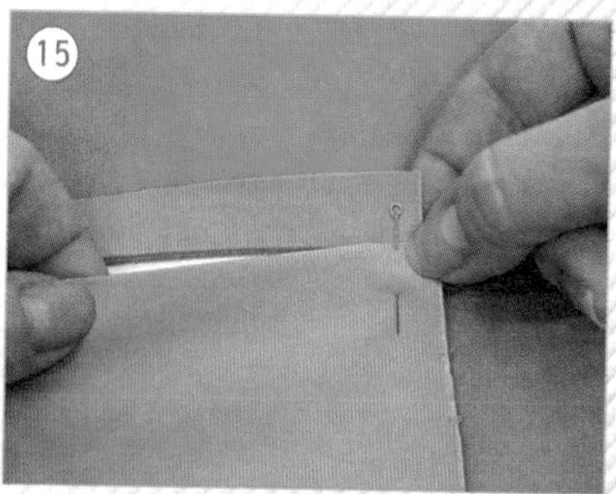

Вторую мешковину наложить поверх первой, сколоть обе мешковины по припускам.

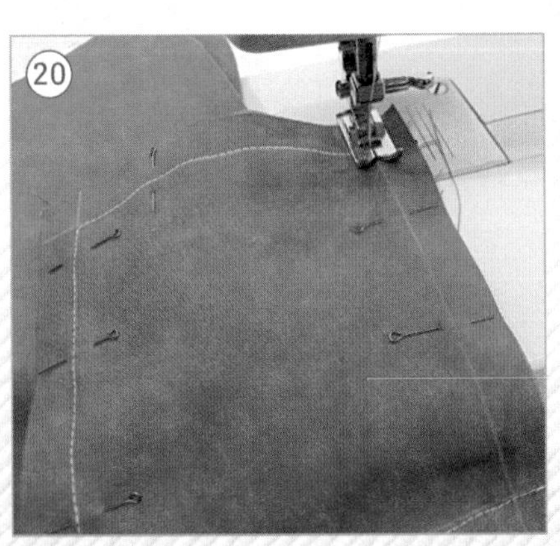

Стачать мешковины карманов, припуски обработать оверложным швом.

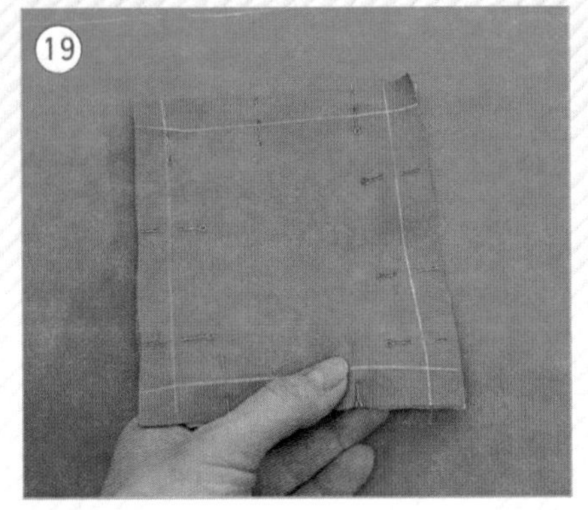

Для наглядности мы использовали два цвета ткани и контрастные нитки для шитья.

Карман с втачной листочкой в готовом виде

ПРОРЕЗНОЙ КАРМАН С НАКЛАДНОЙ ЛИСТОЧКОЙ

Карман с накладной листочкой выполняется преимущественно при пошиве пальто или пиджаков. Листочка выкраивается со сгибом, желаемой ширины и длины. Клеевой тканью укрепляется внешняя сторона листочки.

Описание работы

Внешнюю сторону листочки продублировать термотканью, сложить лицевой стороной внутрь, сметать и стачать по двум коротким сторонам.

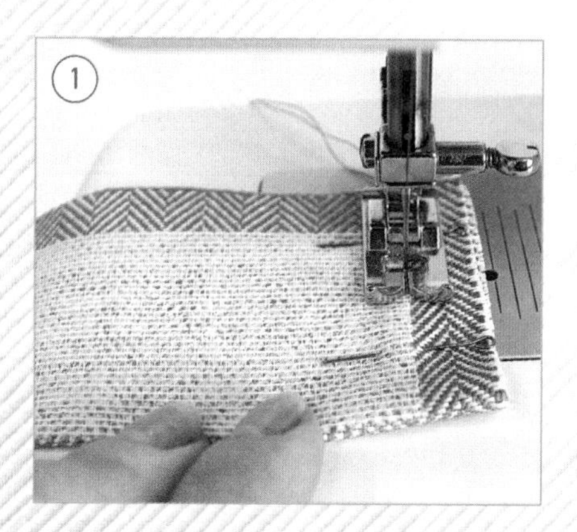

Срезать припуски близко к строчке, в уголках — наискосок.

Вывернуть листочку на лицевую сторону, чисто выметать, проутюжить.

Отстрочить листочку машинной строчкой длиной стежка 4 мм (используйте нитки для отделочных строчек) по трем сторонам на расстоянии 0,75 см от края.

На изнаночной стороне изделия при помощи простого карандаша или портновского мелка разметить место, где будет находиться карман (прямоугольник шириной 10 см и высотой 1 см). Длина верхней стороны рамки должна быть короче длины нижней стороны рамки на 1,5 см (по 0,75 см с каждой стороны).

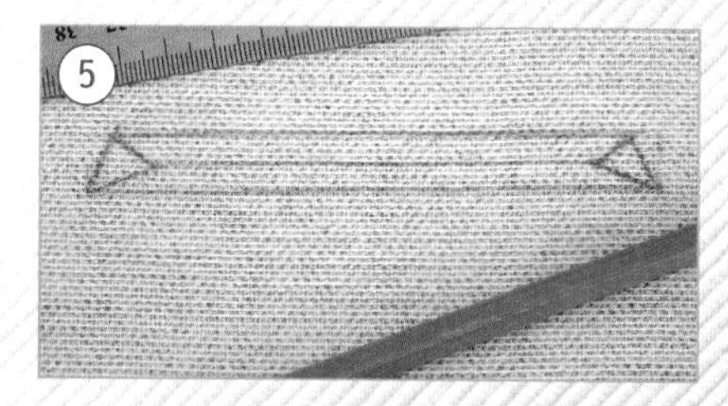

При помощи нитки и иголки швом «вперед иголку» перенесите на лицевую сторону контуры рамки. С лицевой стороны изделия, точно по намеченной силкам к нижней стороне рамки приметайте листочку. Открытые припуски листочки должны быть направлены вверх. Мешковину кармана из основной ткани наложить лицевой стороной на разметку, как показано ниже.

Мешковина направлена вверх (лицевой стороной вниз), приметать.

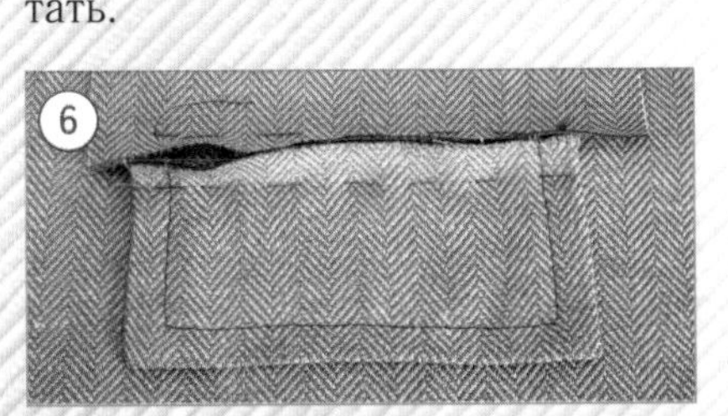

Совет. С изнаночной стороны место под карман можно укрепить прямоугольником термоткани, который будет на 3 см длиннее и на 2 см шире намеченного входа в карман. Это необходимо делать в том случае, если вы не укрепляли термотканью полочку изделия полностью, а материал, из которого вы шьете, растрепывается на срезах.

Мешковину кармана из подкладочной ткани наложить лицевой стороной вниз поверх листочки.

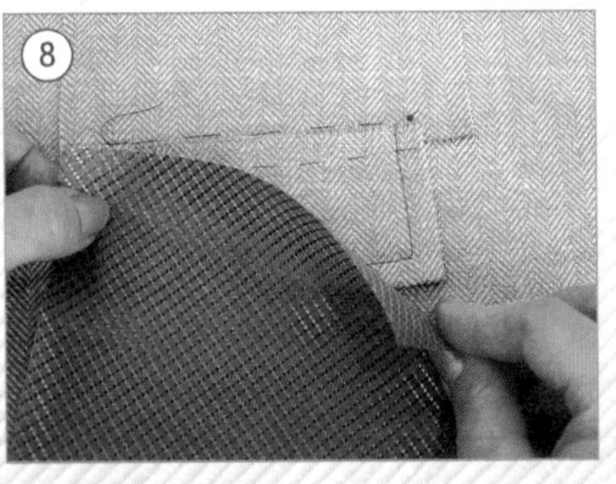

Совместить мешковину с листочкой по припускам, приметать.

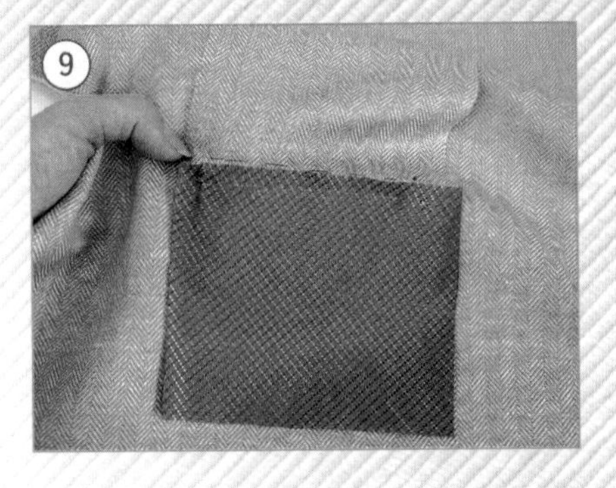

С изнаночной стороны изделия проложить две машинные строчки точно от края до края листочки, одновременно притачивая мешковины кармана. Концы швов закрепить.

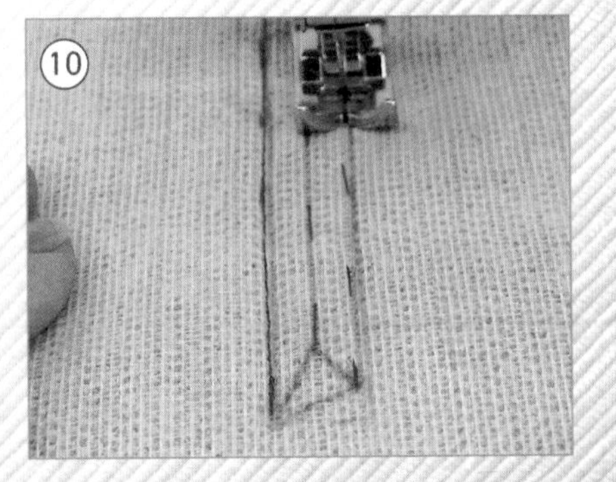

Разрезать карман по центру, не повредив мешковины и листочку. Не доходя 1 см до каждого края — наискосок к строчкам.

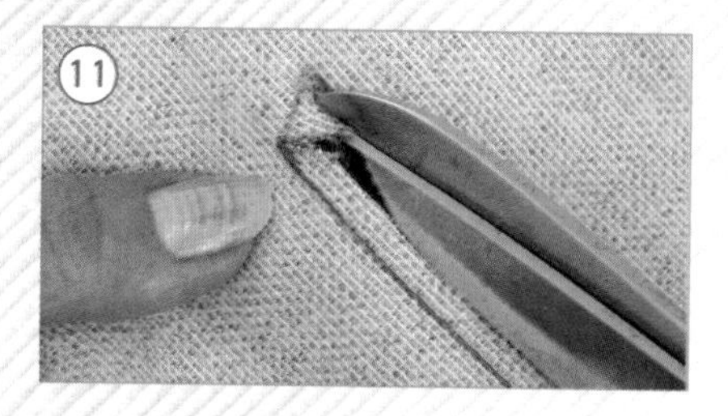

Заправить обе мешковины на изнаночную сторону, чисто выметать по контуру разрезов, треугольнички отогнуть на изнаночную сторону. Проутюжить вход в карман, листочку отвернуть вверх.

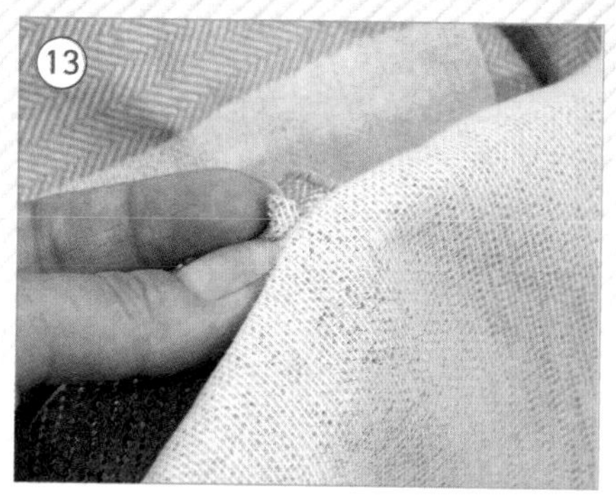

Совместив мешковины кармана, уравнять при помощи ножниц, сметать по контуру.

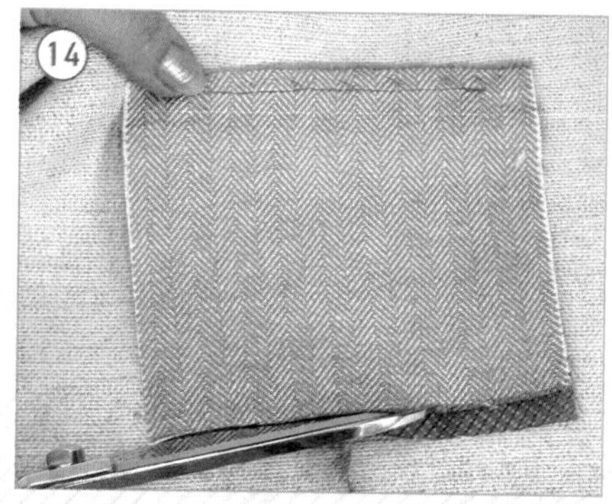

Стачать мешковины по боковым и нижнему срезам со стороны мешковины из подкладочной ткани, прострочив по основаниям треугольничков.

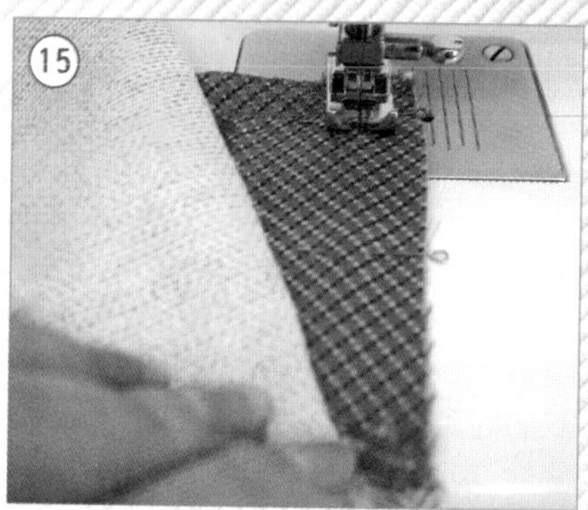

✿*Важно!* **Если вы шьете пальто и низ подкладки останется открытым, обработайте срезы мешковин оверлочным швом. При закрытии изделия подкладкой полностью припуски мешковин не обрабатываются.**

Короткие стороны листочки пришить к изделию потайными стежками или притачать на швейной машине по краю.

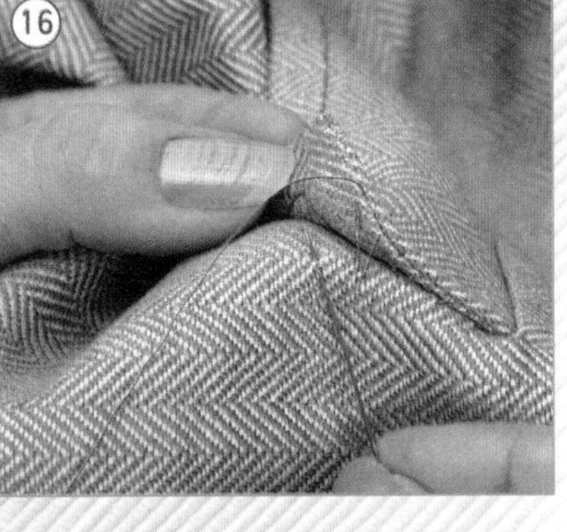

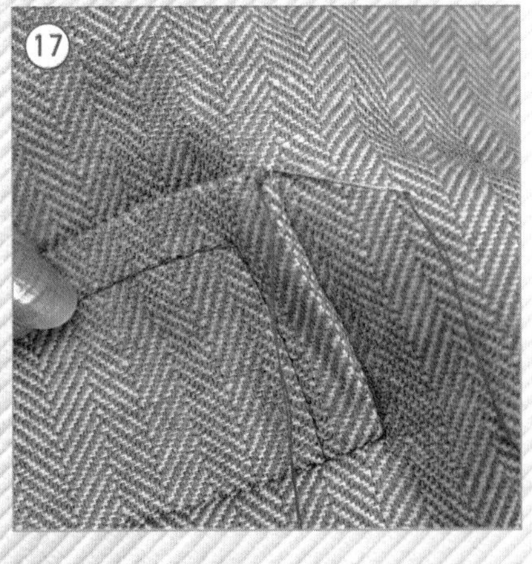

Так выглядит карман с накладной листочкой в готовом виде.

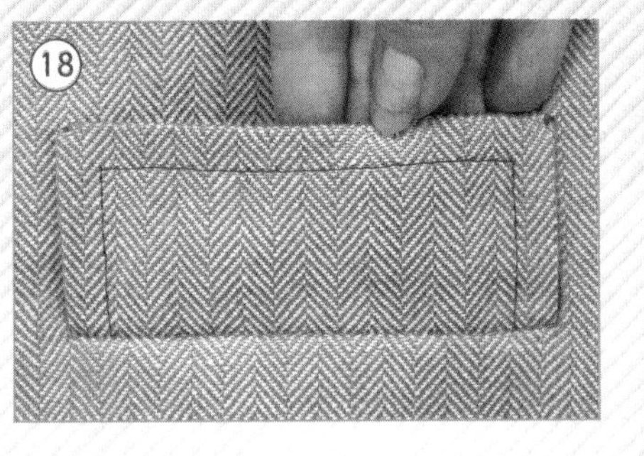

ПРОРЕЗНОЙ КАРМАН С ДВУМЯ ОБТАЧКАМИ

Описание работы

Укрепить клеевой прокладкой изделие и обтачки карманов. На детали полочки, укрепленной клеевой прокладкой, нанести линии разметки кармана.

Для этого лучше всего использовать на темных тканях шариковую ручку, на светлых — простой карандаш. Стежками «вперед иголку» перенести намеченные линии разметки на лицевую сторону.

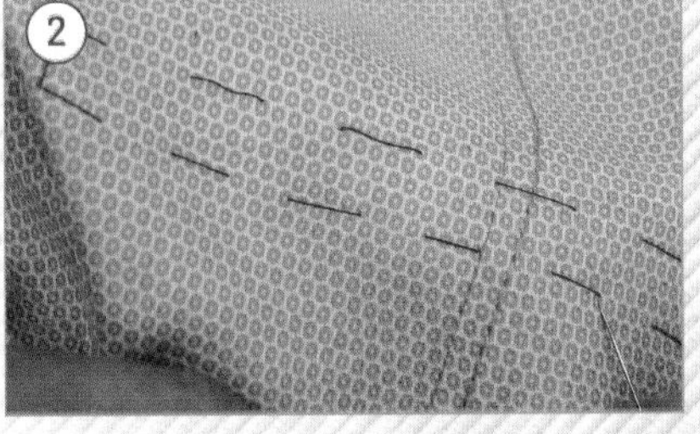

На лицевой стороне полочки приметать и настрочить по разметке обтачки кармана. Строчку следует прокладывать на расстоянии 0,5–0,7 см от стыка деталей.

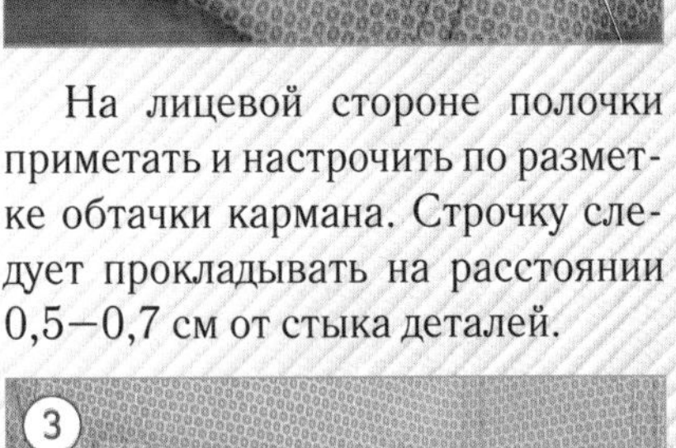

Размер обтачек в готовом виде будет около 0,6 см. Разрезать вход в карман по центру рамки, не доходя 1 см до края рамки, — наискосок.

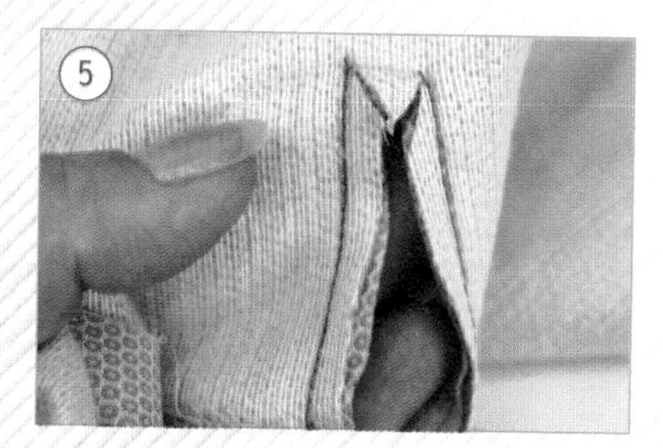

Припуски обтачек вывернуть на изнаночную сторону. Чисто выметать по линии притачивания обтачек. Треугольнички также отвернуть на изнаночную сторону.

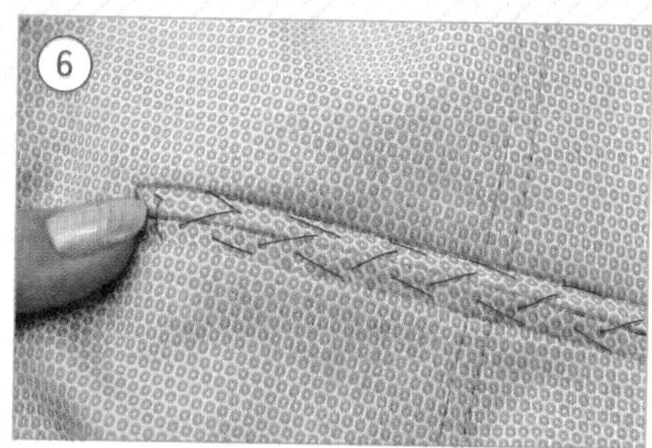

Мешковину из подкладочной ткани наложить лицевой стороной на припуск нижней обтачки, приметать к припуску точно по строчке (мешковина направлена вверх).

Проложить строчку с лицевой стороны точно по линии притачивания нижней обтачки. Мешковину заутюжить вниз.

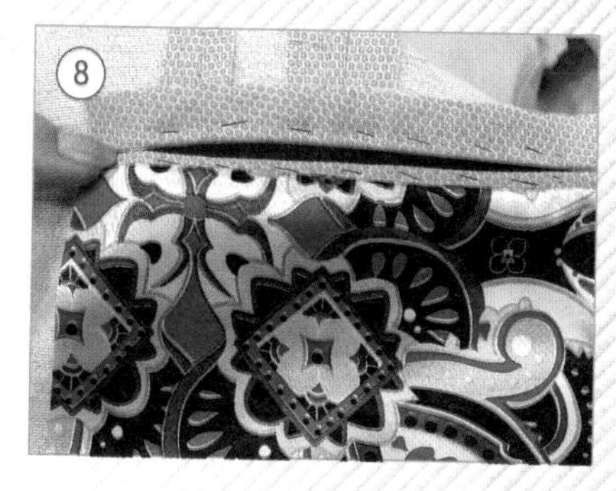

Если предполагаются карманы с клапанами, то на этом этапе следует сшить сами клапаны. Для этого внешние детали клапанов кармана укрепить клеевой прокладкой. Сложить укрепленные и неукрепленные детали клапанов лицевой стороной к лицевой стороне, сметать, прострочить по боковым и нижней сторонам. Вывернуть на лицевую сторону и чисто выметать, отутюжить. Вложить клапан под верхнюю обтачку, совместив по намеченной линии, приметать. С изнаночной стороны приметать мешковину из основной ткани. Строчку проложить точно по линии пришива верхней обтачки. Стачать мешковины кармана по бокам и нижней стороне, прихватывая в шов уголки.

КАРМАН В БОКОВОМ ШВЕ

Карманы в боковых швах выполняются на пальто, жакетах, платьях, брюках и юбках. Чаще всего такие карманы располагают в боковых швах, однако можно выполнить их и в рельефных швах, в зависимости от модели.

Обработать оверложным швом припуски боковых швов.

Обработать оверложным швом припуски мешковин карманов.

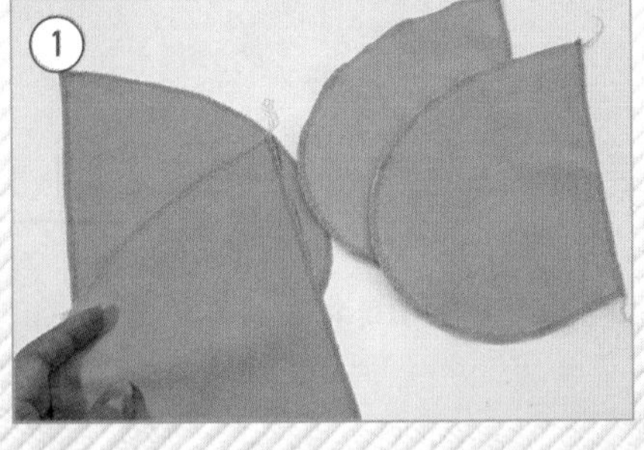

На лицевую сторону передней половинки изделия наложить лицевой стороной вниз мешковину кармана по разметке.

Приколоть или приметать мешковину по припуску.

Притачать мешковину кармана по шву между метками.

Припуски швов должны оставаться свободными. Аналогичным образом притачать мешковины к задней половинке юбки.

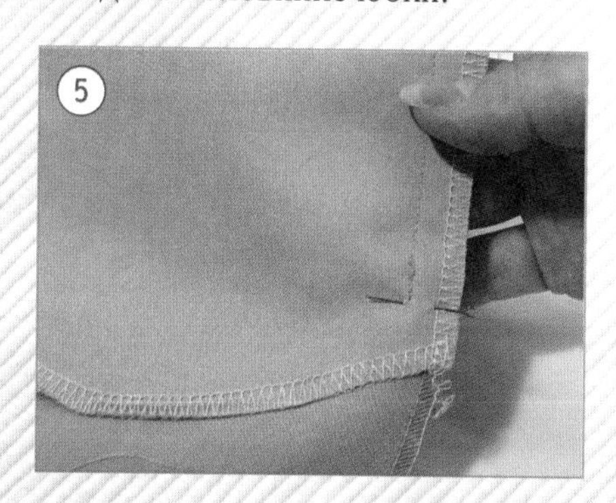

Мешковины проутюжить по швам.

Совместить детали юбки и мешковины между собой по боковым припускам и припускам мешковин лицевыми сторонами внутрь.

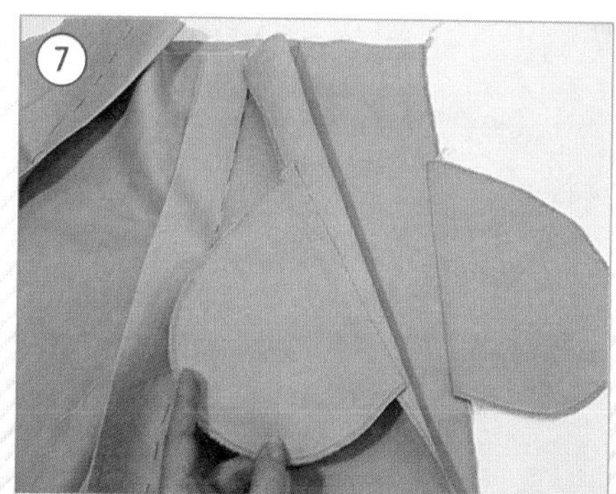

Сколоть или сметать изделие по боковому шву.

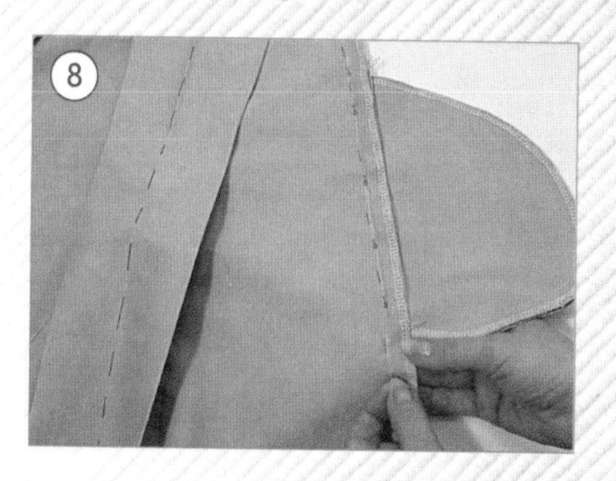

Стачать боковой шов выше и ниже строчек притачивания мешковин кармана. Строчку прокладывать чуть левее шва притачивания мешковин.

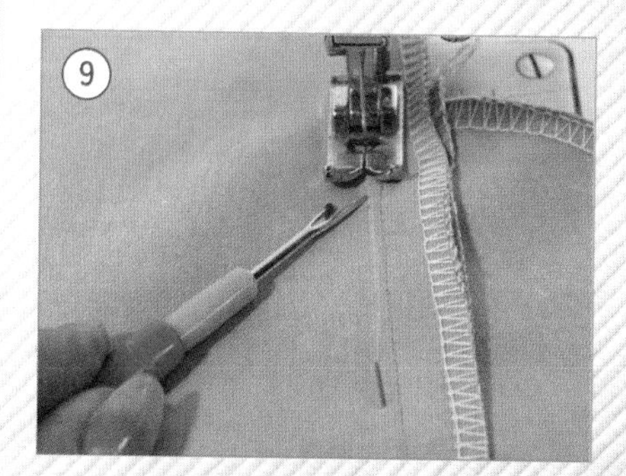

Закончить верхнюю часть строчки чуть ниже строчки притачивания мешковин, а нижнюю часть строчки — чуть выше.

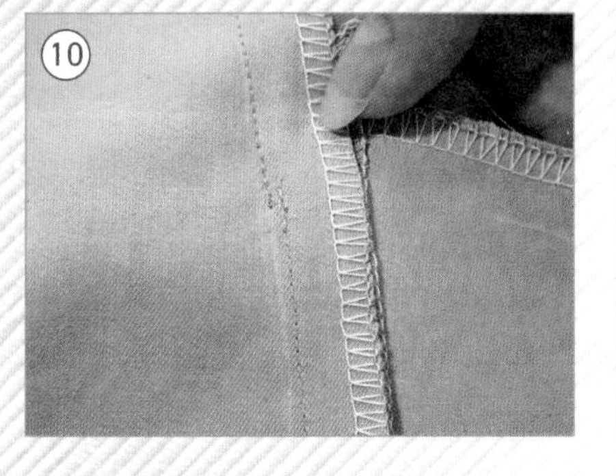

Припуски мешковин кармана отогнуть, мешковины сколоть по контуру булавками.

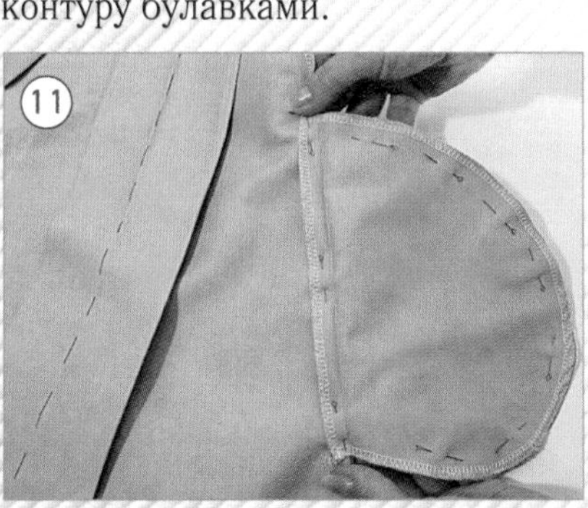

Стачать мешковины кармана по контуру между контрольными метками, припуски кармана остаются свободными.

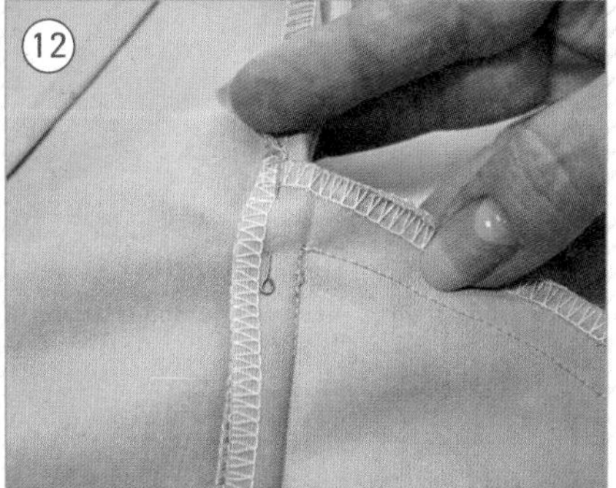

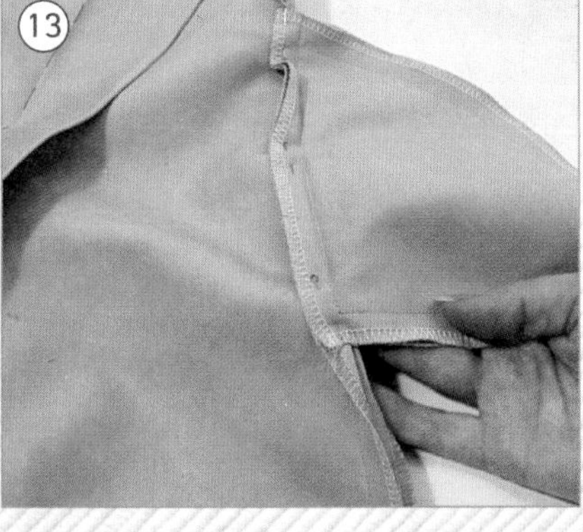

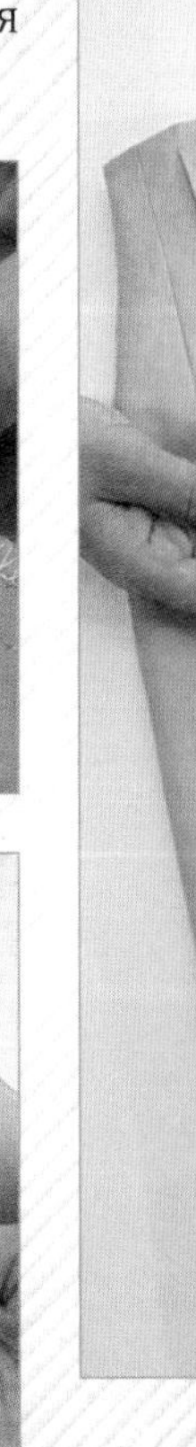

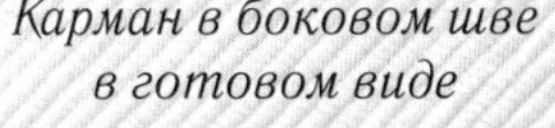

Карман в боковом шве в готовом виде

БОКОВЫЕ КАРМАНЫ НА МУЖСКИЕ БРЮКИ

Боковые карманы с отрезным бочком на мужские брюки выполняются немного иначе, чем боковые карманы с отрезным бочком на женские брюки. Мы подробно покажем вам, как это делается.

Моделирование карманов

Для начала нужно построить выкройку мужских брюк, по которой будем моделировать карманы. Моделирование карманов производят по выкройке передней половинки мужских брюк.

Начертить линию входа в карман. Как правило, ее длина составляет 16,5—19,5 см (в зависимости от размера брюк), ширина бочка — 3,5 см. Дополнительно от линии входа в карман отложить 3 см влево по линии талии, 1,5 см вниз и 1 см влево от нижней точки 1,5, как показано на рисунках 1, 2.

Бочок с припуском на заход переснять на кальку отдельно.

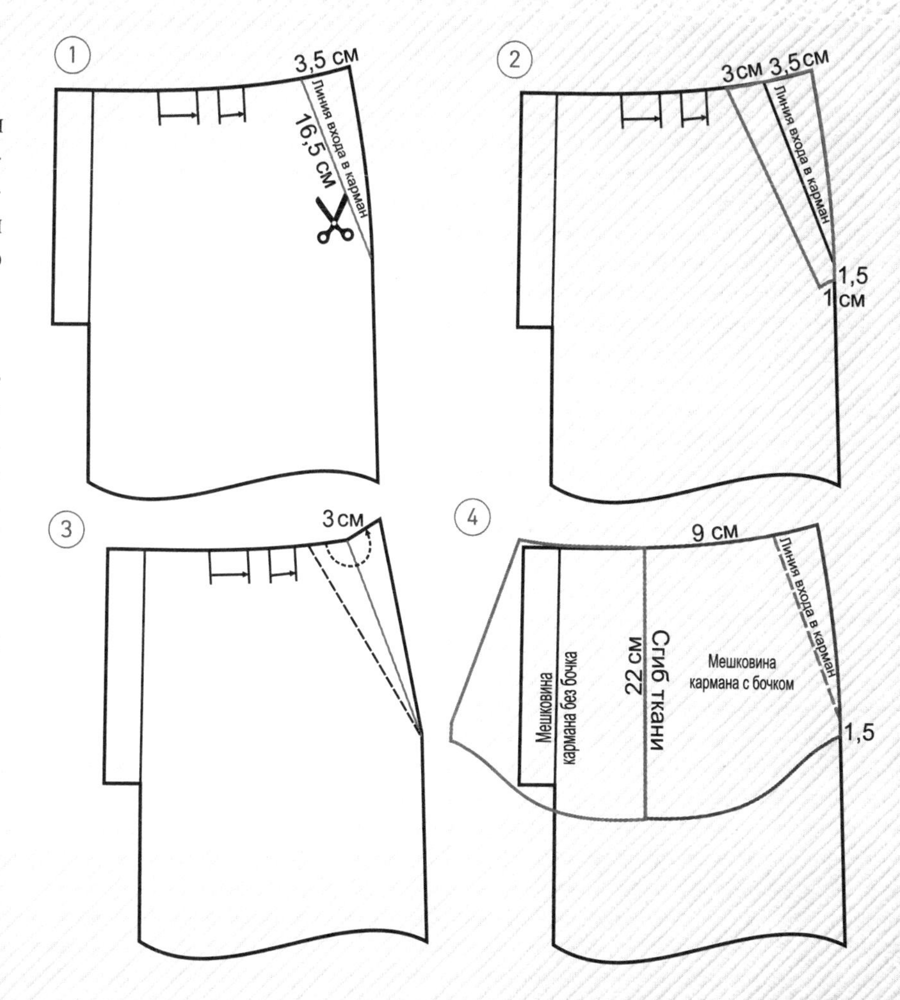

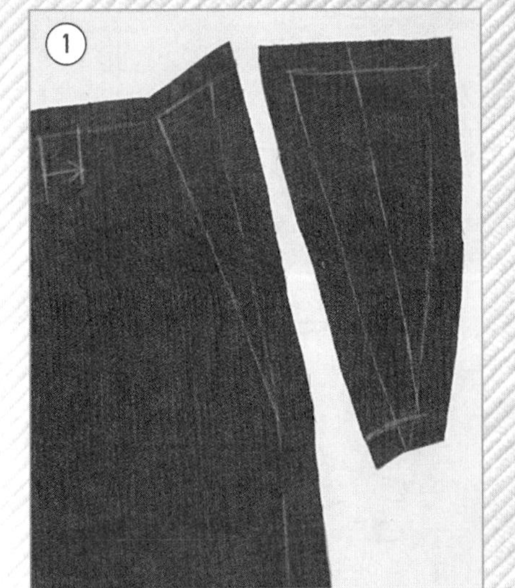

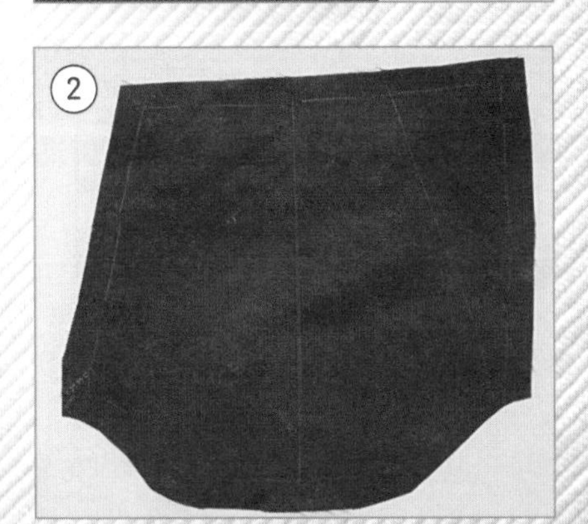

От линии входа в карман отложить по талии влево 3 см. Провести пунктирную линию. Треугольную деталь обтачки входа в карман зеркально переснять по линии входа в карман (*рис. 3*).

Смоделировать выкройку мешковины кармана. По линии талии от линии входа в карман отложить влево 9 см. Провести вертикальную линию длиной 22 см. Плавно провести нижнюю линию, соединив ее с точкой 1,5. Зеркально переснять вторую половинку мешковины кармана без бочка по линии сгиба ткани (*рис. 4*). Детали кроя на *рисунках 5, 6*.

Описание работы

Выкроить из основной ткани переднюю половинку брюк и бочок кармана, из подкладочной ткани — мешковину кармана.

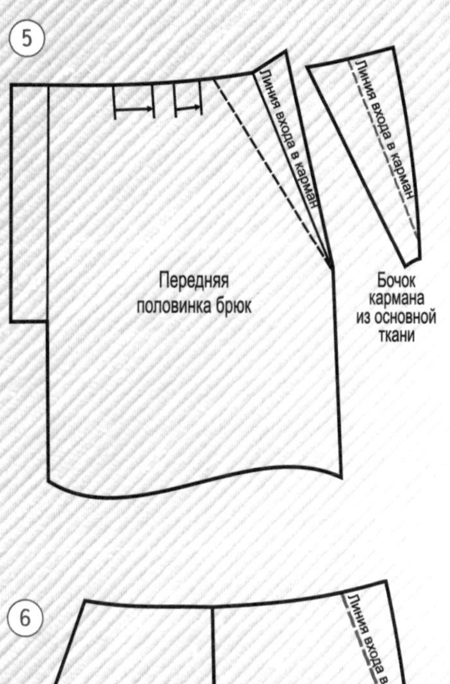

При помощи копировальных стежков перенести линию входа в карман на лицевую сторон брюк. Припуск обработать оверложной строчкой, заутюжить цельнокроеную обтачку входа в карман на изнаночную сторону.

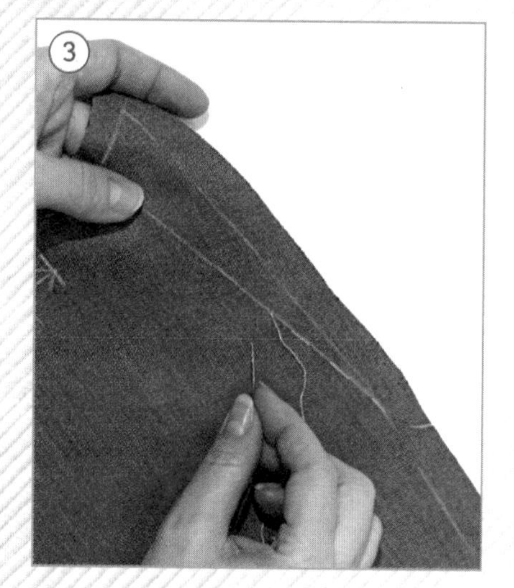

Наложить мешковину кармана (сторона без бочка) на цельнокроеную обтачку по линии входа в карман, сколоть.

Мешковину настрочить на обтачку, отступив 0,5 см от края мешковины. С лицевой стороны проложить фиксирующую строчку по краю цельнокроеной обтачки.

Наложить отрезной бочок из основной ткани на мешковину кармана, сколоть или приметать.

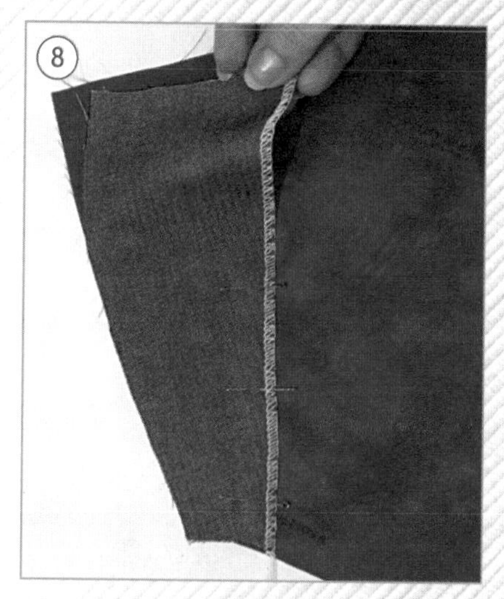

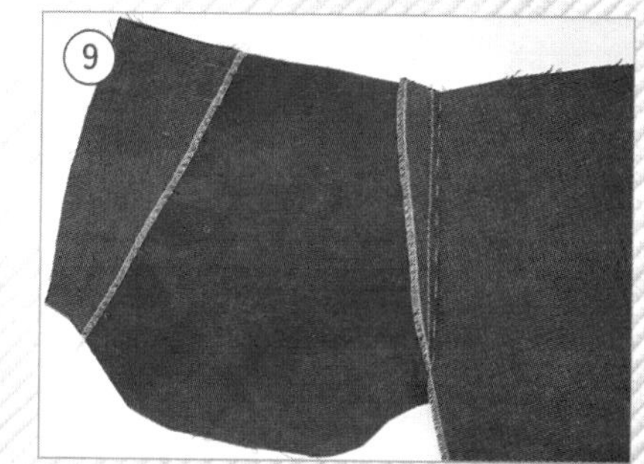

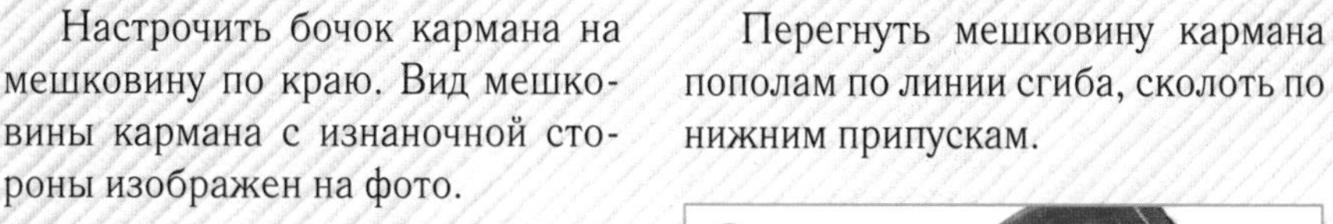

Настрочить бочок кармана на мешковину по краю. Вид мешковины кармана с изнаночной стороны изображен на фото.

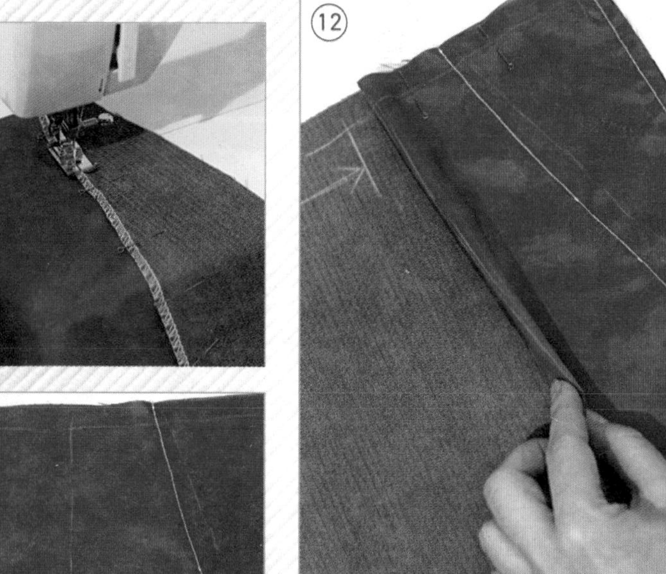

Перегнуть мешковину кармана пополам по линии сгиба, сколоть по нижним припускам.

Прострочить мешковину кармана по нижнему припуску. С лицевой стороны по линии входа в карман проложить закрепку.

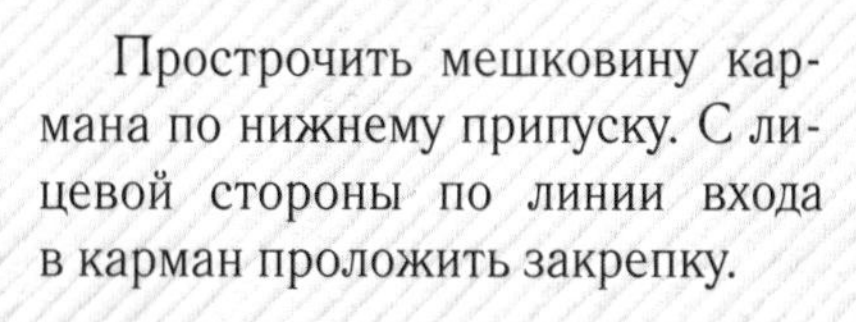

Мешковина кармана с изнаночной стороны показана на фото.

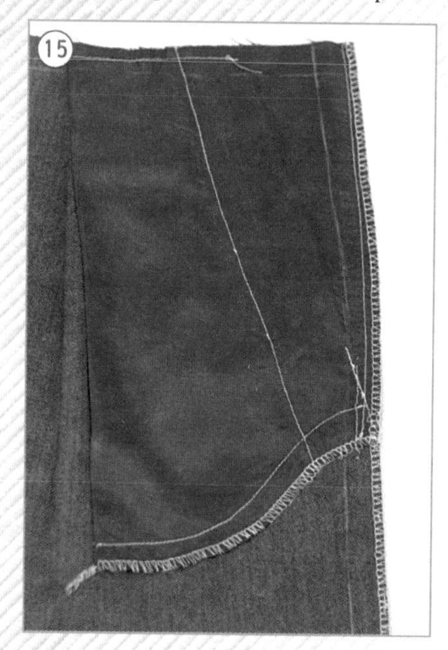

На фото показано, как выглядит карман изнутри.

Карман с лицевой стороны показан на фото. После того как выполнен карман, проложить фиксирующие строчки по линии талии и линию бока карманов. Затем переходить к дальнейшему пошиву брюк. Далее шить брюки как обычно, сметав и стачав боковые швы вместе с мешковинами карманов.

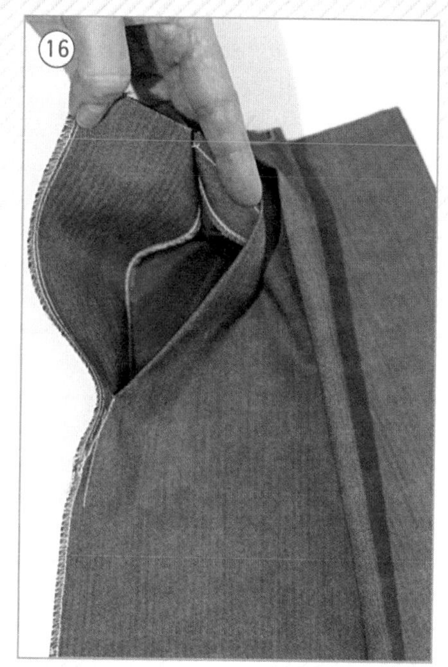

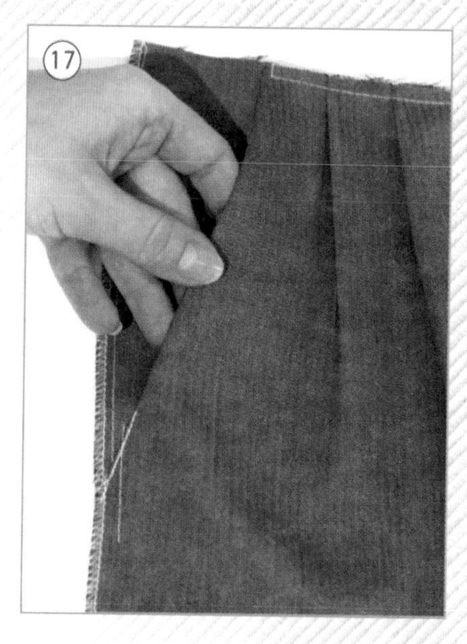

КАРМАН С ОТРЕЗНЫМ БОЧКОМ

Карман с отрезным очень прост в обработке и понравится новичкам в шитье. Это один из распространенных видов карманов. Такой карман часто используется модельерами при создании фасонов юбок и брюк.

Если вы шьете юбку (или брюки) и в ней предусмотрены карманы с отрезным бочком, их нужно обработать в самом начале, когда боковые швы открыты. Мы уже рассказывали вам, как смоделировать карман с отрезным бочком. Форма входа в карман может быть разной — прямой, скругленной, уголком, фигурной и т.д. — и определяется на основании модели изделия. Нижняя мешковина кармана должна полностью повторять форму (линию) входа в карман.

✿ *Совет.* **Мешковину кармана можно выкроить из основной или подкладочной ткани. Если основная ткань изделия не слишком плотная, вы можете выкроить мешковину кармана из основной ткани.**

Детали кроя переднего полотнища юбки, мешковины кармана, цельнокроеной с бочком, и мешковины кармана без бочка. Линию совмещения мешковины с цельнокроеным бочком АА1 перенести на лицевую сторону наметочными стежками.

Наложить мешковину кармана без бочка на изделие лицевой стороной к лицевой стороне, сметать, стачать. Для предотвращения растяжения входа в карман с изнаночной стороны юбки следует укрепить линию входа специальной бейкой или полоской термоткани шириной 0,5 см.

Заутюжить оба припуска на изделие, затем припуски срезать близко к строчке (до 0,4 мм).

Чисто выметать вход в карман, проутюжить.

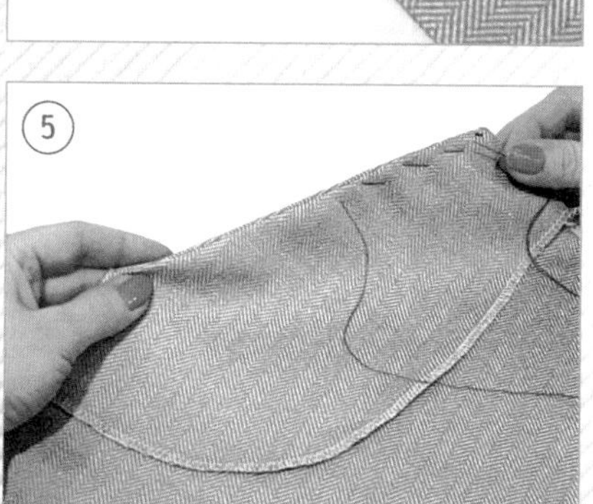

Отстрочить вход в карман с лицевой стороны, отступив от края 0,5 см.

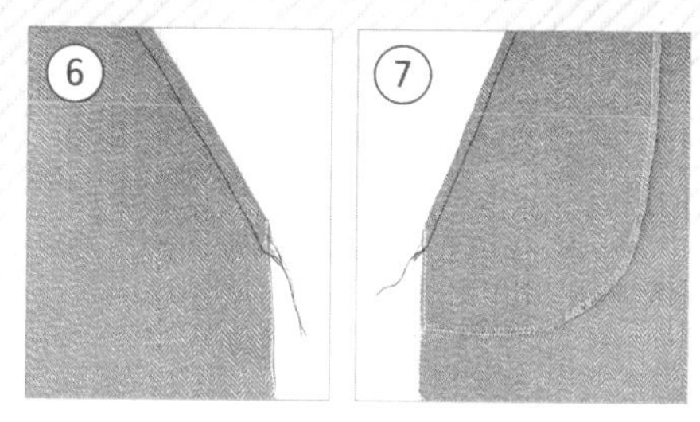

Мешковину с цельнокроеным бочком наложить на отстроченную мешковину кармана, совместив мешковины по припускам.

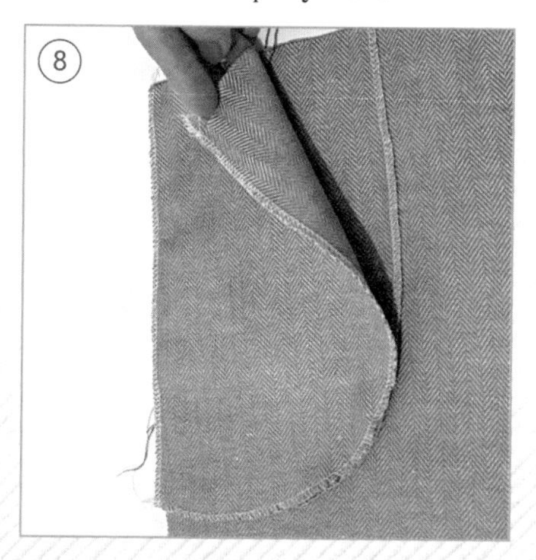

Стачать мешковины по внешним припускам, припуски обработать. Проложить фиксирующую строчку по припуску талии и припуску бокового шва, пристрочив мешковину кармана.

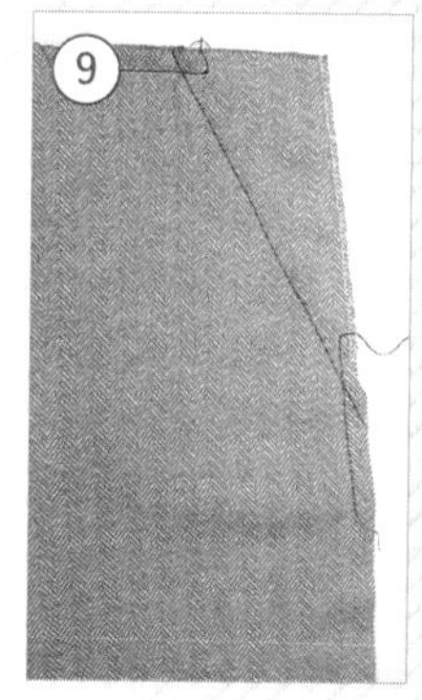

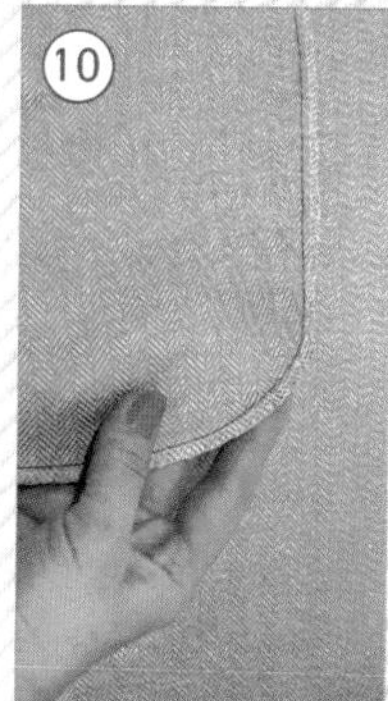

НАКЛАДНЫЕ КАРМАНЫ СО СКРУГЛЕННЫМИ УГОЛКАМИ

Накладные карманы широко применяются при пошиве одежды, начиная от детских платьев и заканчивая мужскими рубашками и женскими жакетами.

Выполнить такой карман очень просто, однако есть маленькая хитрость. Если вы ее используете при работе, скругленные уголки получатся очень аккуратными.

Выкройку кармана лучше строить на миллиметровой бумаге. Для округления уголков воспользуйтесь обычной монетой — подберите по диаметру ту, которая подходит к размеру кармана.

По верху кармана обозначить линию подгиба на расстоянии 2 см от верха.

Описание работы

Наложить выкройку на ткань, приколоть, выкроить карманы с припусками по всем сторонам 1,5 см, по верху — 2,5 см.

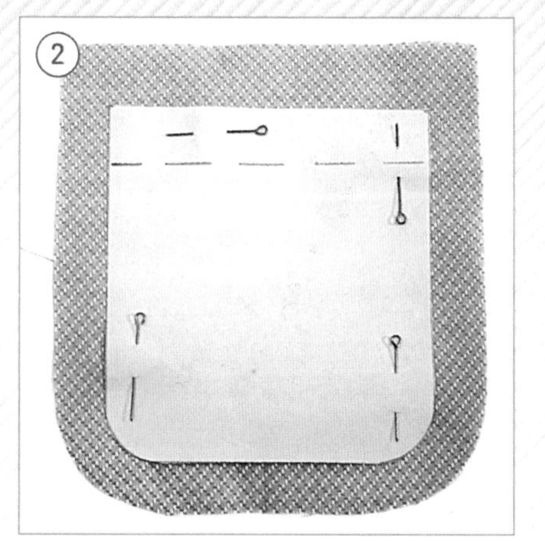

На швейной машине установить длину стежка 4 мм, ослабить натяжение верхней нити. Не откалывая

выкройку, по скругленным сторонам проложить вспомогательные строчки (с прерыванием строчки по нижней стороне).

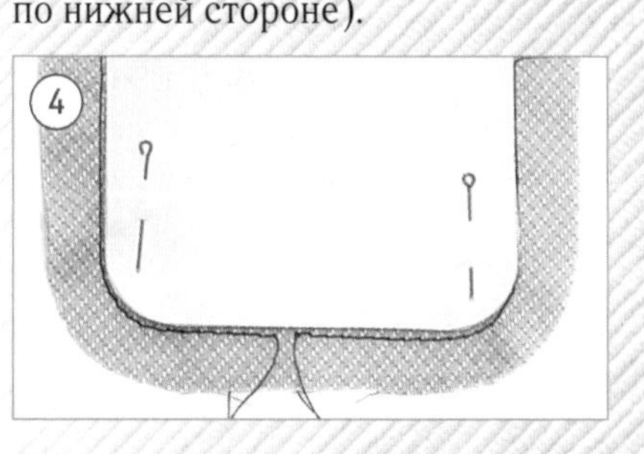

Припуск по верхнему срезу подогнуть на изнаночную сторону на 0,5 см и проутюжить.

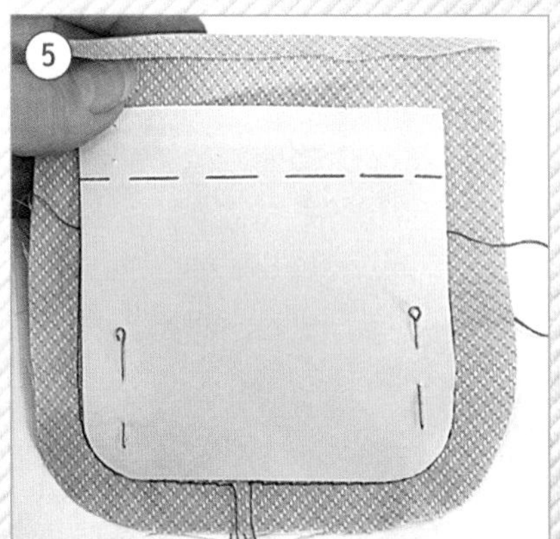

Отогнуть припуск на лицевую сторону и приколоть.

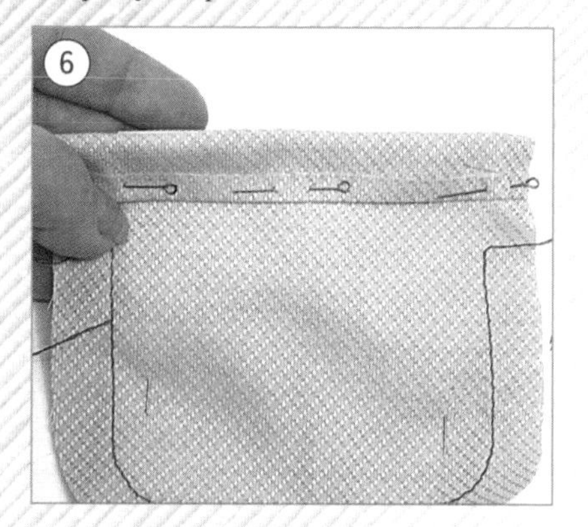

Притачать подгиб верха кармана по боковым сторонам.

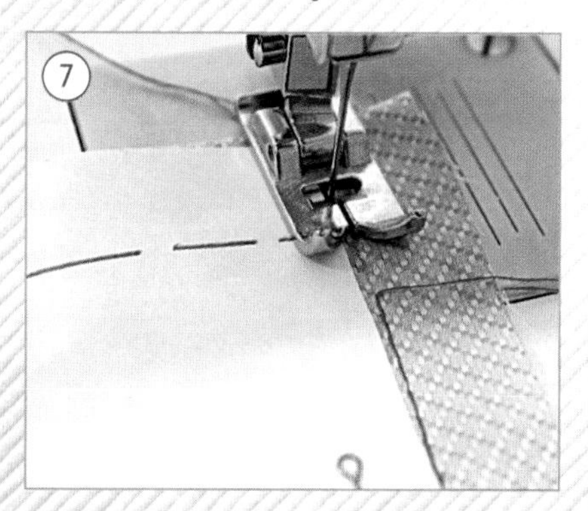

Припуск срезать на уголок. Подгиб по верху отвернуть на изнаночную сторону, чисто выметать по боковым сторонам, проутюжить.

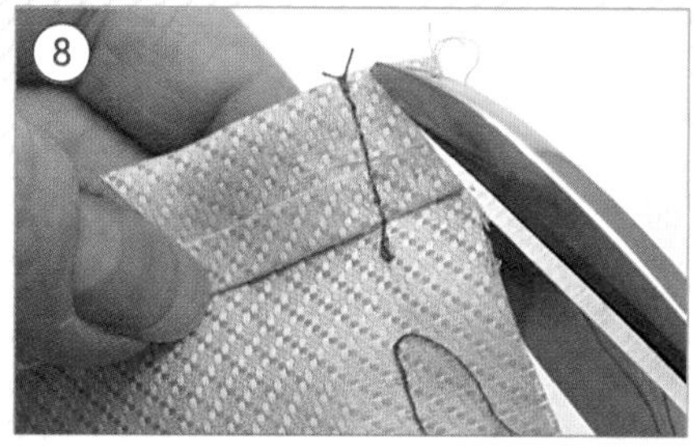

Вспомогательные строчки по скругленным уголкам слегка стянуть, потянув за верхнюю нить, сформировать одинаковые скругленные уголки, проутюжить с изнаночной стороны.

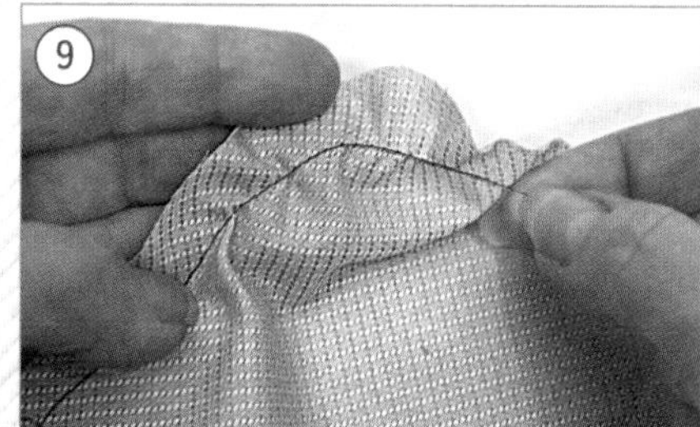

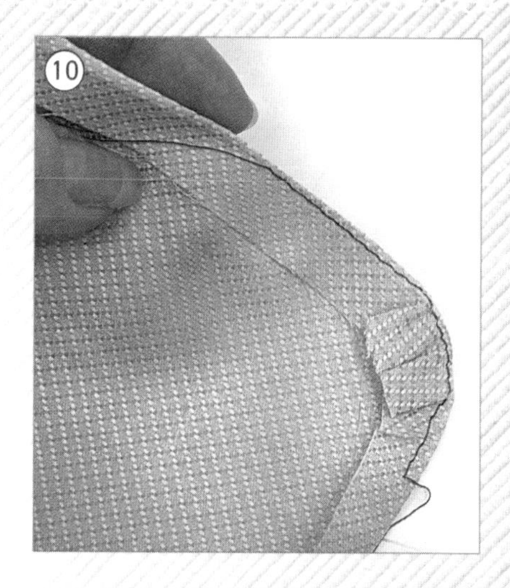

Припуски срезать на уголок.

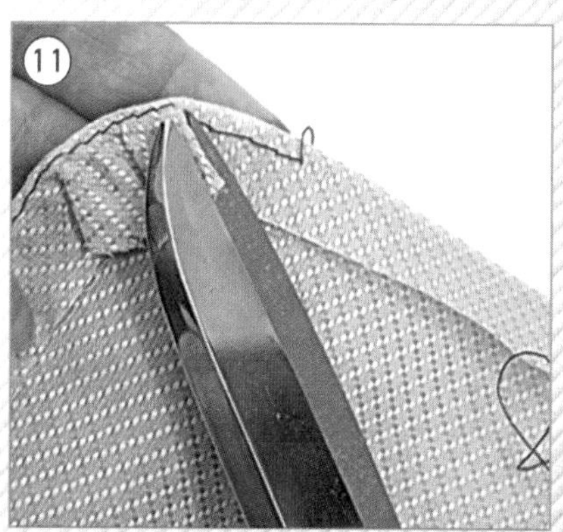

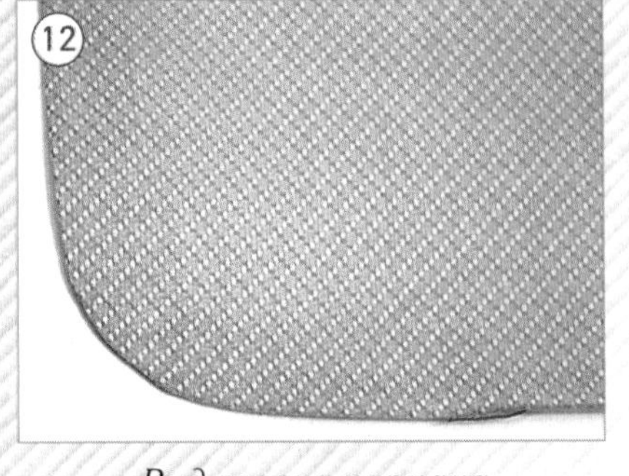

Вид уголка кармана с лицевой стороны

Наложить карман по разметке на изделие и приколоть или приметать наметочными стежками. Притачать карман по краю и на расстоянии 0,5 см от первой строчки.

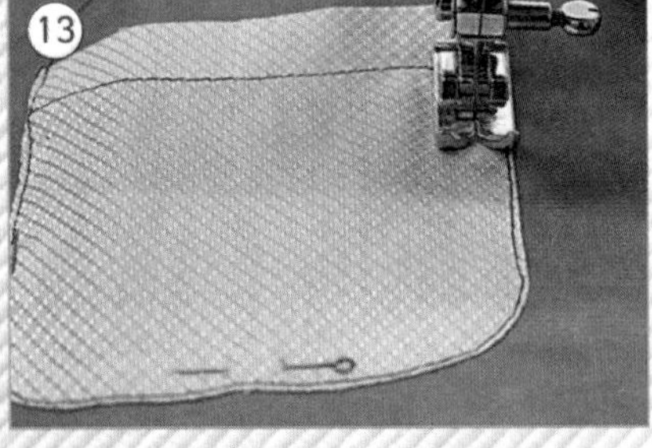
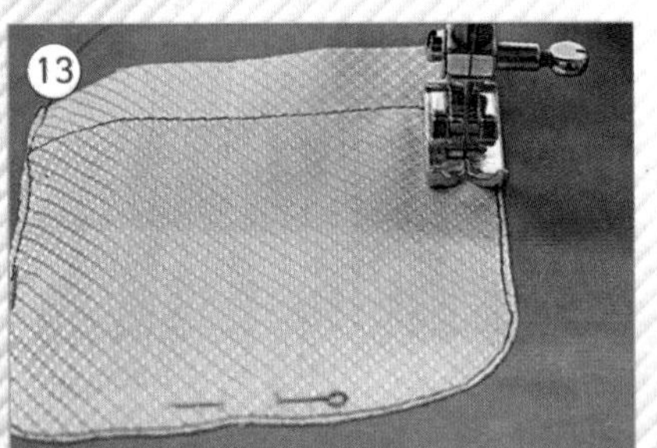

Наметку удалить, карман проутюжить.

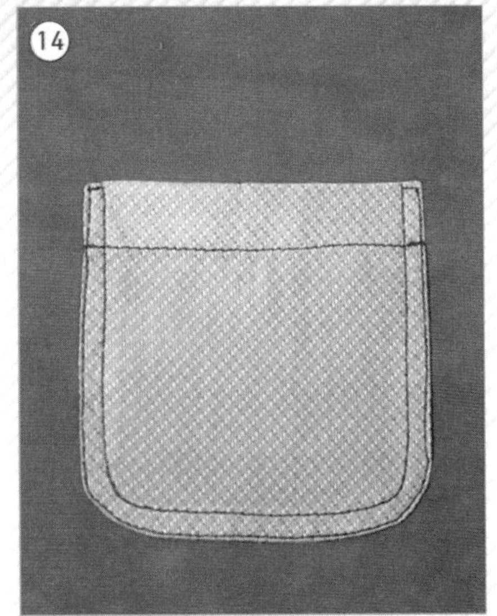

НАКЛАДНОЙ КАРМАН С ПРЯМЫМИ УГОЛКАМИ

Накладные карманы с прямыми уголками настрачиваются на изделие точно так же, как и накладные карманы со скругленными уголками. Чтобы уголки на прямоугольных карманах были красиво сформированы, нужно сделать следующее.

Описание работы

Разметить на кармане припуски с изнаночной стороны. Верхний припуск обработать так же, как и в предыдущем случае.

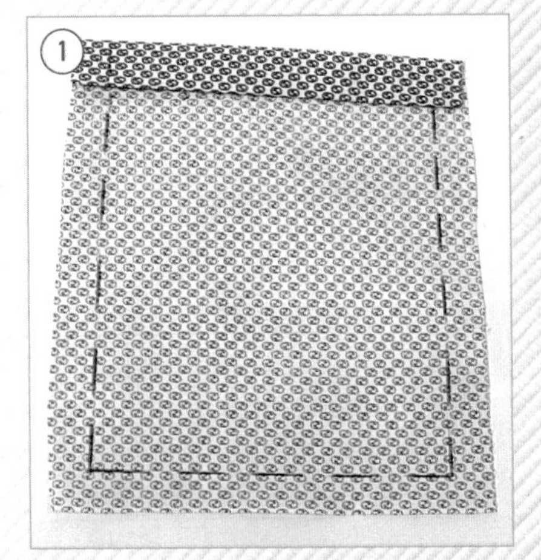

Нижние уголки подогнуть под углом 45° таким образом, чтобы линия перегиба проходила точно по вершине уголка.

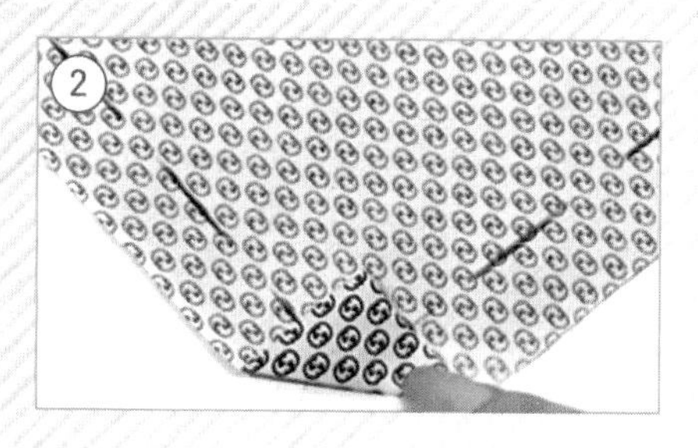

Затем подогнуть правую и левую сторону кармана, а также нижнюю сторону на ширину припуска.

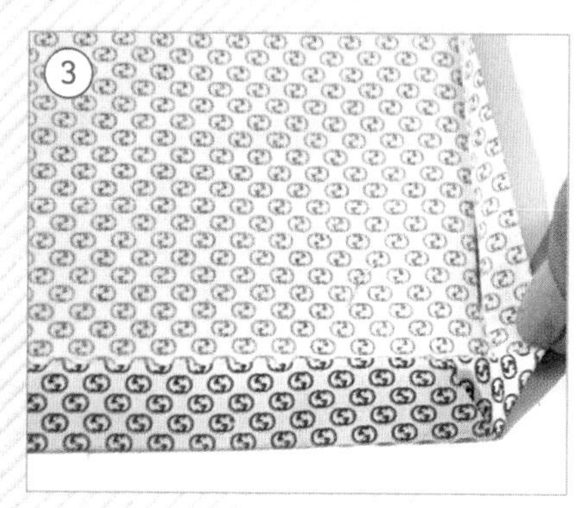

Припуски проутюжить и приметать.

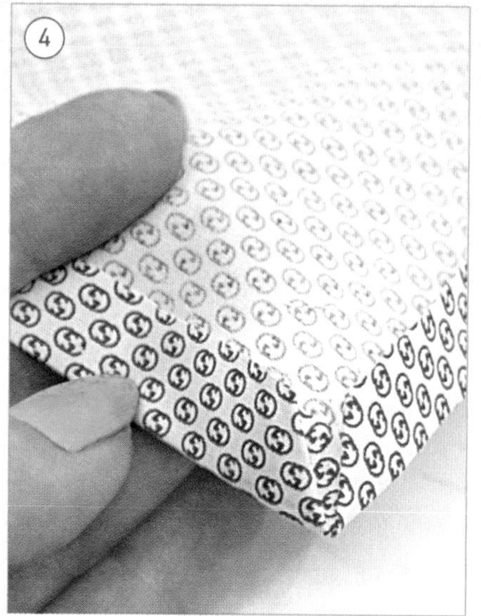

Уголки должны получиться аккуратными с лицевой стороны.

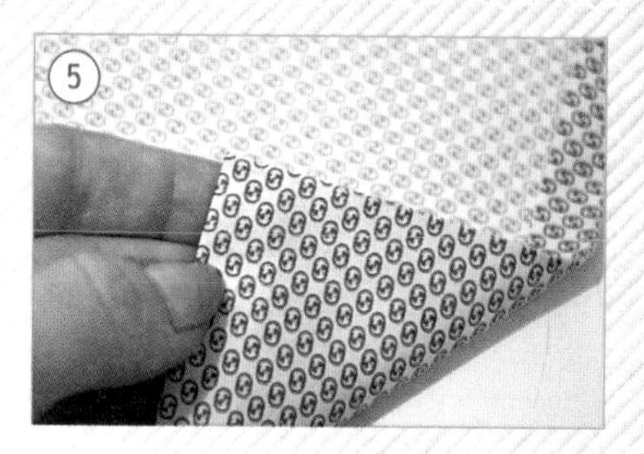

Далее приметать карман к изделию по разметке и пристрочить.

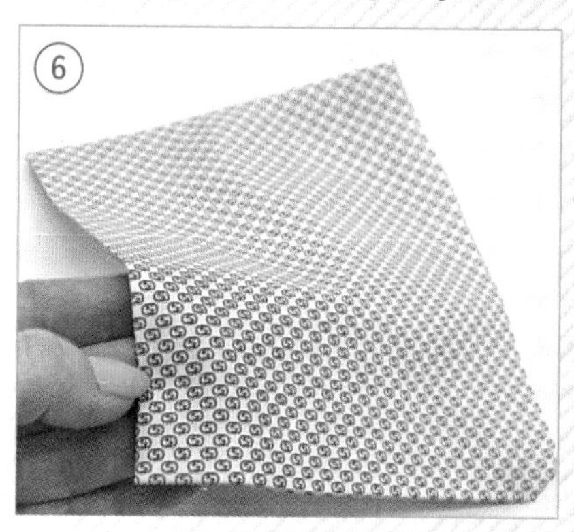

Рукава

ВТАЧНОЙ РУКАВ С ПОДОКАТНИКОМ

Рукав — визитная карточка любого жакета или пальто. Правильно втачанный рукав должен свободно облегать руку, без заломов и перекосов, а по окату должен быть без складочек и сборок, с небольшим перекатом. Чтобы грамотно втачать рукав, нужно знать несколько правил, которые позволят вам это сделать.

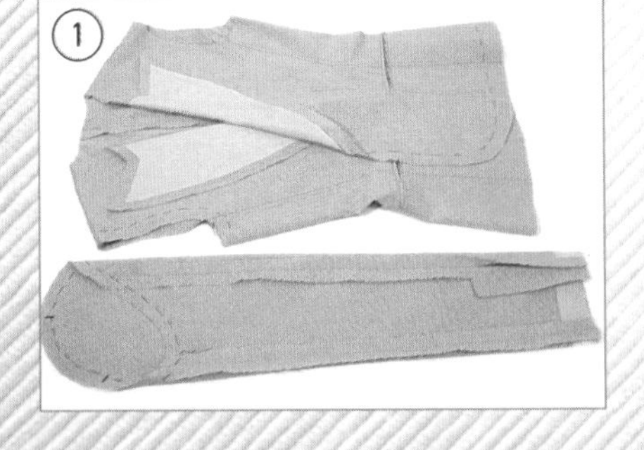

Рукав стачать по швам, припуски разутюжить. На изделии стачать вытачки, боковые и плечевые швы, припуски разутюжить. На пройме и рукаве наметить припуски на швы, проложив наметочные стежки, и все точки совмещения оката рукава с проймой — верхнюю точку оката, промежуточные точки совмещения.

✿ *Совет.* Перед тем как приступить к обработке оката рукава, наденьте пиджак, вденьте руку в рукав и приколите рукав к линии плеча, совместив с высокой точкой оката.

Рукав должен свободно свисать, быть без заломов и перекосов. Если есть заломы, сместите высокую точку оката чуть левее или правее линии плеча, найдите то положение, в котором на рукаве не образуется заломов и перекосов.

По окату рукава, между контрольными точками на участке припосаживания, проложить 2 машинных шва длиной стежка 4 мм. Расстояние между швами — 1–2 мм.

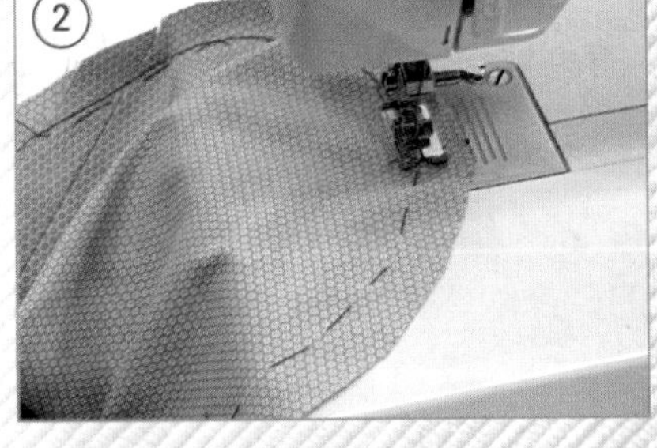

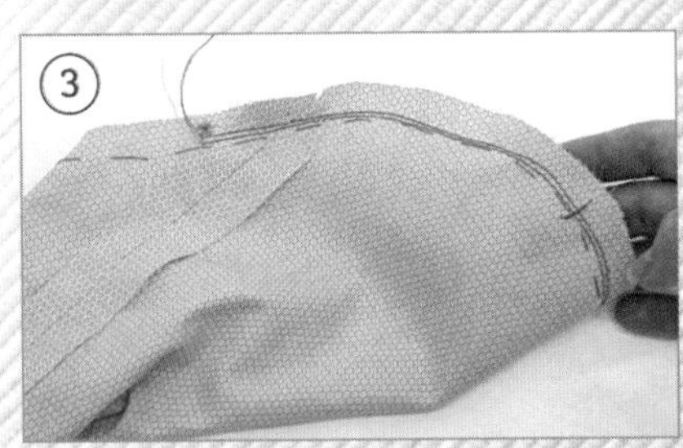

Оба шва должны быть проложены по припуску оката и не заходить на рукав.

Взять за нижние нити и слегка стянуть рукав по окату, распределяя складочки таким образом, чтобы ткань припосадить, но при этом крупные складки не должны образовываться.

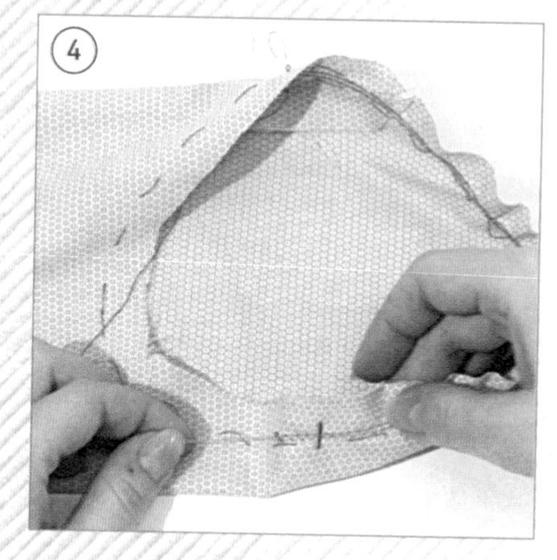

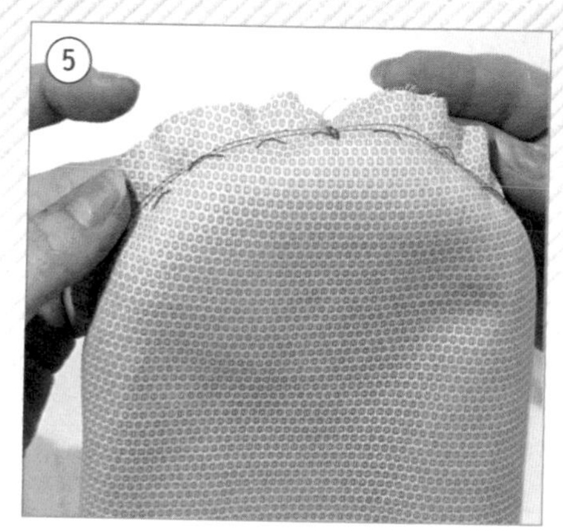

Совместить высокую точку оката с плечевым швом, сколоть. Распределить длину оката между контрольными точками, сколоть и сметать.

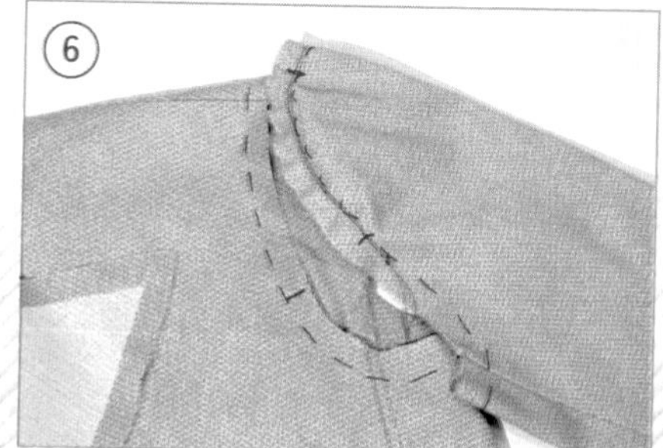

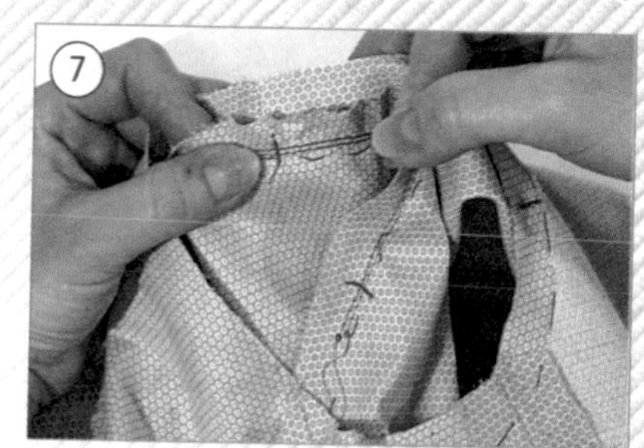

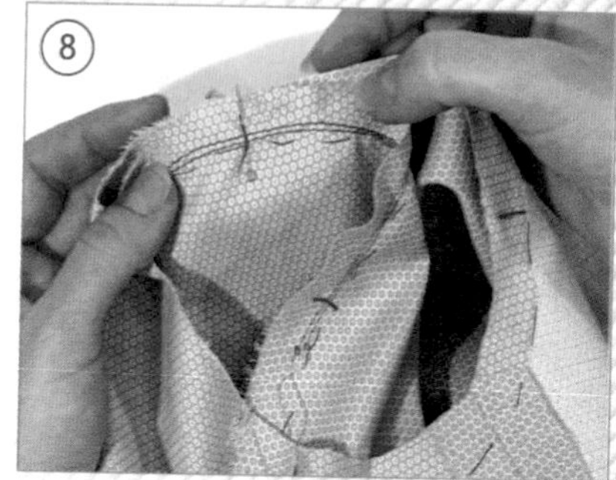

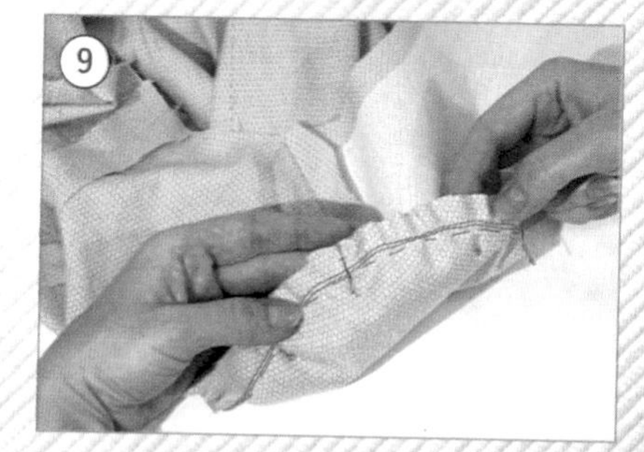

Совет. Чтобы легче было припосадить ткань по окату, после присборивания отпарьте окат утюгом с легким нажимом.

Притачать рукав к пройме, начиная с нижней половины оката.

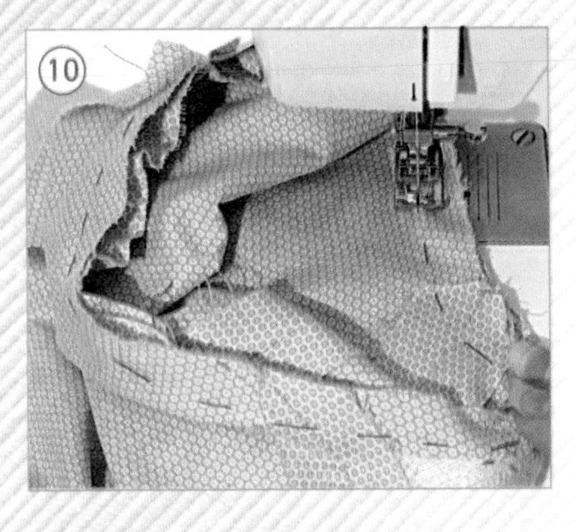

Дойдя до верхней части оката, слегка растягивать ткань влево и вправо от иглы, чтобы не образовывались складки.

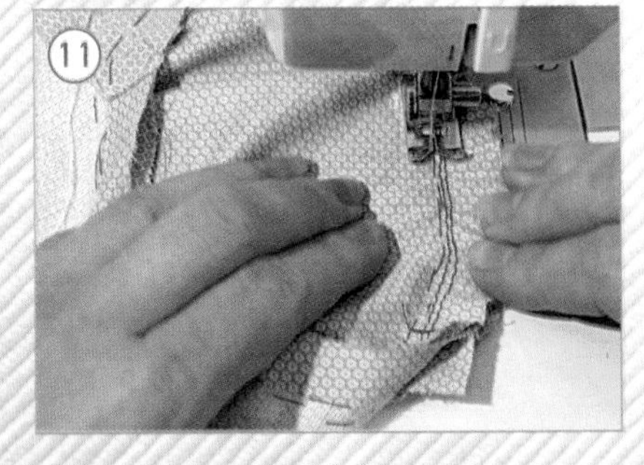

Проутюжить окат с легким нажимом с отпаривателем. Из синтепона вырезать полоску шириной 4 см и длиной около 20 см. Полоску притачать только по верхней стороне оката (на припосаженном участке).

Образовавшиеся на припусках верхней части оката складочки срезать, не доходя 2 мм до шва. Проутюжить окат с легким нажимом с отпаривателем.

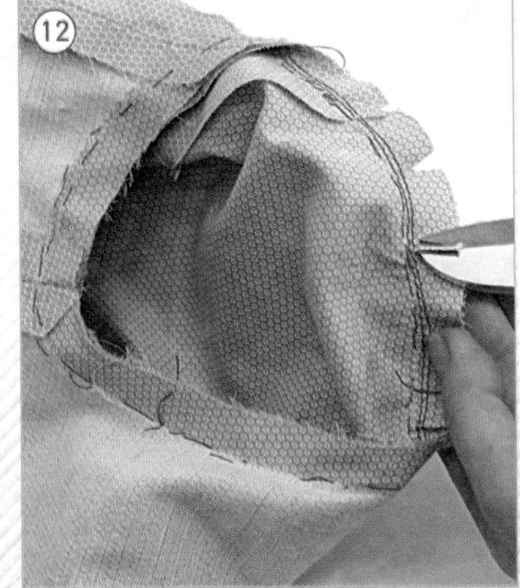

Из синтепона выкроить подокатник — полоску шириной 4 см и длиной около 20 см. Полоску следует притачать только по верх-

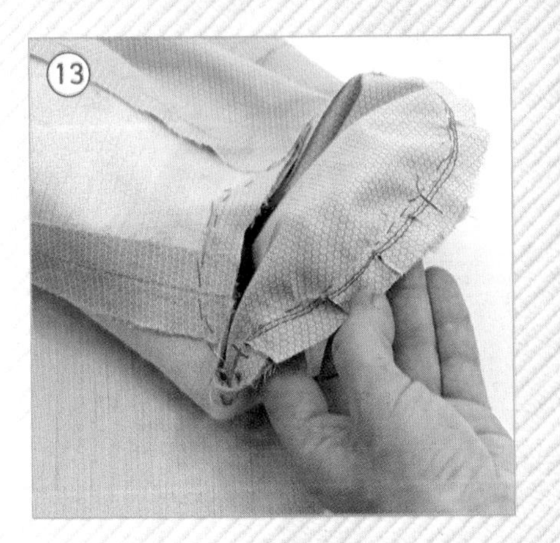

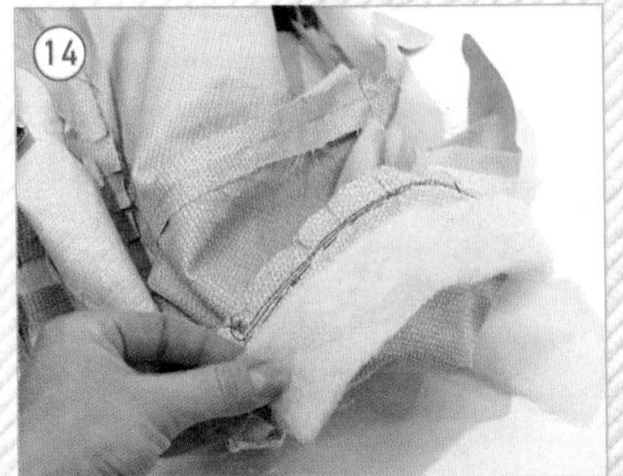

ней стороне оката (на припосаженном участке). Притачать полоску синтепона по окату.

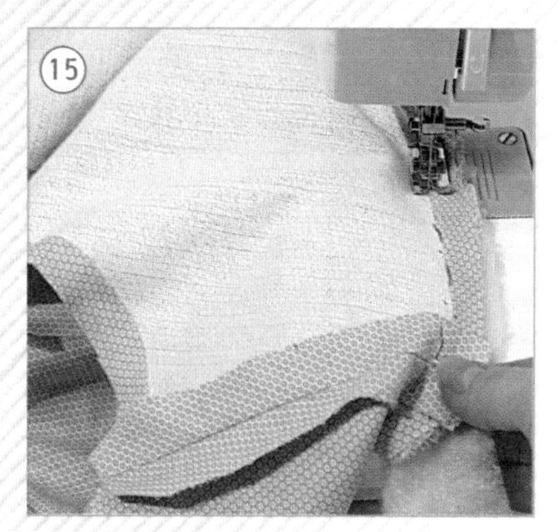

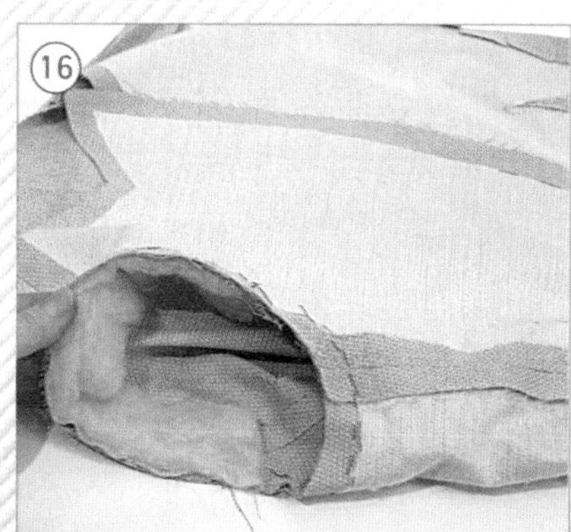

Строчить со стороны изделия. Строчка должна проходить на 1–2 мм правее строчки втачивания рукава.

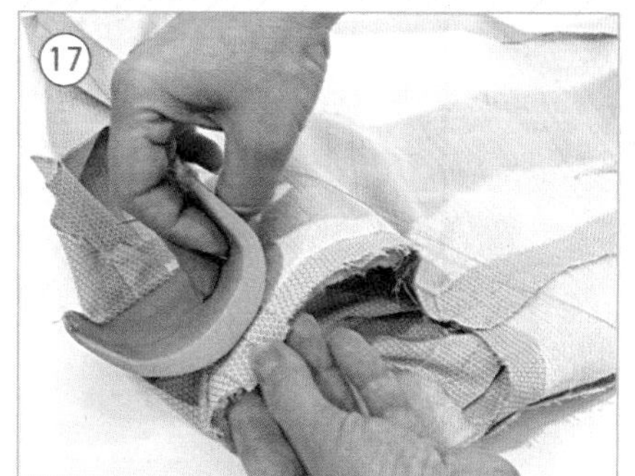

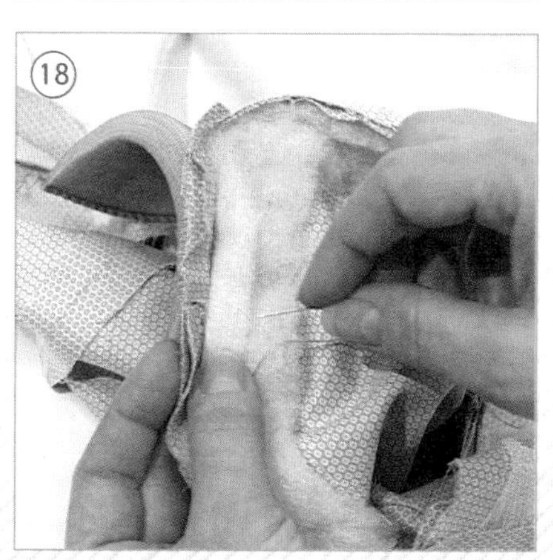

Определить центр подплечика, подплечик совместить с плечевым швом, пришить вручную со стороны припуска оката рукава широкими стежками.

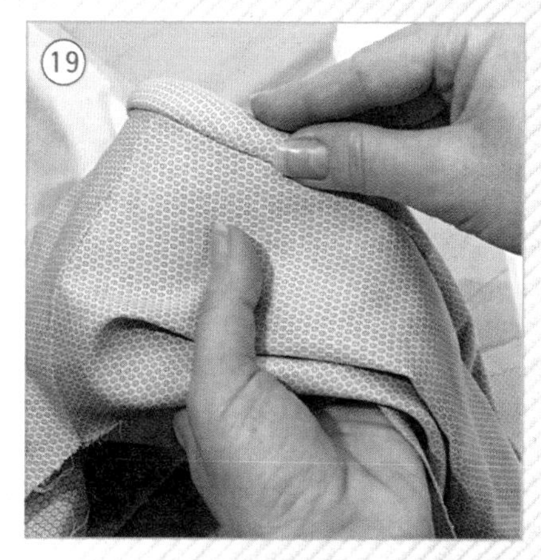

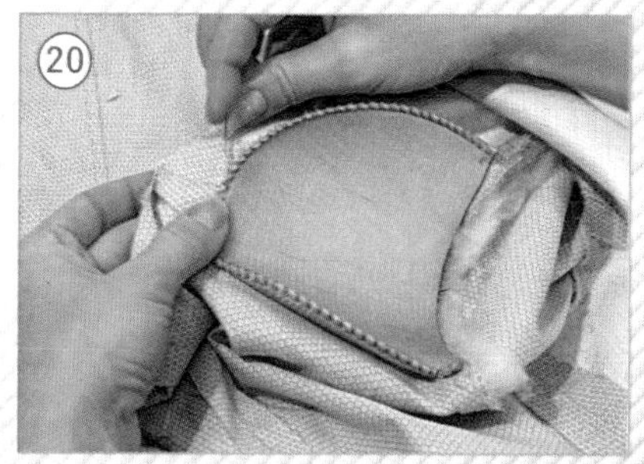

Окат отвернуть на лицевую сторону, сформировать перекат по окату, примерить пиджак, скругленную сторону подплечика пришить несколькими фиксирующими стежками к плечевому шву.

Правый рукав втачать аналогичным образом.

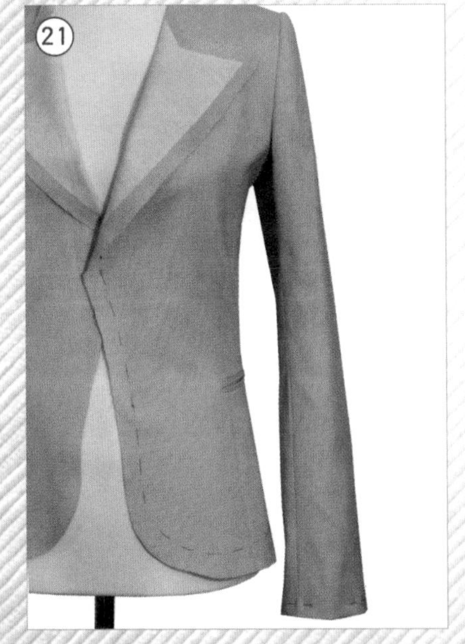

Рукав в готовом виде

РАЗРЕЗ РУКАВА, ОБРАБОТАННЫЙ КОСОЙ ОБТАЧКОЙ

Технология обработки разреза рукава косой обтачкой выполняется при пошиве женских блузок. Эта швейная операция понравится начинающим портнихам своей простотой и тем, что ее выполнение занимает мало времени. Выполнять данную операцию следует до соединительного шва на рукаве.

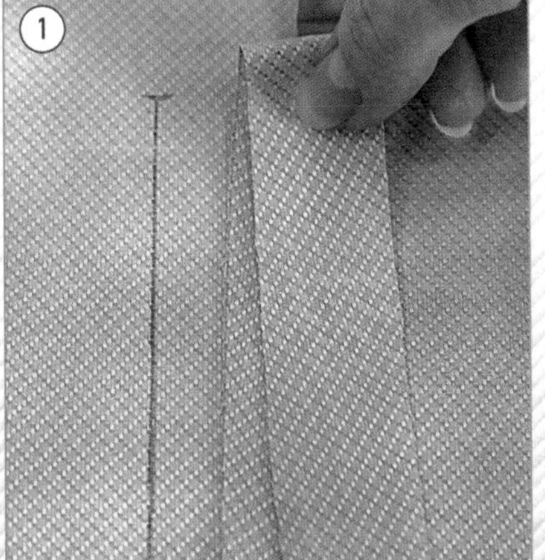

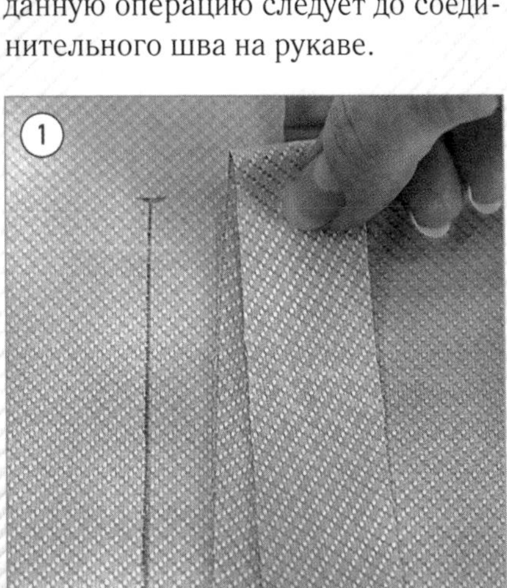

Описание работы

Выкроить 2 полоски ткани по косой нити длиной, равной двум длинам разреза рукава плюс 3 см, и шириной 3 см.

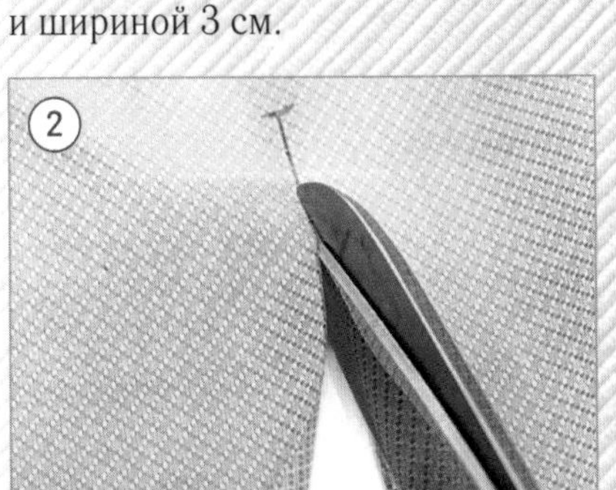

Разрезать рукав по намеченной линии.

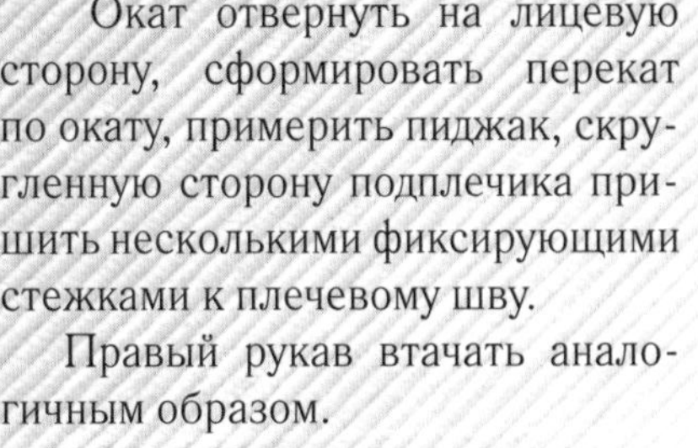

Наложить обтачку лицевой стороной на разрез рукава по одной стороне, совместив срезы, притачать близко к краю (на расстоянии 2–3 мм от края).

Дойдя до верха разреза, развернуть рукав и продолжить пристрачивать обтачку со второй стороны разреза.

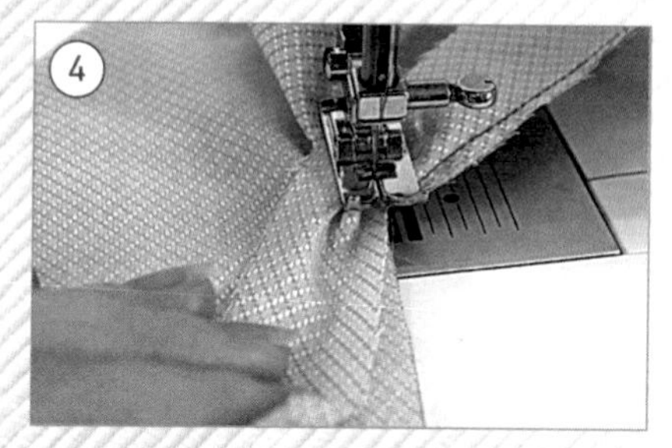

Обтачка в притачанном виде с лицевой и изнаночной сторон рукава.

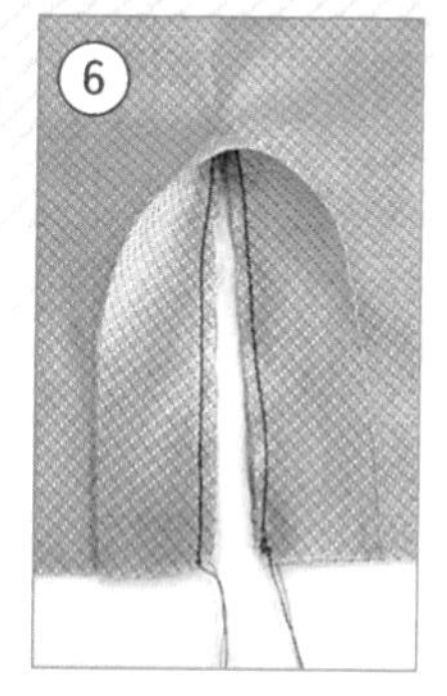

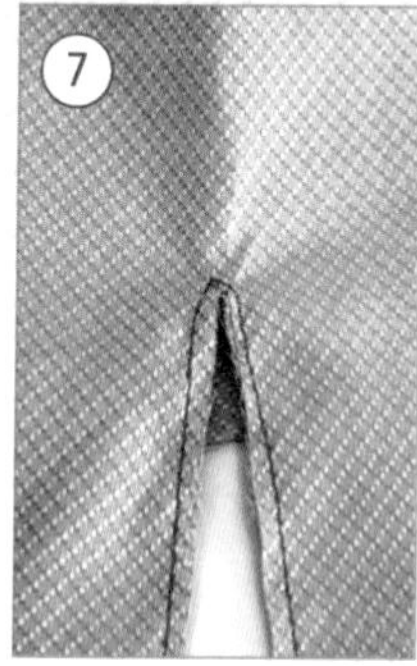

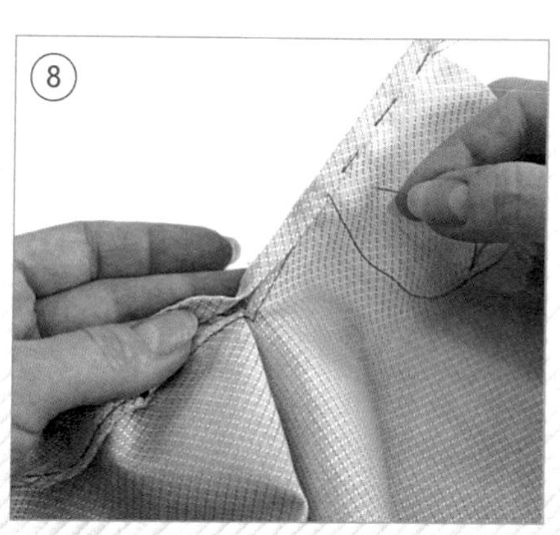

Обтачку перегнуть пополам, предварительно подвернув открытый край на 5 мм, приметать по краю.

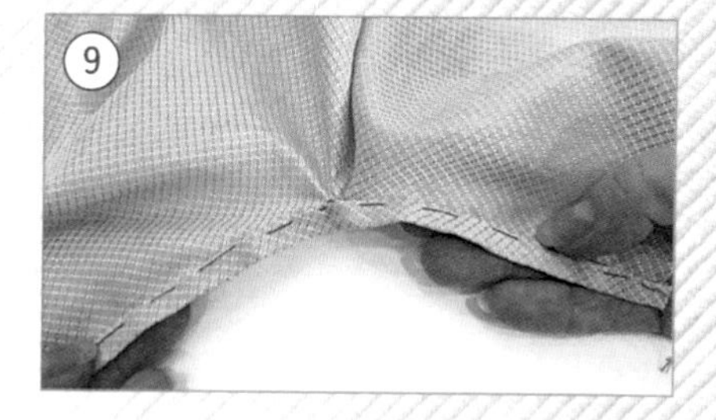

Отстрочить обтачку по краю длиной стежка 2,5 мм.

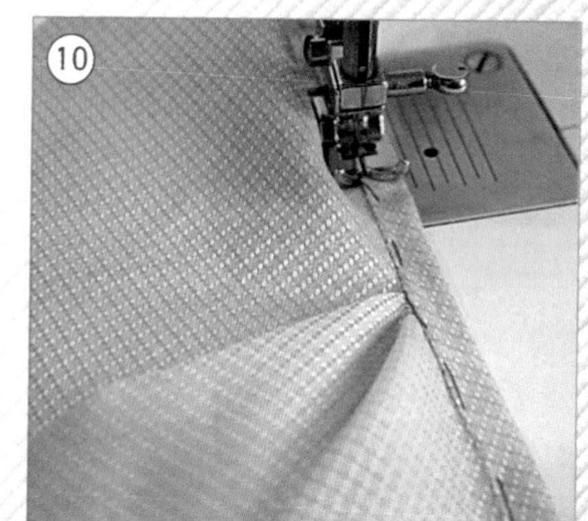

С изнаночной стороны рукава совместить обе стороны обтачки, перестрочить образовавшийся уголок под углом 45° двумя прямой и обратной строчками.

11

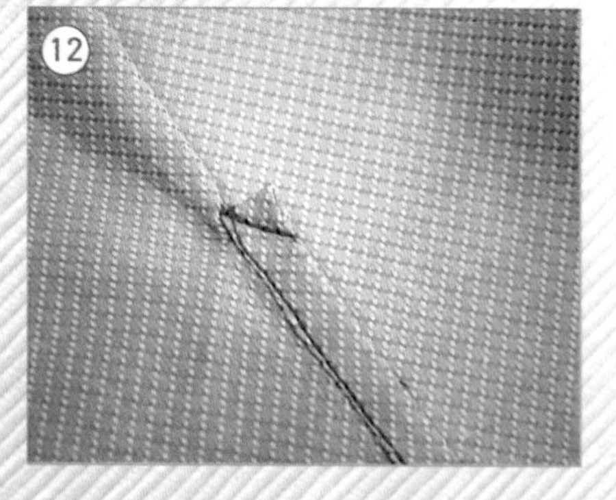

Заутюжить обтачку на одну сторону таким образом, чтобы ее левая сторона не была видна. На правом рукаве обтачку заутюжить в противоположную сторону.

После обработки разреза можно приступать к обработке манжеты.

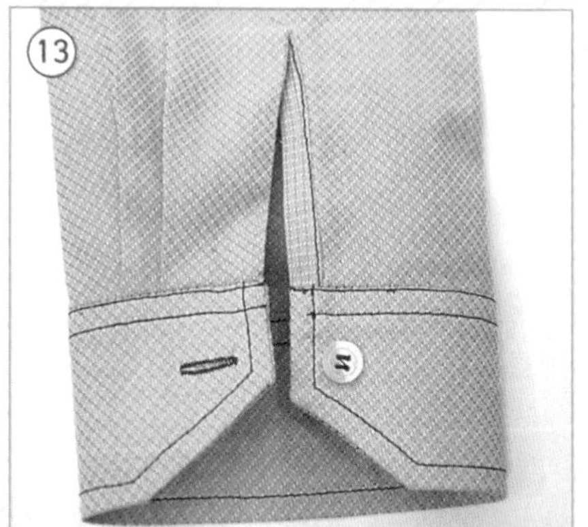

Рукав в готовом виде

РАЗРЕЗ РУКАВА, ОБРАБОТАННЫЙ ПЛАНКОЙ

Совет. Эта швейная операция выполняется на открытом рукаве до стачивания шва.

Описание работы

Выкроить косую обтачку и планку рукава (по 2 детали).

На рукаве наметить разрез длиной по модели (обычно для женских блуз — 10 см, для мужских рубашек — 12 см).

3 см
1,5
Обтачка
10 см
10 см
1,5
Планка
4 см
Припуски по 0,7 см
10 см
2,4 см
2,4 см

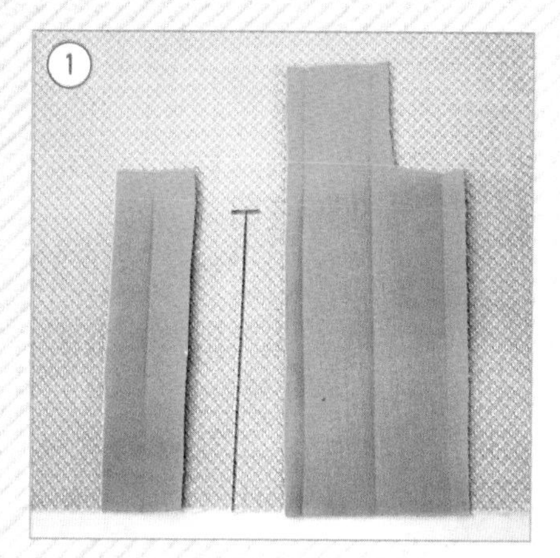

На лицевой стороне рукава при помощи «волшебного» (след которого исчезает после стирки) или простого карандаша разметить линию разреза.

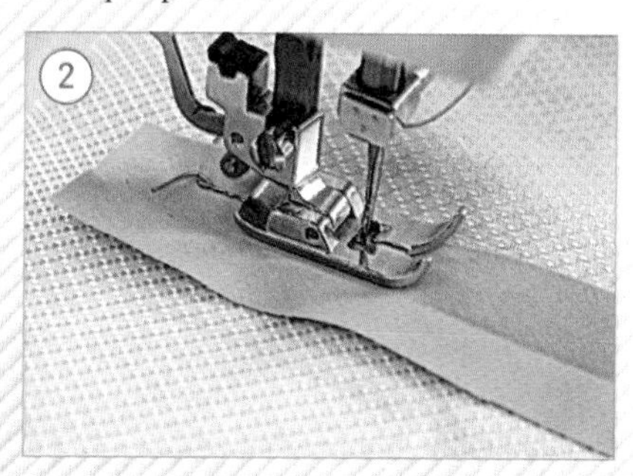

С лицевой стороны ткани для правого рукава слева, а для левого рукава справа точно по центру разреза наложить косую обтачку, приметать и притачать на расстоянии 0,5 см от края.

Если вы уверены в своем мастерстве, обтачку можно не приметывать.

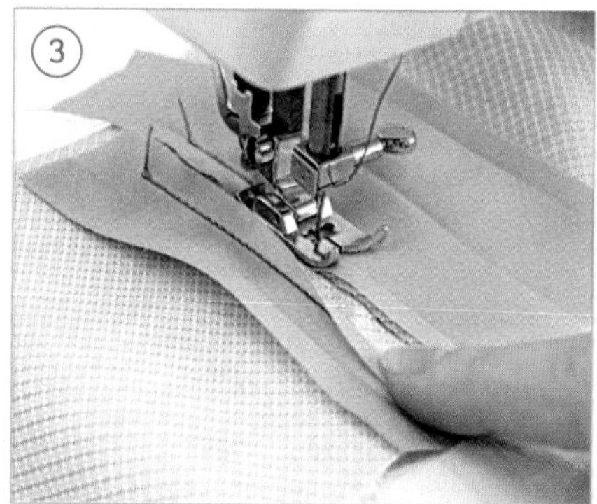

С другой стороны разреза точно по центру наложить и приметать планку длинной стороной к разрезу, пристрочить на 0,5 см от края. Начинать строчки у поперечной метки разреза.

Разрезать рукав по намеченной линии разреза, в уголках — наискосок. Не повредить обтачку и планку!

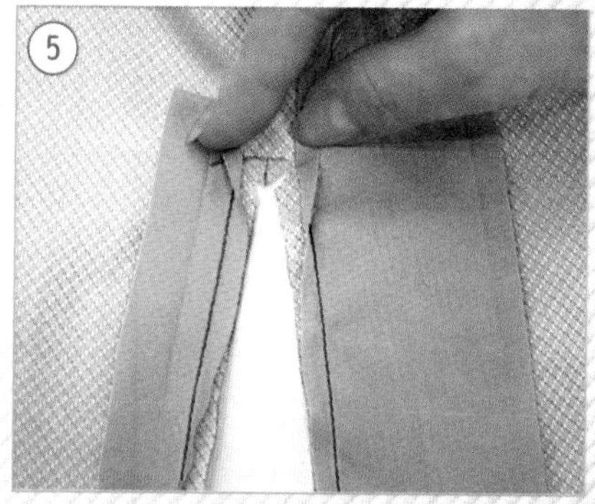

Подвернуть косую обтачку на 0,5 см, окантовать припуск, как показано на фото, обтачку отстрочить по краю.

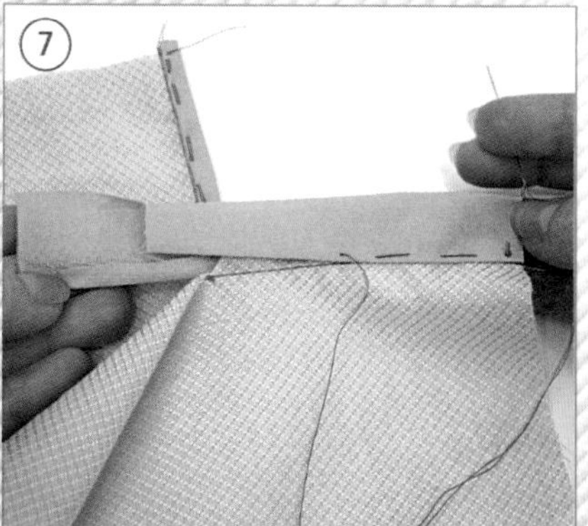

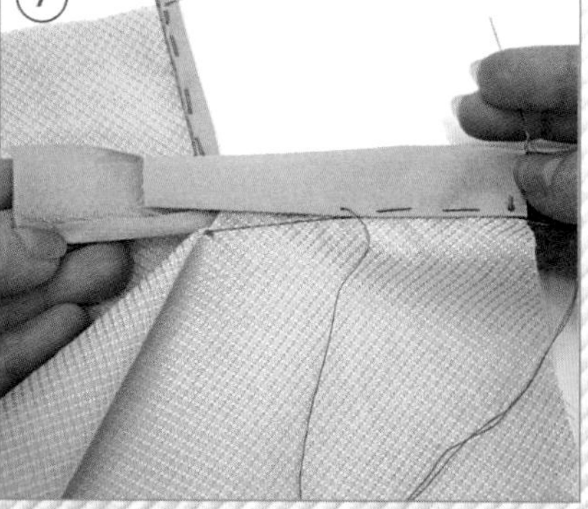

Подвернуть припуск по продольной стороне планки, планку перегнуть пополам и приметать.

Треугольничек отогнуть на лицевую сторону, проутюжить.

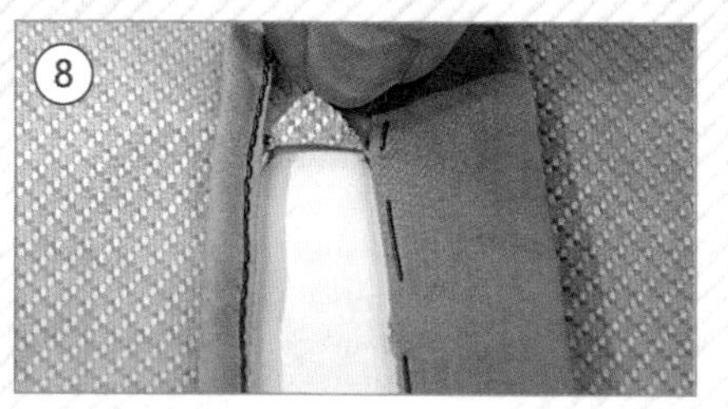

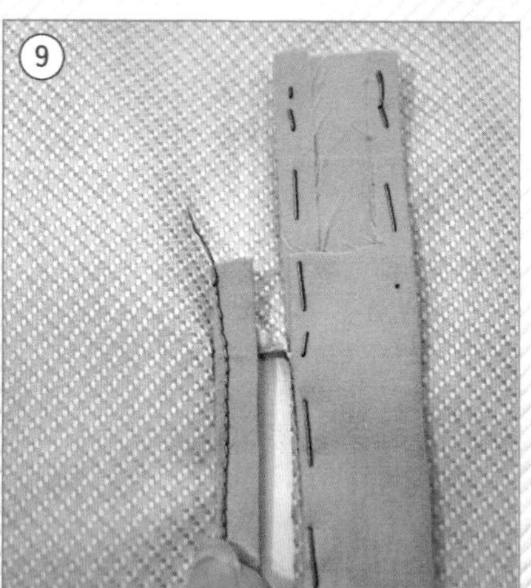

Обтачку отвернуть на треугольничек. Затем отвернуть планку поверх обтачки.

Припуски по верхней короткой стороне планки подвернуть, сформировав правильный треугольник «домиком», приметать.

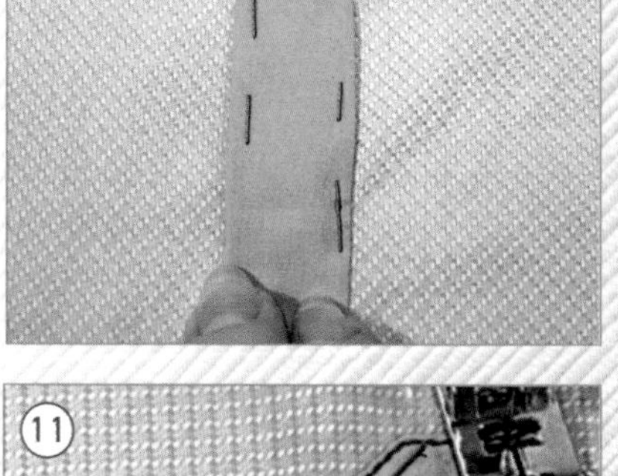

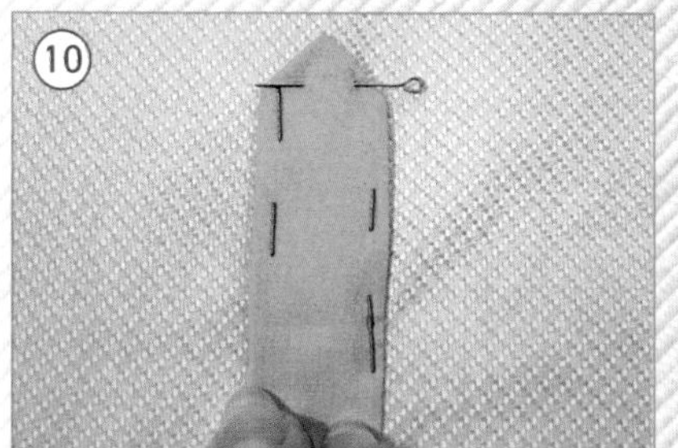

Обозначить основание треугольничка при помощи булавки. Притачать планку по левой стороне, начиная от метки основания треугольничка, по верхним сторонам «домика» и правой стороне (до метки основания треугольничка).

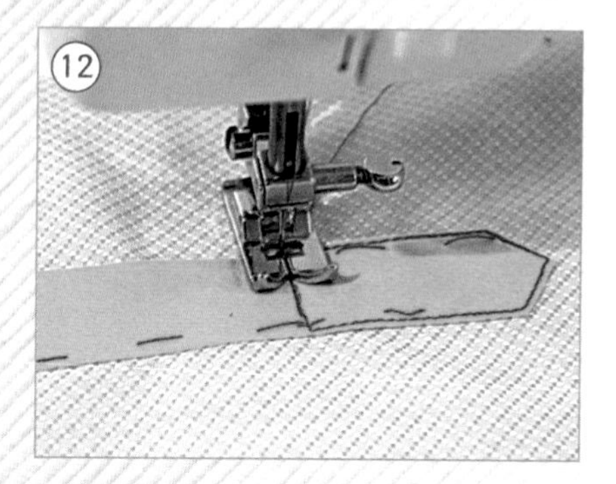

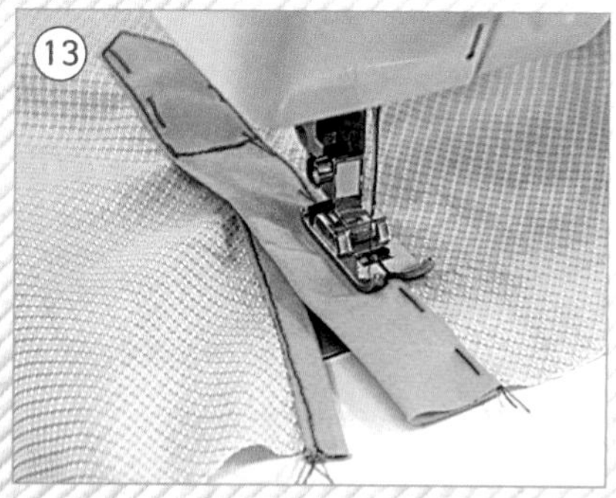

Затем перестрочить планку по основанию треугольничка двумя строчками (прямой и обратной) и закончить строчку по длинной стороне до низа рукава.

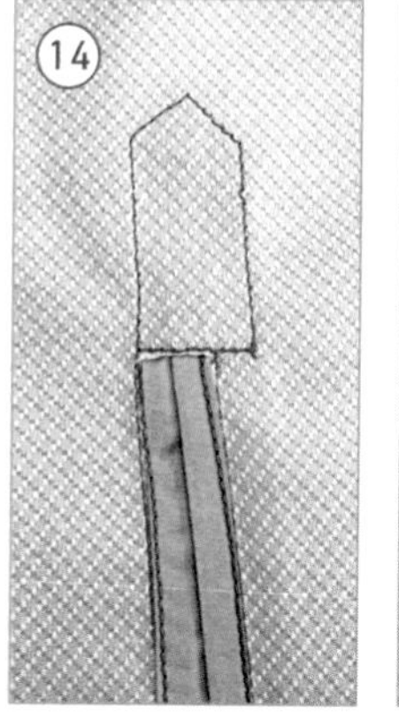

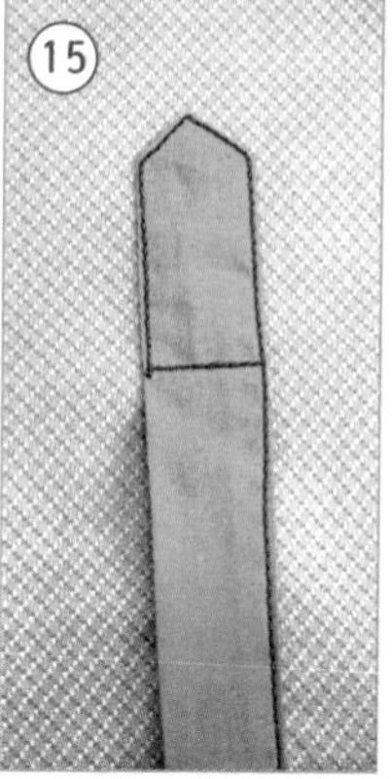

Вид разреза рукава с изнаночной и лицевой сторон в готовом виде

Совет. **Ширина и длина планки могут быть разными и зависят от дизайнерского решения. Верх планки в нашем примере имеет треугольную форму, однако она может быть и прямоугольной.**

ОБРАБОТКА МАНЖЕТЫ РУКАВА

Приступать к выполнению манжеты следует только после того, как вы обработали разрез и втачали шов рукава. Важно помнить, что внешняя сторона манжеты укрепляется термотканью (за исключением манжеты под запонку).

Манжета под запонку

Обратите внимание, что готовая манжета отворачивается, образуя 2 слоя, нижняя сторона становится верхней. Именно поэтому необходимо выполнить 4 петли. Ширина манжеты в готовом виде — 8 см. Необходимо выкроить 4 детали манжеты. Нижнюю сторону манжеты укрепить термотканью.

Манжета со скошенными углами

Выкроить 2 детали манжеты со сгибом по нижнему краю. Внешнюю половинку манжеты укрепить клеевой термотканью, которая выкраивается без припусков на швы.

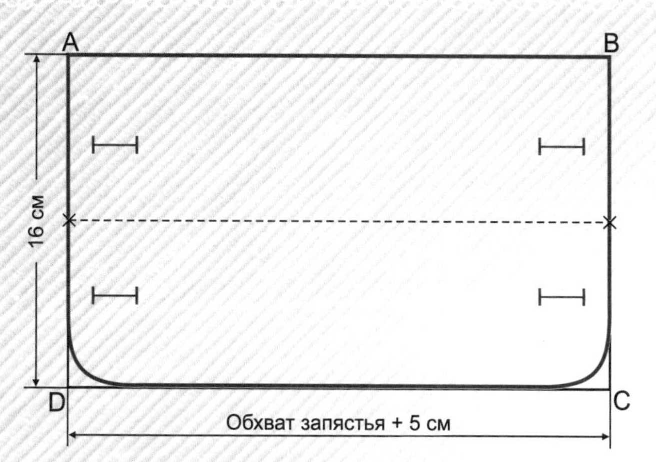

Выкройка манжеты под запонку

Выкройка манжеты со скошенными углами

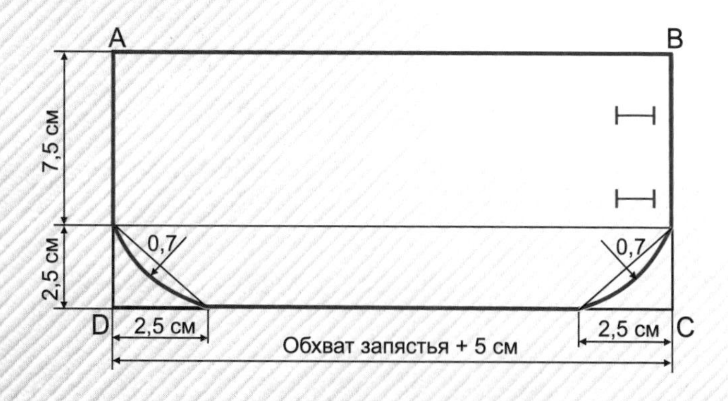

Выкройка манжеты со скругленными углами

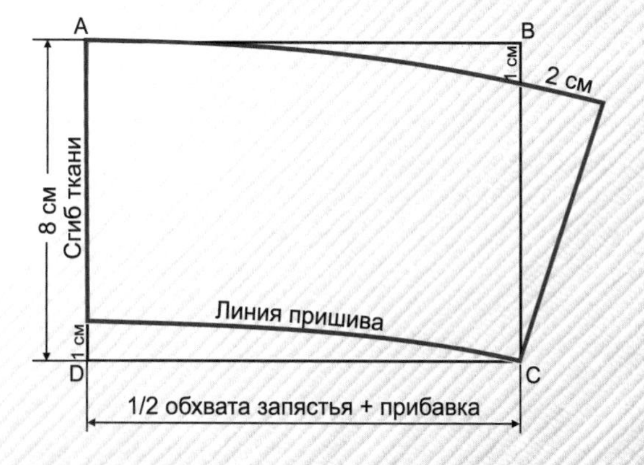

Выкройка фигурной манжеты

Исключение составляют тонкие прозрачные ткани. В этом случае следует использовать термоткань для тонких тканей, приклеив ее в два слоя (для жесткости).

✿ *Совет.* **Если вы шьете мужскую рубашку, рекомендуется укреплять манжеты и воротник специальной «воротничковой» термотканью. Такую термоткань можно использовать и для женских блузок из сорочечных тканей.**

Описание работы

На рукаве заложить 2 складочки шириной по 2 см. Сложить нижний срез рукава с укрепленной частью манжеты блузки лицом к лицу. Сметать, как показано на *рис. 1*, оставив припуски манжеты свободными. Пристрочить манжету к низу рукава блузки. Боковые припуски манжеты остаются свободными. Заметать припуски вниз, на манжету (*рис. 2*).

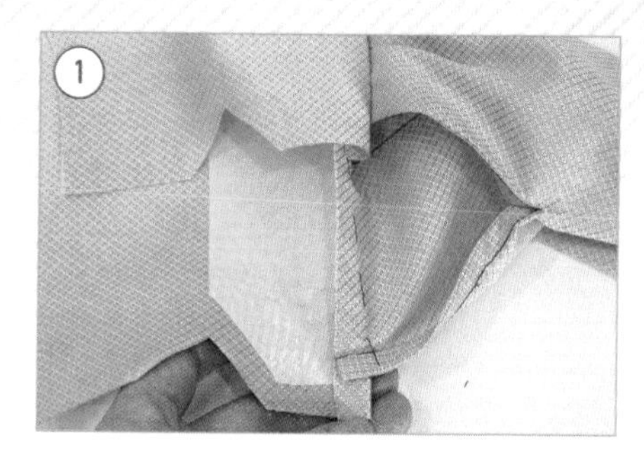

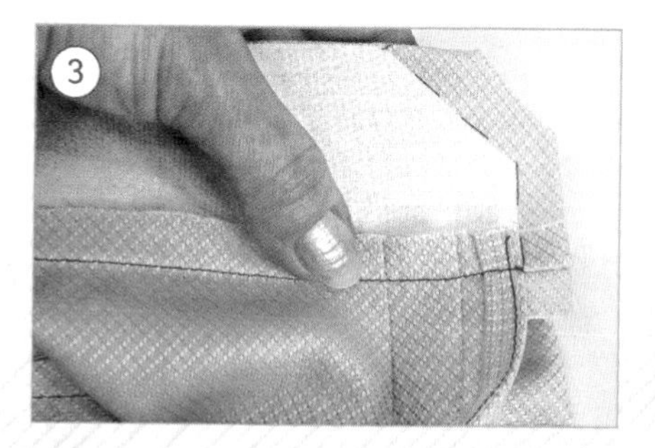

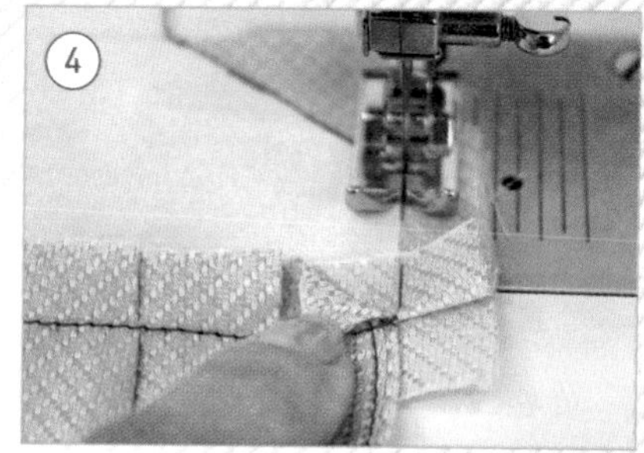

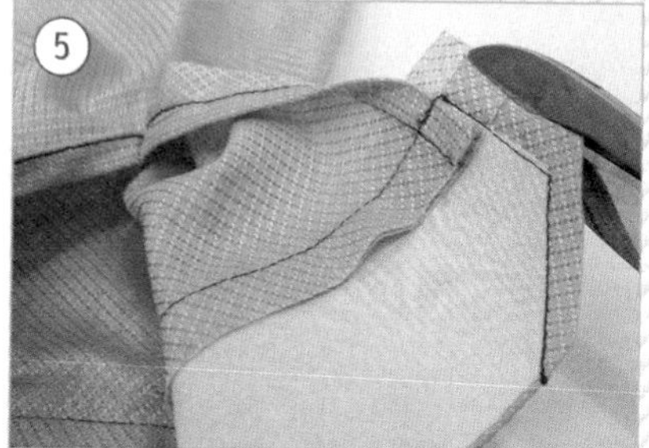

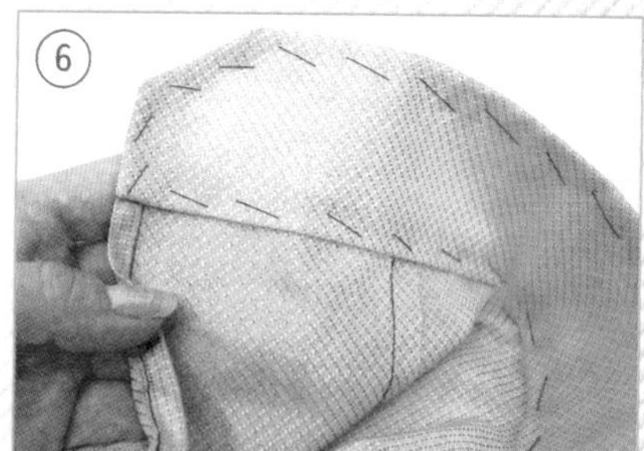

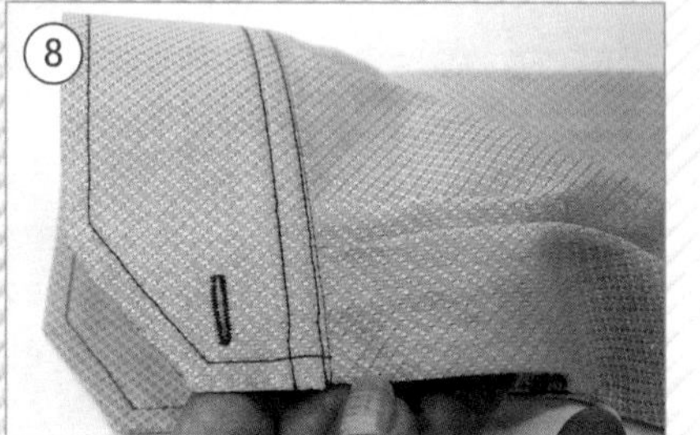

Манжету сложить пополам лицевой стороной внутрь, слегка натягивая сторону, не укрепленную термотканью. Сметать по коротким срезам (*рис. 3*). Стачать манжету по скошенным углам и коротким сторонам (*рис. 4*). Припуски по боковым швам манжеты срезать до 0,5 см (*рис. 5*). Вывернуть манжету на лицевую сторону, подвернуть открытый участок, приметать, совместив его с уже проложенной строчкой, чисто выметать манжету по контуру (*рис. 6*).

С лицевой стороны отстрочить манжету по низу рукава точно в край, прихватывая изнаночную сторону. Затем отстрочить на расстоянии 0,5 см от первой строчки. Проложить отделочную строчку по коротким и нижнему срезам манжеты, отступив 0,5 см от края (*рис. 7*). Наметку удалить. Наметить и прометать петлю, пришить пуговицу (*рис. 8*).

Застежки

ЗАСТЕЖКА-ПОЛО

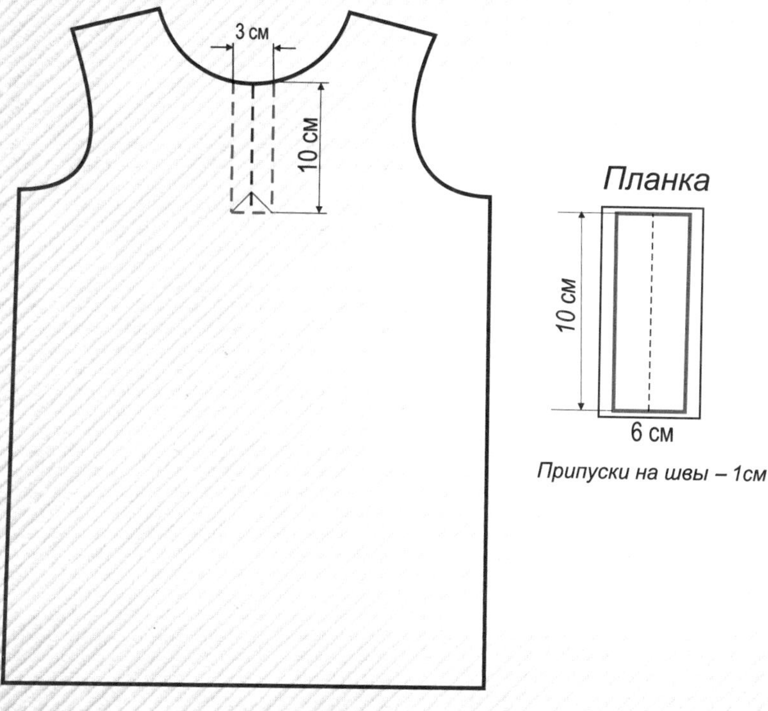

Разметка застежки

На передней части платья или блузки разметить место под застежку-поло. Ширину застежки определить по модели, она может составлять от 1 до 6 см. Длину застежки-поло также определить по модели.

Длина обтачек равна длине застежки. По обтачкам дать припуски по 1 см со всех сторон.

Описание работы

Внешние стороны деталей обтачек продублировать термотканью, выкроенной без припусков на швы.

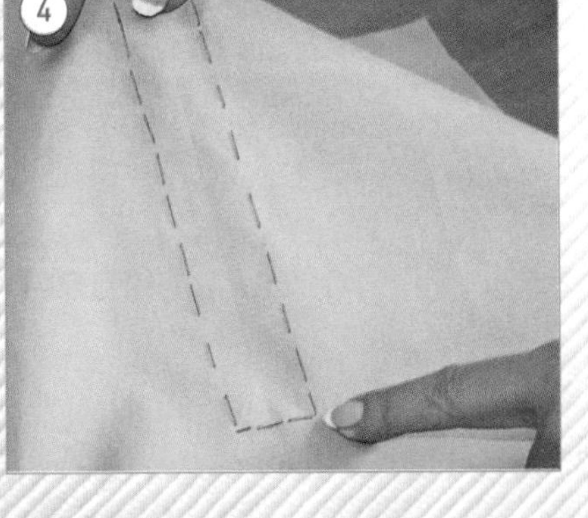

Нанести мелом с изнаночной стороны изделия разметку под застежку и с помощью иголки с ниткой стежками перенести контуры застежки на лицевую сторону изделия.

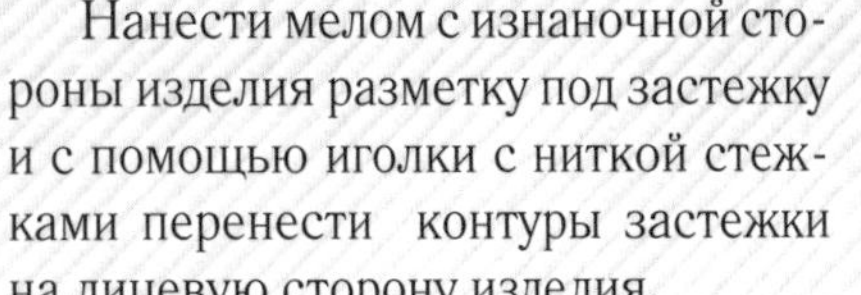

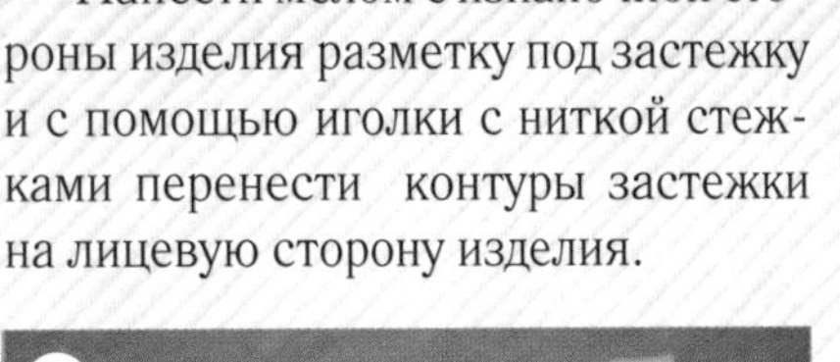

Наложить обтачки на изделие по разметке.

Приметать и притачайте обтачки по вертикальным линиям.

Притачать обтачки по вертикальным сторонам точно по разметке застежки. Припуски по низу обтачек должны остаться свободными. Строчить с изнаночной стороны изделия по разметке.

Вид притачанных обтачек с изнаночной и лицевой сторон.

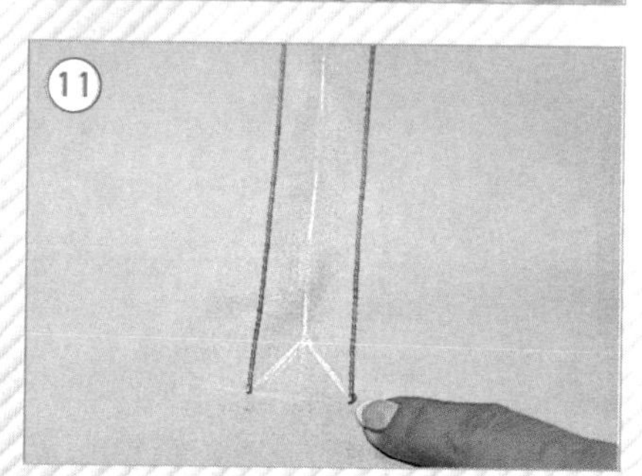

Разрезать застежку по средней линии и не доходя до низа 1,5 см — наискосок к строчкам. Не повредить обтачки!

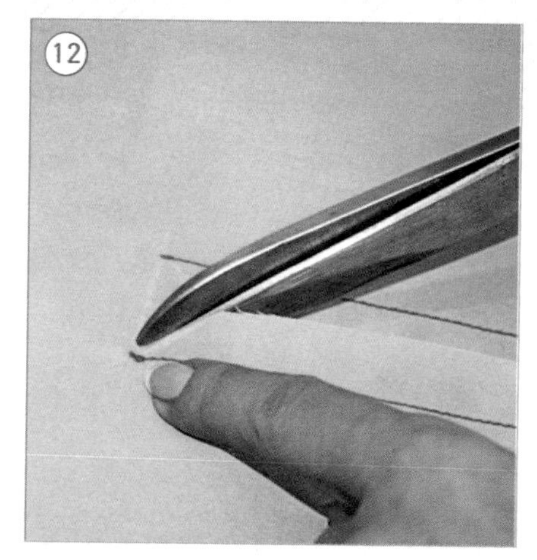

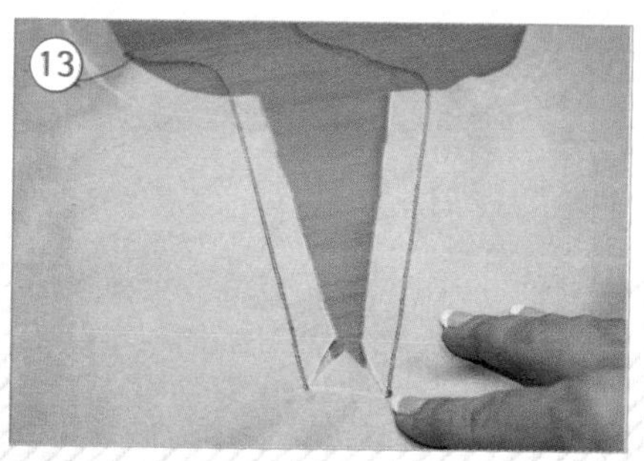

Заложить припуски на обтачку, перегнуть обтачку пополам до ширины застежки по разметке, подвернуть припуски с другой стороны обтачки и приметать.

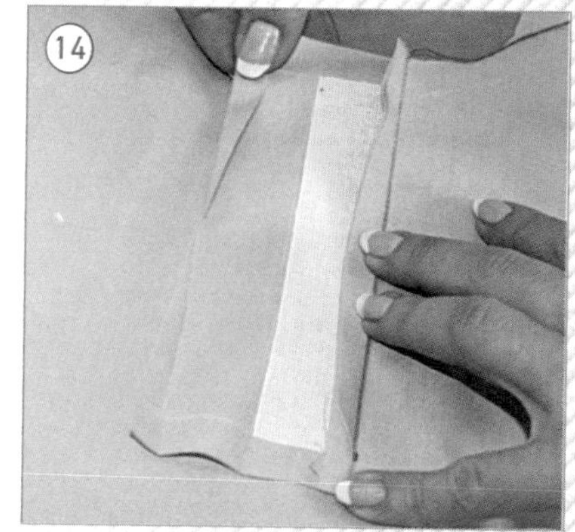

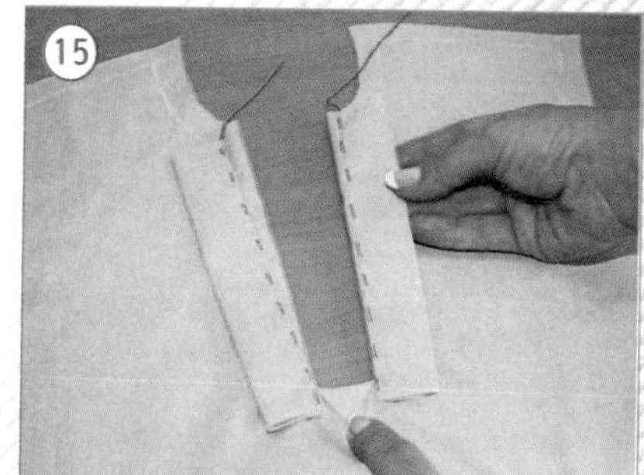

Притачать обтачки по краю. При желании можно отстрочить обтачки с обеих сторон.

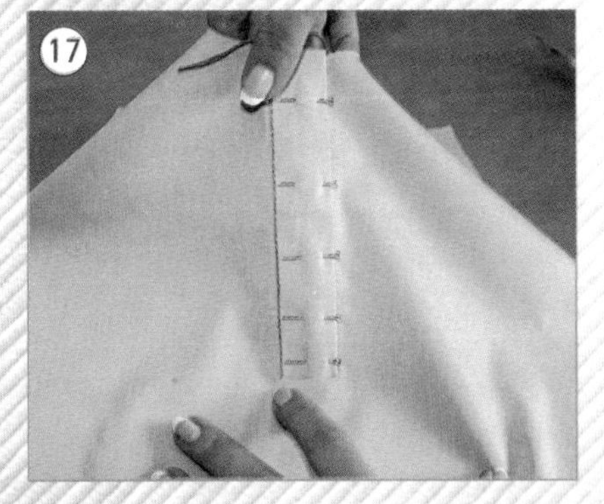

Наложить одну обтачку на другую, заправив нижний край на изнаночную сторону, а также отвернув треугольничек на изнаночную сторону платья. Проутюжить.

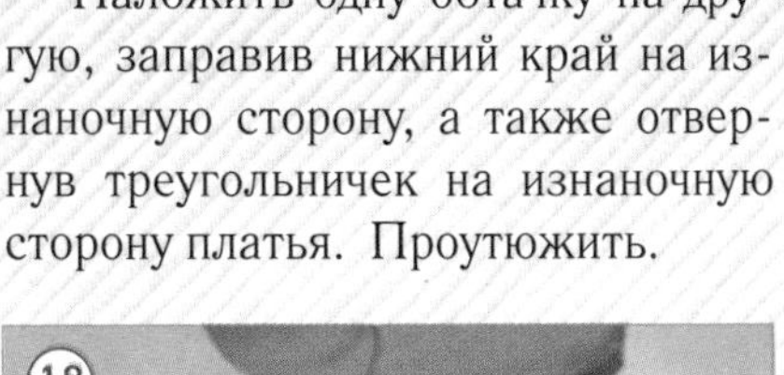

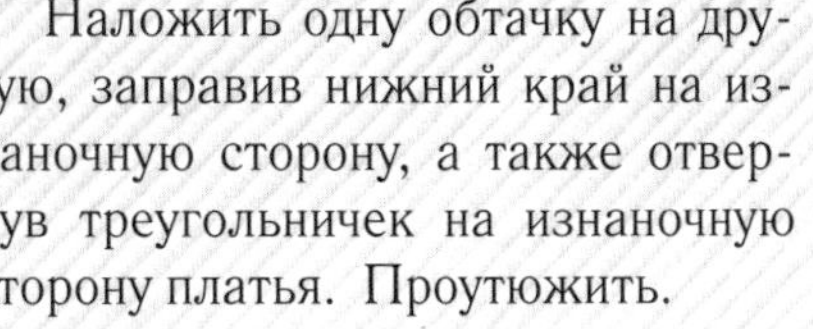

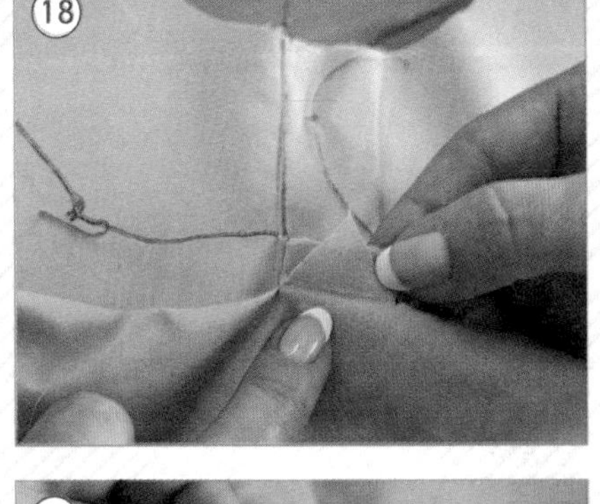

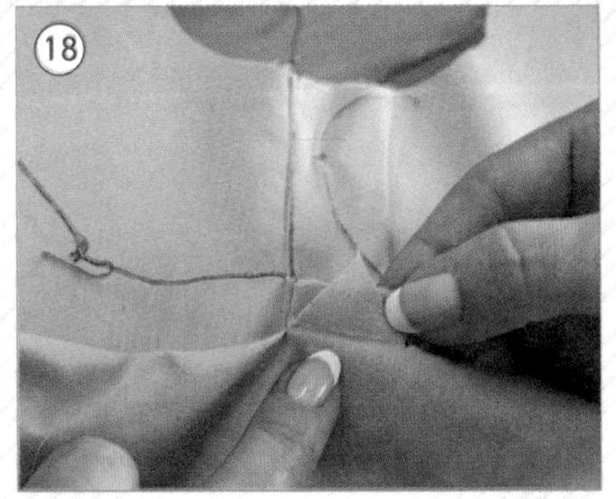

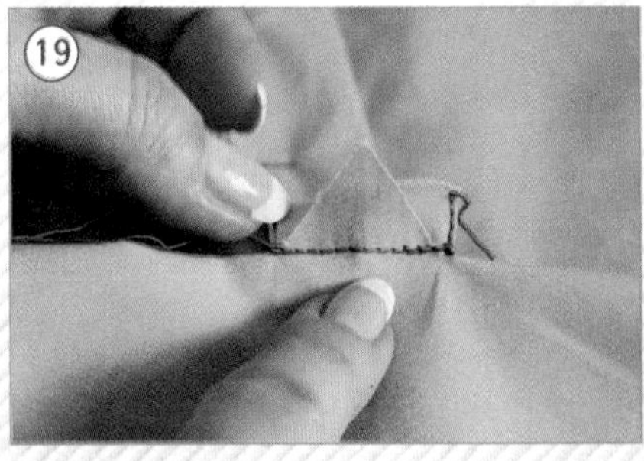

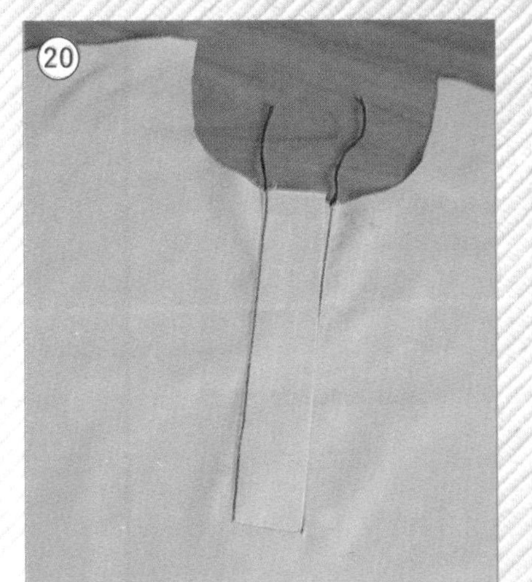

С изнаночной стороны проложить строчку по основанию треугольничка, притачивая обе обтачки.

Срезать треугольничек и припуски по низу обтачек до 0,5 см.

Прооверложить нижний срез или обработать швом зигзаг.

На верхней обтачке прометать петли, а на нижней — пришить пуговицы.

СУПАТНАЯ ЗАСТЕЖКА

Иногда ткань, которую вы выбираете для жакета или пальто, настолько шикарна, что дополнительная фурнитура в изделии, в том числе пуговицы на застежке, абсолютно излишня. В этом случае выполняют супатную застежку. Идея супатной застежки состоит в том, что пуговицы остаются спрятанными между подбортом и полочкой изделия, а петли выметываются на дополнительной планке, которая остается внутри.

Моделирование выкройки полочки с супатной застежкой

Для моделирования супатной застежки на правой полочке необходимо сделать прибавку по линии середины полочки шириной 4 см.

Подборт переснять с полочки уже с прибавкой.

Левую полочку и подборт выкроить без прибавок.

Детали выкроить с припусками на швы по всем сторонам 1,5 см, по низу — 4 см.

Схематично этапы обработки показаны на *рис. 1–3*.

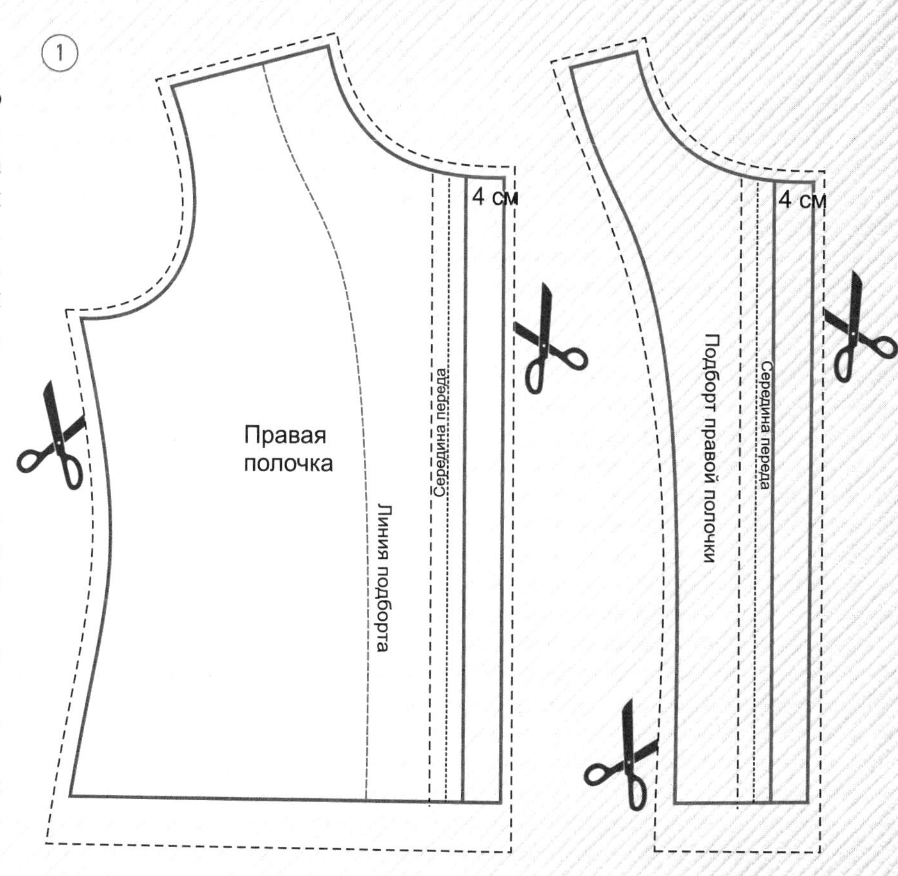

Выкройка полочки с супатной застежкой

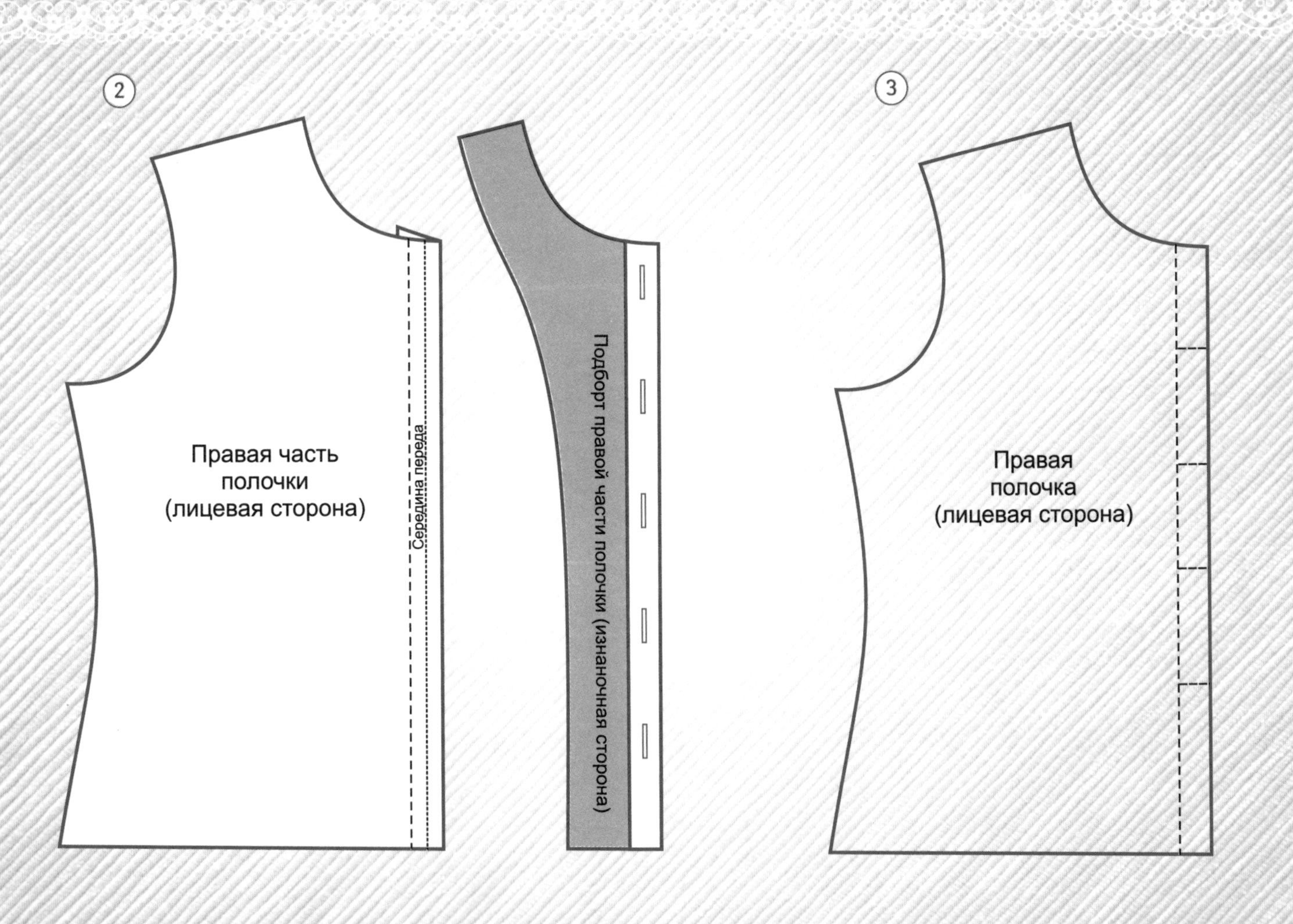
2
Правая часть
полочки
(лицевая сторона)
Середина переда
Подборт правой части полочки (изнаночная сторона)
3
Правая
полочка
(лицевая сторона)

Обработка супатной застежки

✿ *Совет.* Если в изделии предусмотрен воротник, его нужно сшить и втачать в горловину по разметке до притачивания подбортов.

Описание работы

Супатная застежка выполняется только на правой половинке полочки, левая половинка полочки обрабатывается подбортом как обычно.

Продублировать подборта и припуски на деталях полочек.

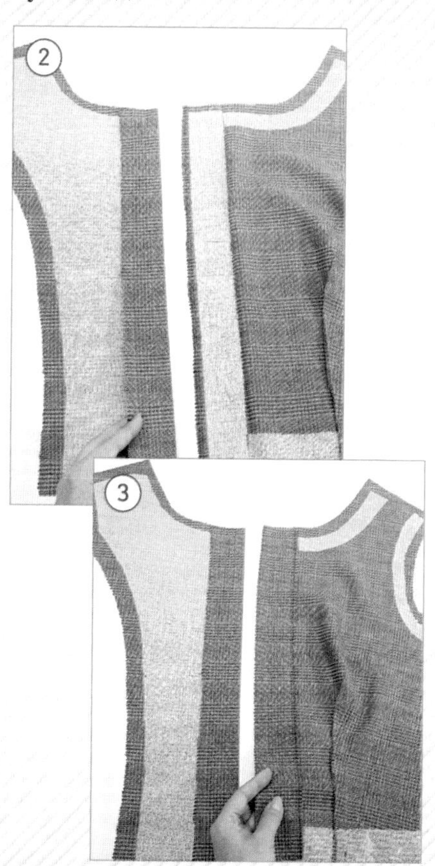

На правой полочке подогнуть припуск застежки, приутюжить. На подборте подогнуть припуск, приутюжить.

К подбортам притачать обтачку горловины спинки. Припуски обработать косой бейкой.

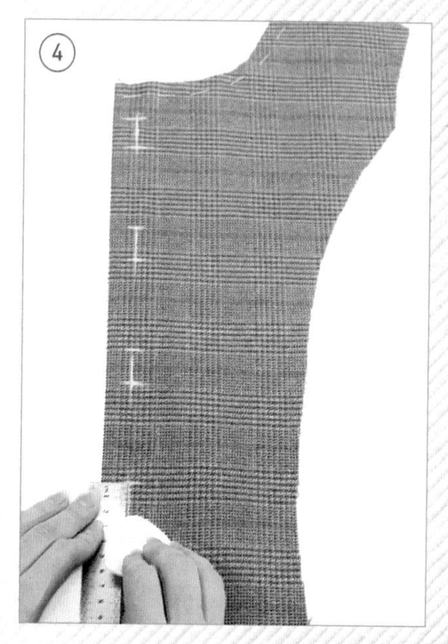

На подборт правой полочки разметить и выметать петли.

Наложить подборта на полочку лицевыми сторонами, совместив по краю. Припуск правой полочки шириной 4 см отогнуть на подборт. Приметать по горловине. Притачать подборта и обтачку горловины спинки к изделию по линии горловины.

Припуски срезать, на местах скруглений надсечь близко к шву, на углах срезать наискосок. Вывернуть подборта на лицевую сторону, чисто выметать горловину, проутюжить.

Правый подборт подровнять по длине полочки, если требуется. Отогнуть припуск полочки на подборт аналогично верху, стачать по нижнему краю.

Изделие проутюжить, с лицевой стороны наметить линию отстрочки на расстоянии 4 см от края полочки.

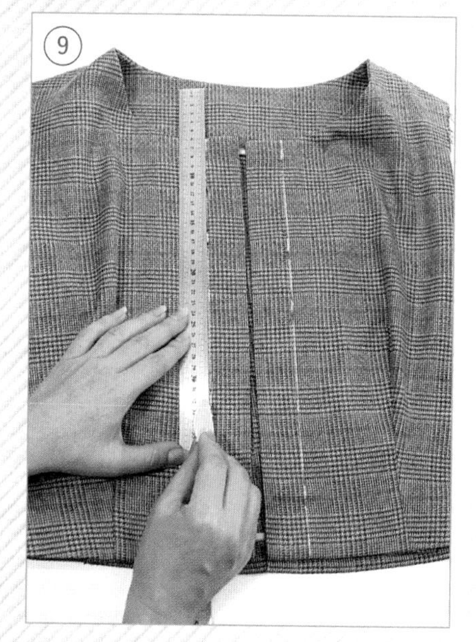

Отстрочить полочку по разметке, одновременно притачивая подборт. Отстрочить левую полочку на расстоянии 4 см от края.

На левую полочку пришить по разметке пуговицы.

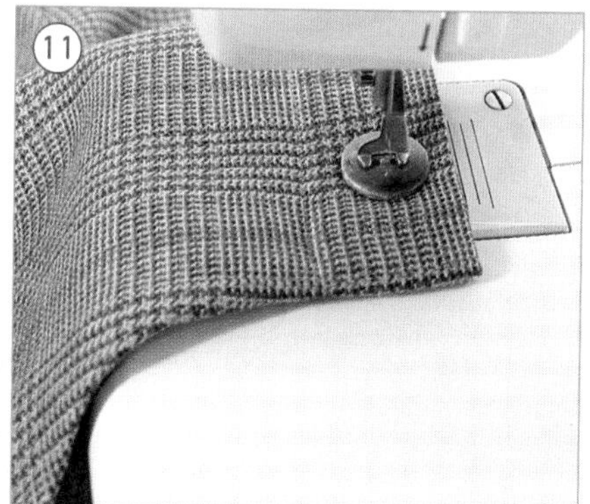

✿ *Совет.* Чтобы планка с супатной застежкой не отгибалась, иногда ее перестрачивают короткими горизонтальными строчками между петлями.

Так выглядит супатная застежка в готовом виде.

ПЛАНКА РУБАШКИ

Модные дизайнеры делают мужчин настоящими модниками, и сегодня уже никого не удивишь яркими принтами мужских рубашек. Но это не единственное, что можно предложить. Цветные пуговицы, двойные воротники, отстрочки и контрастные отделки планок и манжет превращают классическую мужскую рубашку в произведение «от кутюр»!

Техника обработки, которую мы вам предлагаем, сегодня на пике моды, и все ведущие дома мод применяют именно такой метод обработки планок рубашек в своих линейках одежды. Одна сторона планки оборачивается бейкой (иногда из однотонной ткани или из ткани-компаньона), вторая сторона планки отстрачивается по обеим сторонам на 0,5 см от края.

Планка с отделкой бейкой

С изнаночной стороны изделия разметить карандашом планку рубашки и припуски для обработки планки (*рис. Выкройка планки*).

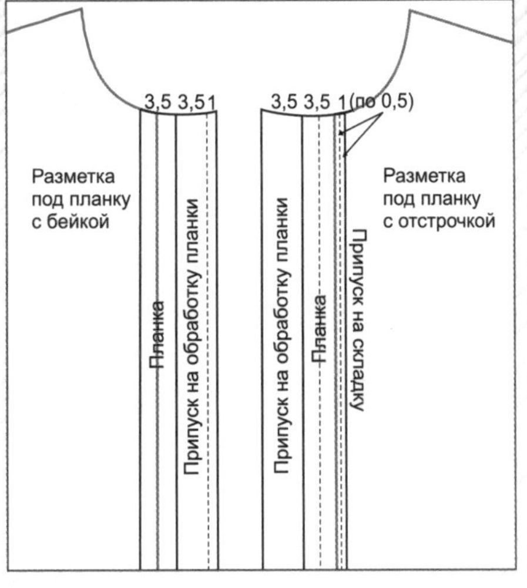

Выкройка планки

Описание работы

Подвернуть припуск на планку, перегнуть планку пополам и приметать по разметке.

Отстрочить подогнутую сторону планки точно в край. Из ткани-компаньона выкроить полоску ткани шириной 2,8 см и длиной по длине планки. Проутюжить бейку с обеих сторон, подгибая припуски к центру.

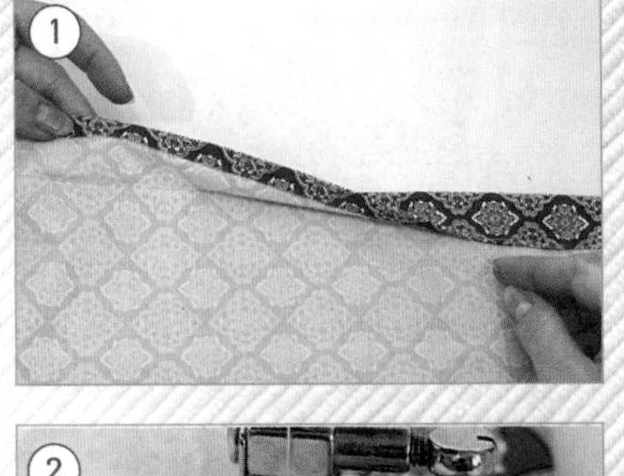

Припуск бейки отогнуть, наложить бейку на планку по краю (лицевыми сторонами), пристрочить бейку по сгибу. Второй припуск бейки подогнуть, обернув бей-

кой планку по краю, приметать. Отстрочить бейку точно по краю с лицевой стороны, одновременно

пристрачивая оборотную сторону в край.

Планка с отстрочкой по обеим сторонам

Разметить и с изнаночной стороны изделия припуск на складочку и планку (*рис. Выкройка планки*). Складочку согнуть по всей длине планки по пунктирной линии и проутюжить.

Припуск на подгиб планки перегнуть, совместив со средней линией складочки.

Складочку перегнуть по намеченной линии поверх припуска на планку и приметать.

С изнаночной стороны отстрочить точно в край. Отстрочить планку на расстоянии 0,5–0,7 см от сгиба.

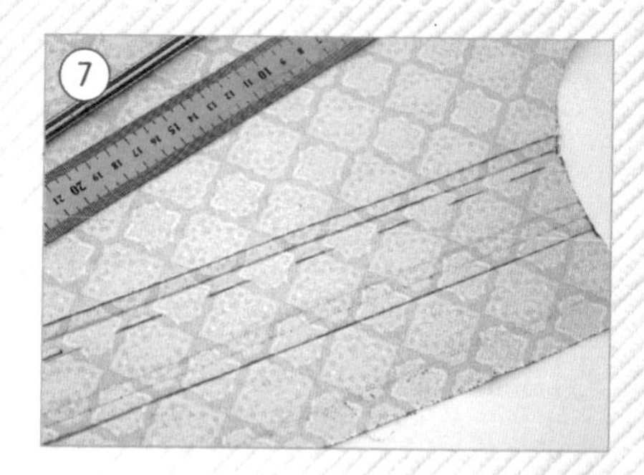

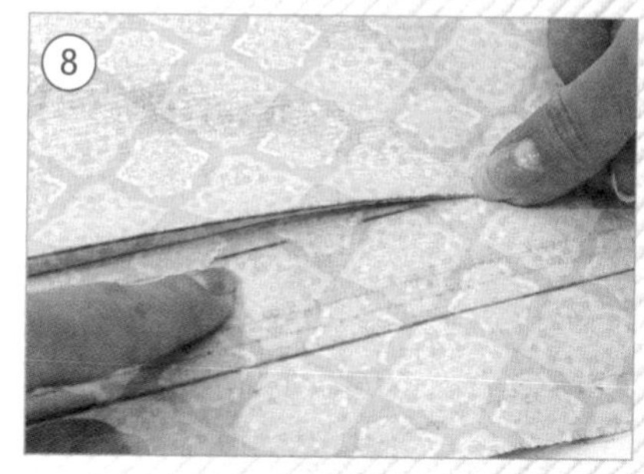

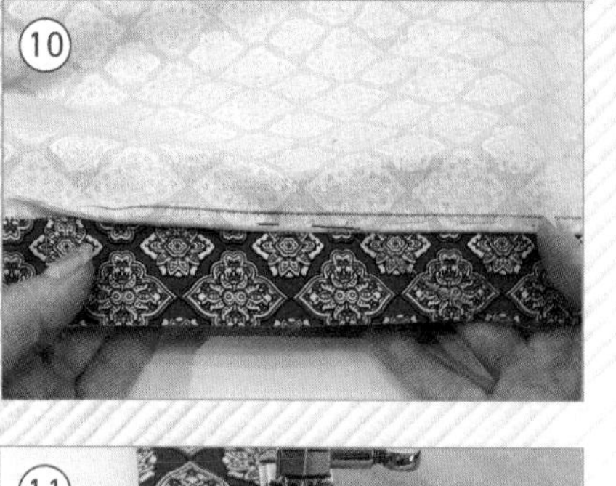

Ширина планок в готовом виде — по 3,5 см

✿ *Совет.* Обработайте планку с отстрочками на левой, а с бейкой — на правой сторонах рубашки. Оба способа прекрасно сочетаются в одном изделии, создавая утонченный стиль.

Технология выполнения цельнокроеной планки

Цельнокроеную планку блузки выкраивают вместе с полочкой рубашки, добавляя к середине переда 4,5 см на планку.

Описание работы

Цельнокроеную планку блузки согнуть по намеченной линии, подвернув припуск, приметать с изнаночной стороны. Отстрочить планку с изнаночной стороны изделия близко к шву. Затем приступить к выполнению воротника.

Воротники

РУБАШЕЧНЫЙ ВОРОТНИК НА СТОЙКЕ

Перед тем как выполнить воротник на стойке, необходимо обработать планки рубашки. Подробные инструкции смотрите в разделе «Планка рубашки».

Описание работы

Укрепить клеевой прокладкой верхнюю часть воротника и внутреннюю часть стойки. Для того чтобы воротник хорошо лежал и у него не загибались уголки вверх, нужно укрепить верхний воротник специальной воротничковой термотканью, она плотнее обычной и более жесткая. Сложите лицевыми сторонами укрепленную и неукрепленную термотканью детали отлетного воротника. Сколоть, начиная от центра.

Чтобы воротник рубашки хорошо лежал, придать ему форму, в которой он будет находиться на шее,

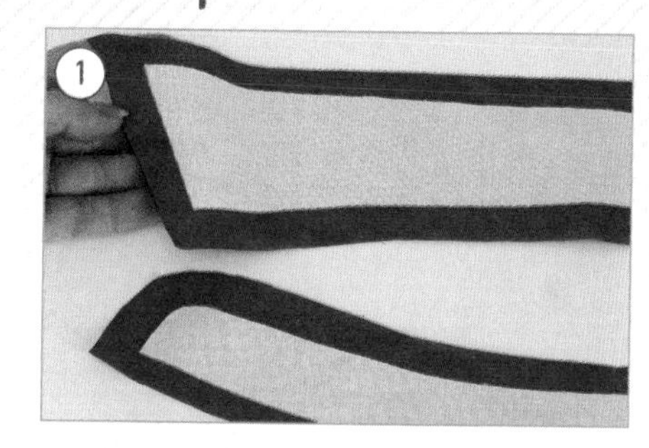

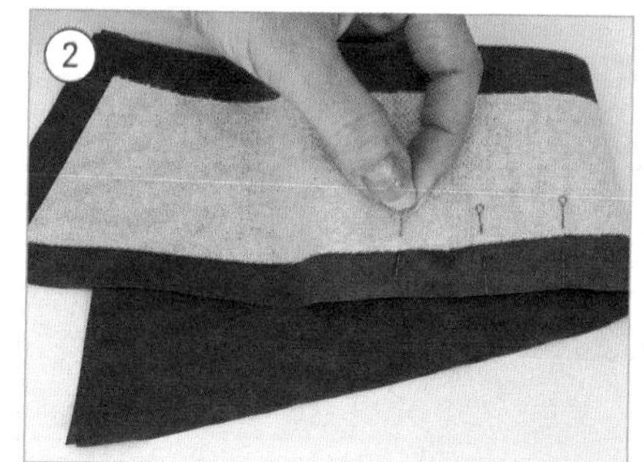

сметать. Нижний воротник рубашки (неукрепленный) в таком положении слегка уменьшится (на рисунке видно лишнюю ткань по коротким срезам воротника).

Обе части воротника сметать по внешней стороне и коротким сторонам. Внутренняя сторона воротника остается открытой. Сострочить точно по краю термоткани, но не пристрачивая ее.

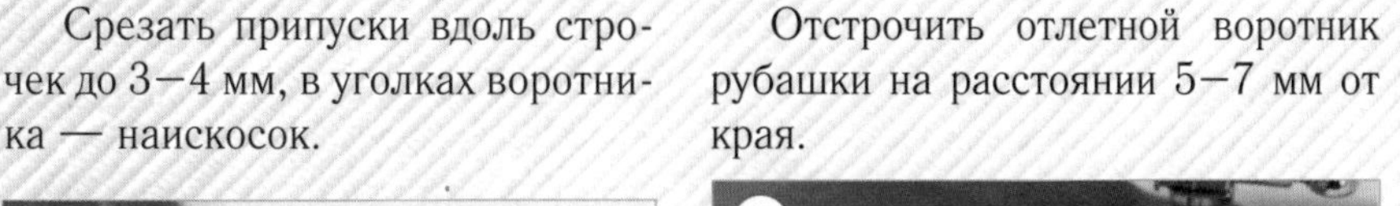

Срезать припуски вдоль строчек до 3–4 мм, в уголках воротника — наискосок.

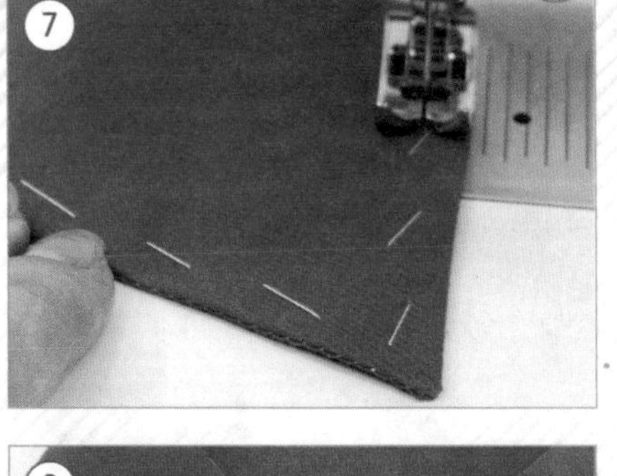

Надсеченные треугольники — отрезать! Припуски на уголках воротника должны быть минимальными. Вывернуть отлетной воротник на лицевую сторону, чисто выметать. С лицевой стороны не должен быть виден шов.

Отстрочить отлетной воротник рубашки на расстоянии 5–7 мм от края.

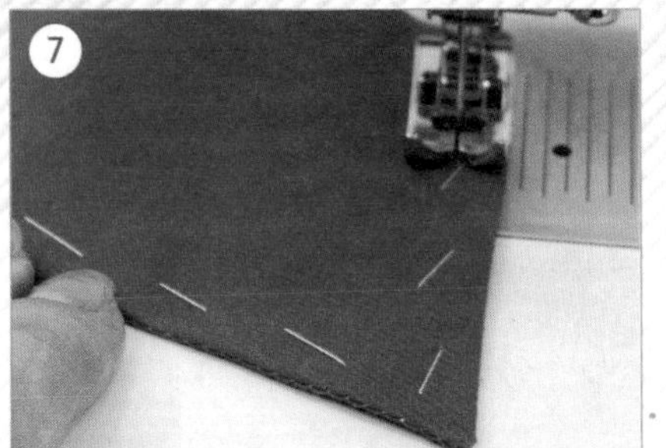

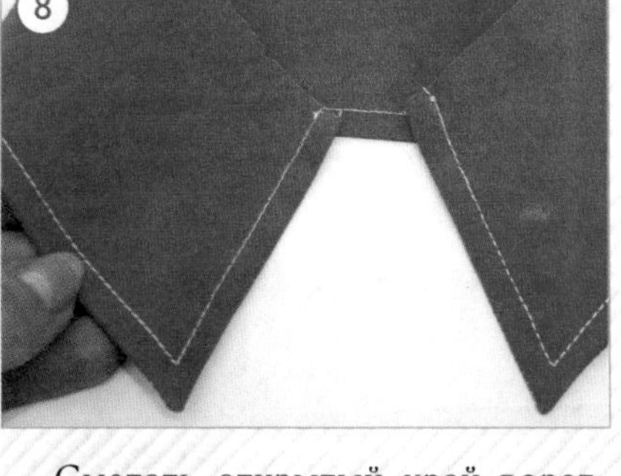

Сметать открытый край воротника, слегка перегнув его именно в таком (перегнутом) положении воротник будет лежать на готовом изделии.

Отлетной воротник приметать к укрепленной термотканью детали стойки, сложив лицом к лицу укрепленную часть стойки с укрепленной стороной отлетного воротника рубашки.

Прострочить со стороны воротника-стойки точно по термоткани, но не пристрачивать ее.

Пристроченная часть стойки.

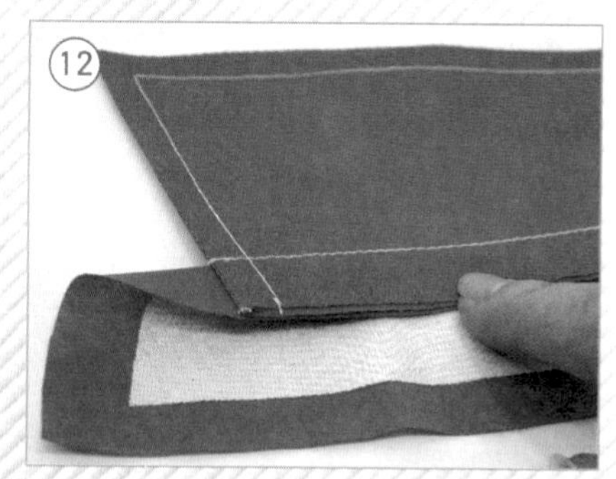

Начинать и заканчивать машинную строчку у меток втачивания отлетного воротника. Далее следует сколоть воротник с горловиной рубашки, совместив по меткам. Метки должны быть поставлены по центру горловины спинки рубашки и по центру воротника-стойки.

Обратите внимание, что воротник-стойка накладывается лицевой стороной на изнаночную сторону рубашки.

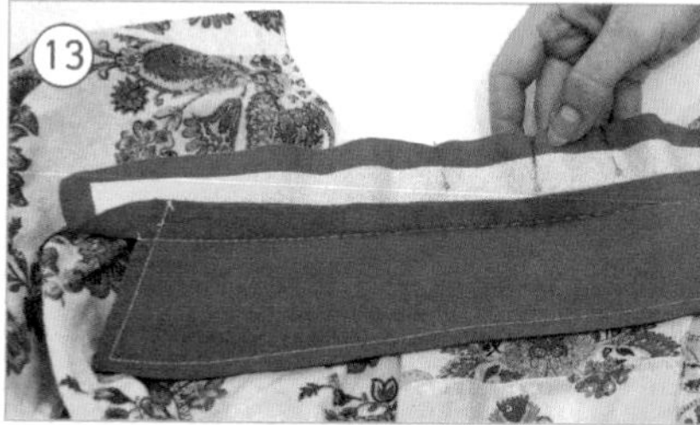

Это очень важно не перепутать! Воротник вметать в горловину спинки рубашки, горловину переда и приметать к планкам рубашки таким образом, чтобы припуск по короткой стороне стойки оставался свободным.

Пристрочить воротник по наметке. Следить за тем, чтобы с обратной стороны (по горловине рубашки) не образовывались складки.

Припуски по горловине рассечь до 2–3 мм от шва.

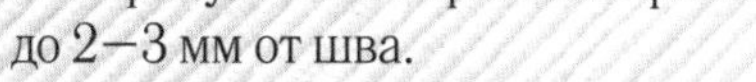

Неукрепленную деталь воротника-стойки наложить на пристроченную, совместив срезы, приметать (отлетной воротник должен находиться между деталями воротника-стойки). Припуски по горловине рубашки должны лежать на укрепленной половинке воротника-стойки. Сострочить обе детали воротника-стойки по припускам.

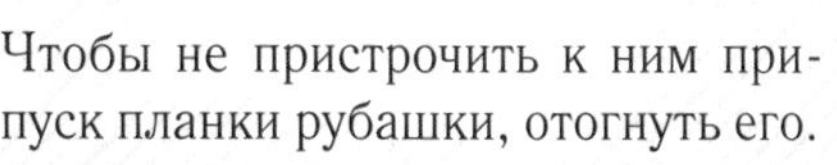

Чтобы не пристрочить к ним припуск планки рубашки, отогнуть его.

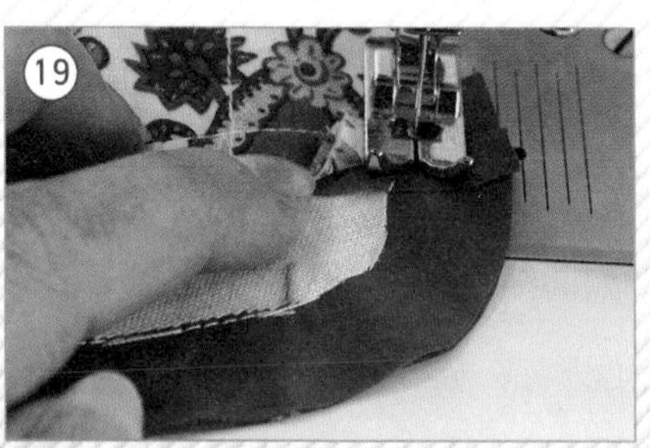

Лишнюю ткань с припусков срезать, у коротких сторон оставив чуть больше ткани. Воротник рубашки вывернуть на лицевую сторону, припуск по открытому краю подвернуть, уравняв обе половинки воротника-стойки. Припуски воротника приметать таким образом, чтобы не была видна строчка.

Отстрочить воротник-стойку по низу с изнаночной стороны рубашки, одновременно пристрачивая подвернутый край с обратной стороны.

Следить, чтобы шов был ровный с обеих сторон воротника и проходил на одинаковом расстоянии от края — 1–2 мм. Выметать петли по разметке, пришить пуговицы.

Изделие в готовом виде

ОТЛОЖНОЙ ВОРОТНИК В ОТКРЫТОМ ВОРОТЕ

Отложной воротник в открытом вороте без стойки часто выполняется при пошиве женских блузок, платьев и мужских рубашек в гавайском стиле. Простота выполнения этого воротника понравится и начинающим портнихам, поскольку при его пошиве не требуется никаких особых навыков.

Для построения выкройки воротника необходимо снять мерку Обхват шеи (ОШ = 36 см). Конфигурация края воротника может быть разной и определяется моделью и личными предпочтениями.

Выкройка воротника

Построить прямоугольник ABCD. AC = 18 см (1/2 обхвата шеи по мерке или длины горловины блузки по мерке без захода на застежку). AB = 7 см (ширина воротника + 1 см). От точки B отложить вверх 1 см, от точки D отложить вверх 1,5–2 см. Разделить линию BD пополам. Провести линию притачивания воротника по лекалу.

Провести биссектрису угла C, по биссектрисе отложить 4,5 см (расстояние, отложенное по биссектрисе, влияет на конфигурацию воротника: чем больше значение, тем острее угол воротника). Провести внешние стороны воротника, как показано на чертеже.

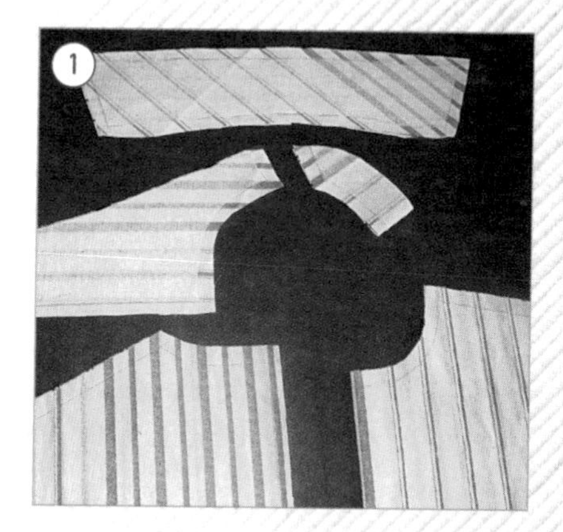

Выкроить 2 детали воротника со сгибом по долевой нити.

Детали кроя изделия, подборт и воротник.

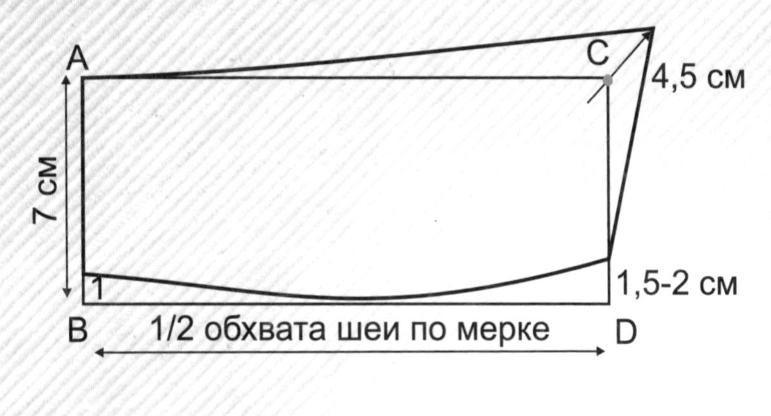

Выкройка отложного воротника

Описание работы

Внешнюю деталь воротника, а также обе детали подборта и обтачку горловины спинки продублировать термотканью.

✿ *Совет.* В зависимости от модели изделия, подборт может кроиться отдельно или быть цельнокроеным. В нашем мастер-классе подборт выкраивается отдельно. Верхний воротник мы выкроили по косой по углом 45° (решение дизайнера).

Стачать детали изделия по плечевым и боковым швам, припуски обработать.

Стачать детали воротника по внешней и коротким сторонам. Припуски срезать, в уголках — наискосок.

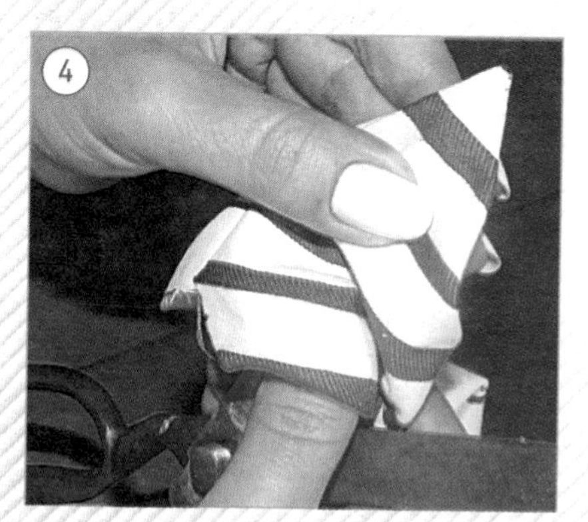

Воротник вывернуть, уголки сформировать при помощи ножниц. Не повредить уголок!

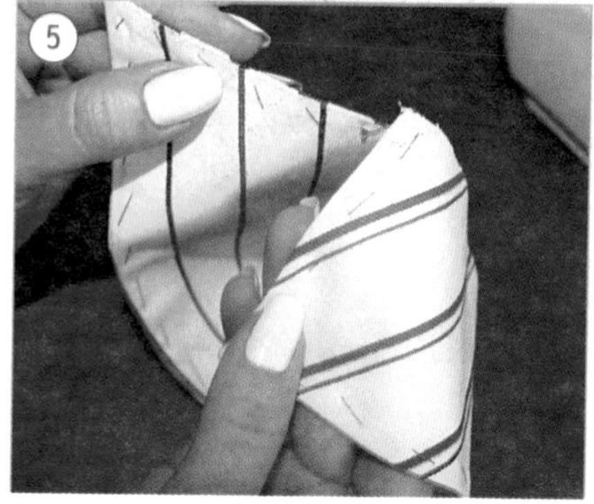

Воротник чисто выметать, переокантовав шов на изнаночную сторону.

Правильно выполненный воротник должен легко перегибаться.

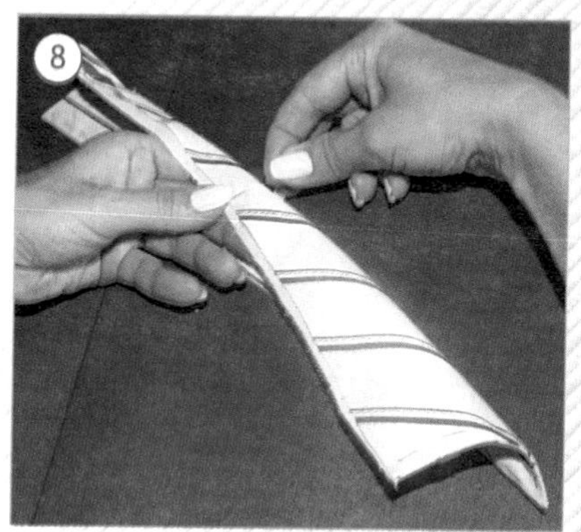

Перегнуть воротник вдоль и закрепить при помощи булавок. Припуски по открытому краю уровнять, срезав излишек.

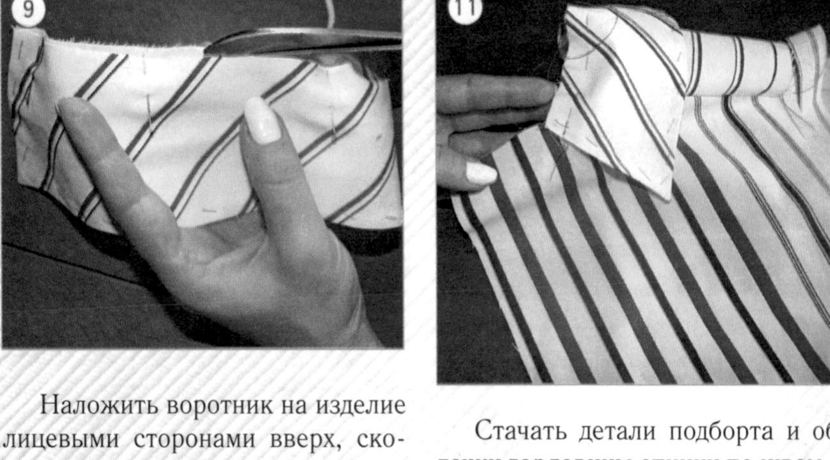

Наложить воротник на изделие лицевыми сторонами вверх, сколоть по меткам. Вметать воротник в горловину.

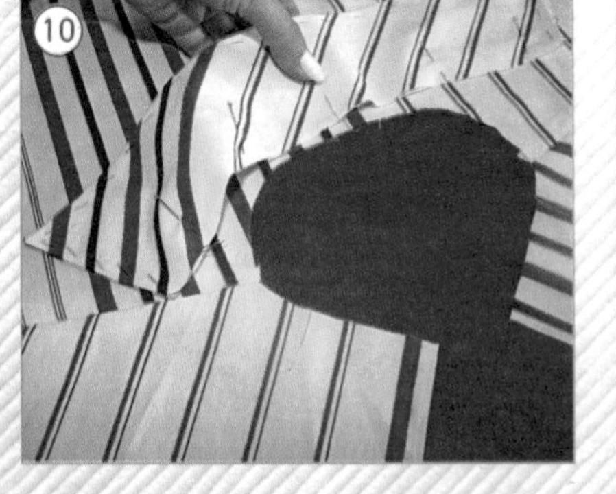

Стачать детали подборта и обтачки горловины спинки по швам.

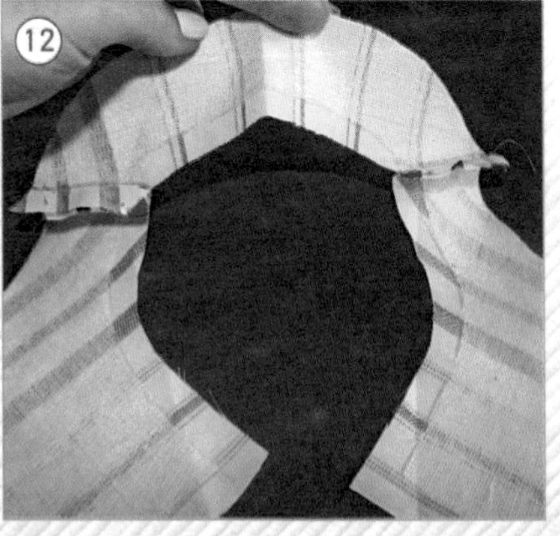

Наложить подборт на изделие поверх воротника, приметать и прострочить по среднему шву изделия и вырезу горловины, одновременно притачивая воротник.

Припуски по горловине и подборту срезать близко к строчке.

На уголках подборта срезать припуски наискосок.

На местах скруглений горловины надсечь припуски близко к строчке для лучшего прилегания воротника. Открытый край подборта обработать.

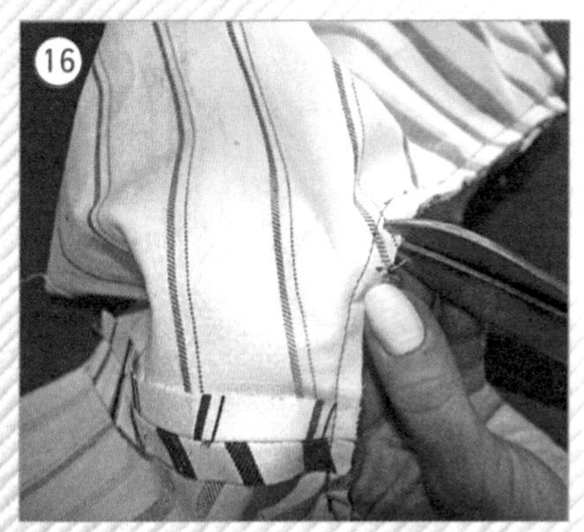

Воротник в готовом виде

ПИДЖАЧНЫЙ ВОРОТНИК

Для придания жакету правильной посадки, улучшения внешнего вида изделия и сохранения в процессе эксплуатации, детали дублируют клеевыми прокладочными материалами. Дублирование можно производить на специальных прессах или, при отсутствии прессов, с помощью утюга. Температура гладильной поверхности должна быть 150–160 °С, продолжительность прессования — 8–30 секунд (в зависимости от вида клеевого материала, давления и температуры прессующей поверхности). При выполнении дублирования в домашних условиях рекомендуем использовать парогенератор или дублировать детали через увлажненную ткань.

Прокладочные материалы и способы дублирования подбирают в зависимости от ткани, из которого шьется изделие. Дублирование выполняют со стороны прокладки.

В жакетах и пиджаках дублируют детали полочек, кокетки, клапаны, листочки, накладные карманы, манжеты, хлястики, пояса и др. Детали дублируются полностью или частично. Обязательно дублируются прокладкой припуски по низу полочек, спинки и рукавов жакета, край прокладки должен располагаться при этом по линии перегиба.

В некоторых случаях — на мужских пиджаках и пальто — для создания более устойчивой формы (в соответствии с моделью) отдельные участки полочек дублируются дополнительными прокладками в области груди или плечевого пояса.

Детали прокладок кроятся по тем же выкройкам, что и основные детали, припуски на швы делают минимальными — 1–2 мм либо не делают вовсе (во избежание излишней толщины на швах).

Чтобы предохранить от растяжения конструктивные линии и срезы жакетов и пальто, дополнительно проклеивают полосками шириной 10 мм, выкроенными по косой нити (края бортов, воротника, линию перегиба лацкана).

Описание работы

После того как вы раскроили жакет, детали полочки, подборта и воротник следует продублировать термотканью. Линию перегиба лацкана, срезы бортов на полочке, края воротника дополнительно укрепить полоской прокладки, выкроенной по долевой.

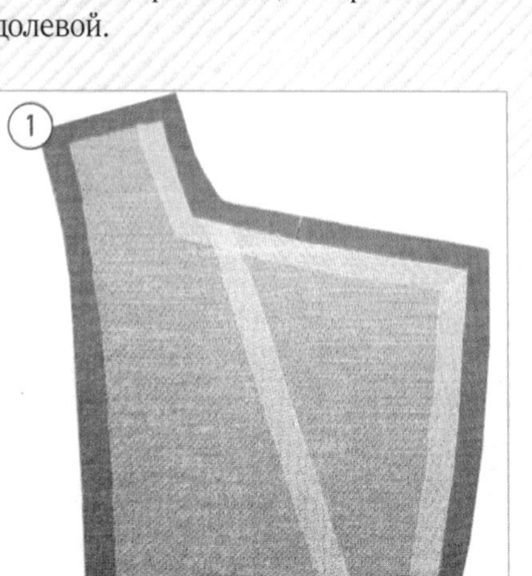

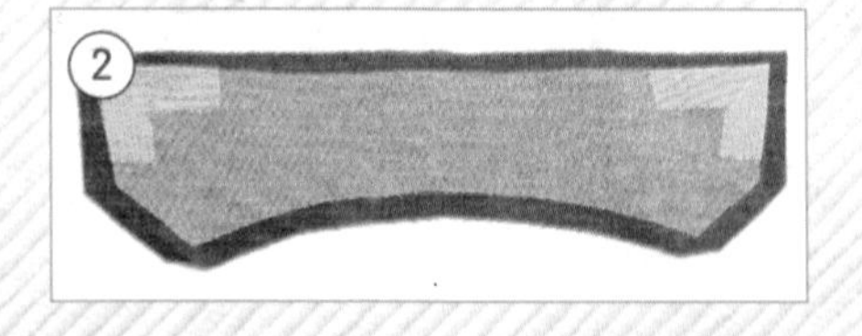

Наложить подборт на полочку лицевыми сторонами вовнутрь, стачать по внешнему краю борта до метки втачивания воротника. Рассечь припуски у метки и у нижней точки перегиба лацкана, не доходя до шва 2 мм.

Срезать припуски от метки втачивания воротника до низа по краю борта. На уголке срезать припуск наискосок.

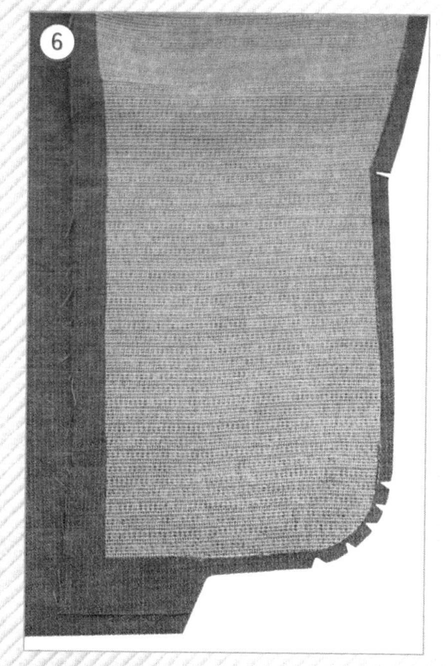

Если в жакете скруглен нижний край борта, рассечь припуски на скругленном участке в нескольких местах, вырезав припуск уголками. Старайтесь не доходить до шва 2–3 мм.

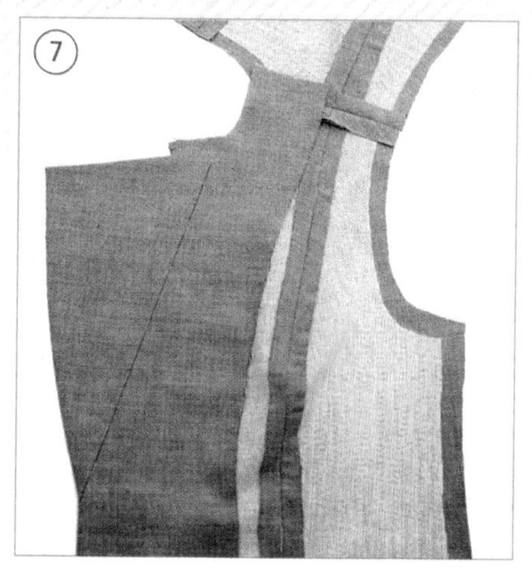

Подборт отвернуть на лицевую сторону, чисто выметать по внешнему краю до верхней надсечки.

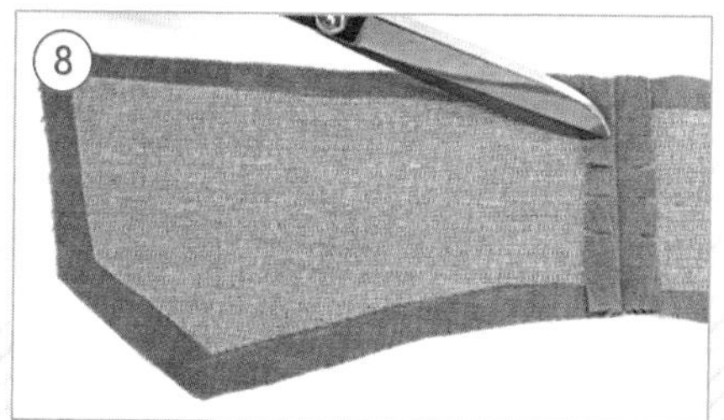

Нижний воротник стачать по среднему шву, припуски разрезать на месте перегиба воротника.

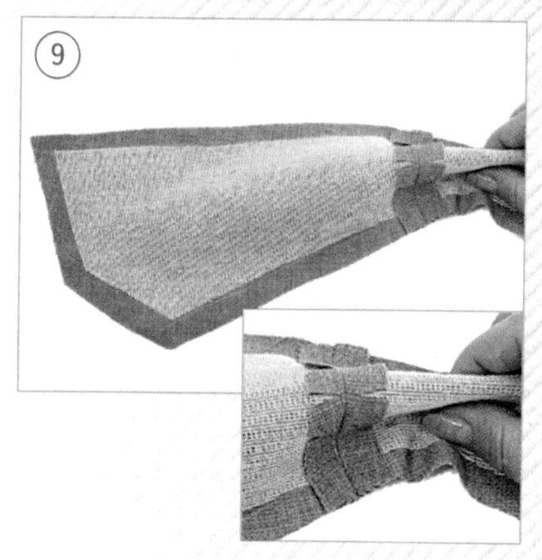

Сложить верхний и нижний воротник лицевыми сторонами, перегнуть как показано на фото, сколоть по краям, стачать до меток.

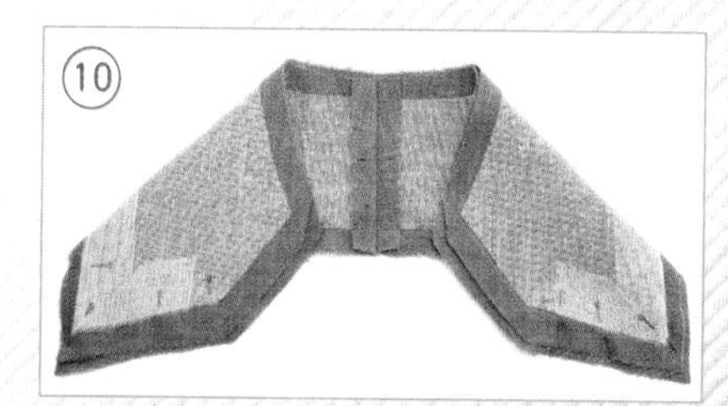

Припуски по краям воротника срезать до ширины 0,4 см, на уголке срезать припуски до 0,2 см.

Воротник вывернуть и чисто выметать по краям. Перегнуть воротник, придав ему положение, в котором он будет находиться в изделии. Открытые края воротника уровнять ножницами.

Вметать только нижний воротник в горловину полочки по короткой стороне между контрольными метками, притачать (шов показан красным цветом).

Рассечь припуск на уголок, не доходя до шва 1 мм. Припуски разутюжить.

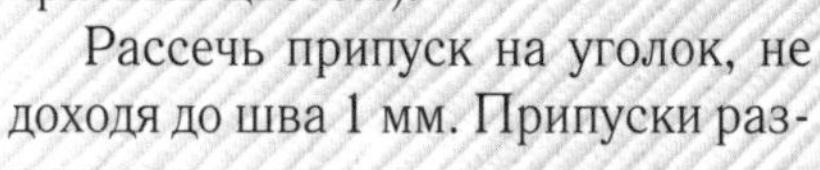

Вметать среднюю часть нижнего воротника в горловину полочки и спинки, притачать. Припуски по местам скруглений рассечь, не доходя 2–3 мм до шва.

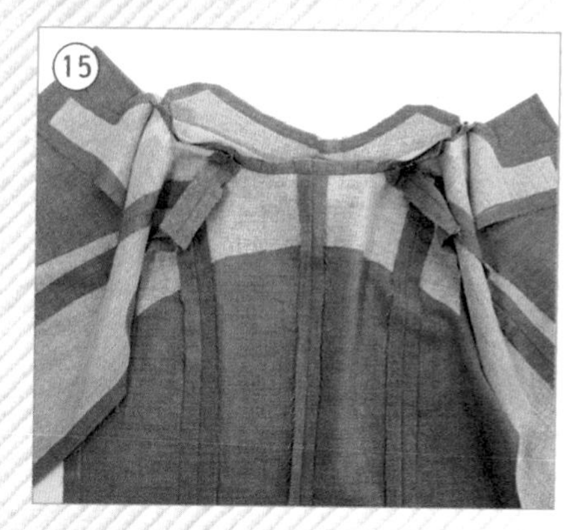

К подбортам притачать подкладку, верхний воротник аналогично нижнему притачать к подбортам и подкладке.

Проутюжить изделие.

Оба воротника — нижний и верхний — скрепить между собой вручную по линии втачивания потайными стежками.

Жакет на подкладке

Обработка пиджака или жакета подкладкой — один из трудоемких завершающих этапов при пошиве изделия. Жакет можно обработать подкладкой частично или полностью, все зависит от ткани, модели и идей дизайнера.

ОБРАБОТКА ЖАКЕТА ПОДКЛАДКОЙ

При полном закрытии изделия подкладкой детали подкладки кроятся по тем же лекалам, что и основное изделие, с припусками по всем швам и по низу деталей по 1,5 см.

Совет. Для того чтобы подкладка в готовом виде не тянула и не сковывала движений, по среднему шву спинки следует сделать прибавку на складку 2 см. Складка застрачивается от верхнего и нижнего срезов на 2–2,5 см и заутюживается.

Есть 2 варианта обработки жакета подкладкой — с обтачкой горловины спинки, выкроенной из основной ткани, и без нее. В приведенном мастер-классе горловина спинки обрабатывается обтачкой из основной ткани,в этом случае детали спинки кроятся за вычетом ширины обтачки.

До обработки жакета подкладкой к подбортам следует притачать обтачку горловины спинки, втачать воротник (борта жакета при этом обрабатываются подбортами, горловина спинки — обтачкой).

Описание работы

Из подкладочной ткани выкроить детали подкладки с припусками по всем швам по 1,5 см, включая припуски по низу деталей. По середине спинки сделать дополнительную прибавку на свободу облегания 2 см. Прибавку загладить в складку (от верха и низа можно застрочить складку на 2 см).

Детали подкладки стачать аналогично деталям жакета, рукава припосадить и втачать. По нижнему шву одного рукава оставить незастроченный участок длиной 15 см.

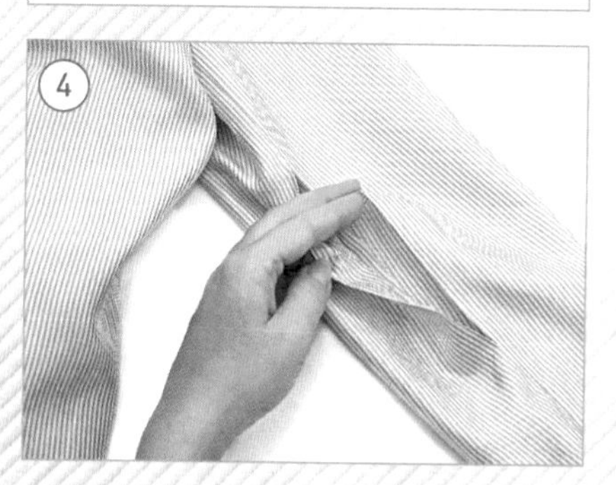

Из контрастной ткани выкроить отделочную бейку шириной 3 см.

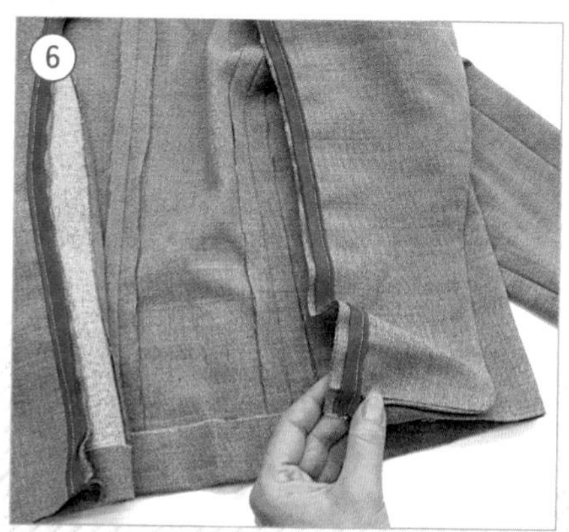

Совет. Отделочную бейку можно купить в магазине фурнитуры или выкроить из подходящей ткани. Обычно бейку изготавливают из шелка, атласа, хлопка. Хлопчатобумажная бейка может давать усадку, поэтому перед использованием ее следует намочить, высушить и проутюжить.

Бейку перегнуть пополам и притачать по припуску подборта. Строчка должна проходить на расстоянии 3 мм от сгиба бейки.

Шов проутюжить, слегка натягивая.

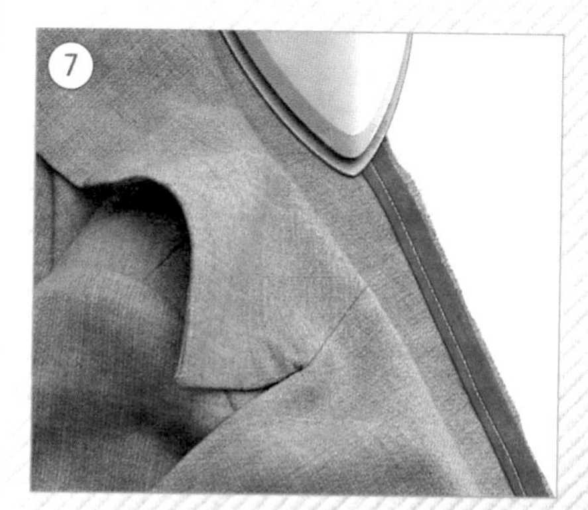

Наложить подкладку на жакет лицевыми сторонами, сколоть по припускам, совместить по швам жакет и подкладку.

Притачать подкладку к жакету, проложив строчку точно по строчке притачивания отделочного канта. Строчку прокладывать со стороны подборта.

Затем совместить подкладку с изделием по нижнему припуску, притачать подкладку к низу изделия.

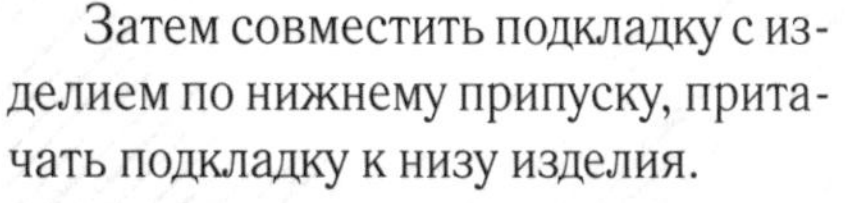

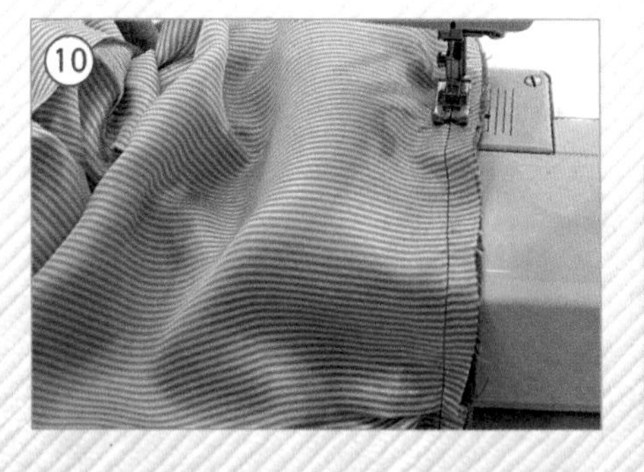

Вывернуть подкладку на лицевую сторону через незастроченный участок в рукаве. Рукава подкладки вложить в рукава изделия, при необходимости подрезать лишнюю длину.

Припуски на подкладке по рукавам подогнуть, совместить по швам с припусками рукавов из основной ткани, сколоть.

Продеть руку в незастроченный участок подкладки, взятые вместе припуски рукавов вытащить, сколоть по припускам и стачать.

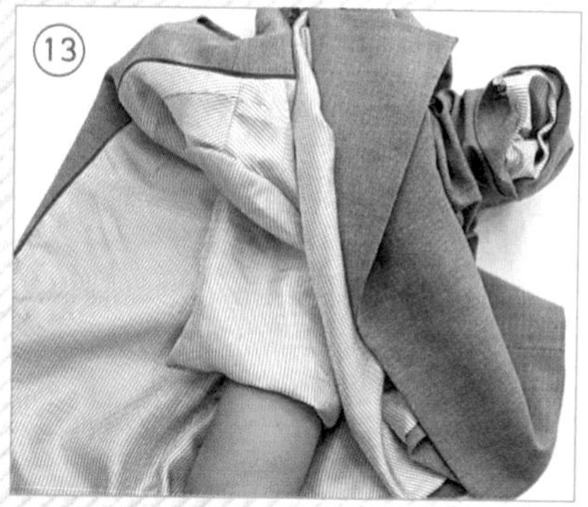

Припуски рукавов и низа жакета подшить вручную потайными стежками.

✿ *Совет.* Есть очень простой способ зафиксировать припуски рукавов и низа жакета — подложите под припуски клеевую паутинку и прогладьте утюжьте, приклеивая припуски.

Чтобы зафиксировать подкладку в изделии, к припускам плечевых швов и к припускам проймы в точках локтевых и нижних швов рукавов притачать короткие закрепки — кусочки ткани длиной 1,5 см.

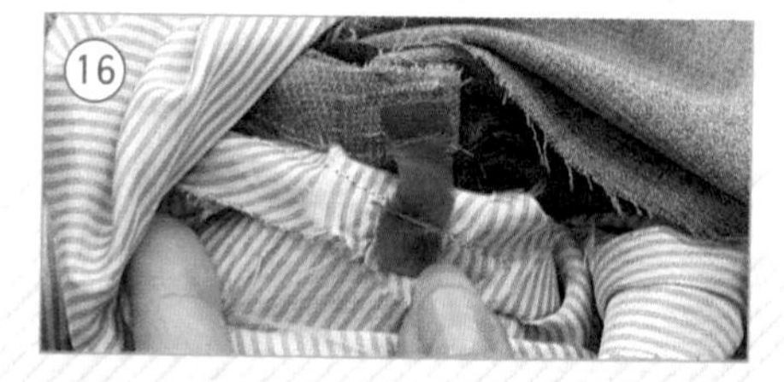

✿ *Совет.* Закрепить подкладку можно и при помощи ниток, выполните аналогичные гибкие закрепки вручную.

Открытый участок рукава сложить, подогнув припуски вовнутрь, и застрочить с лицевой стороны как можно ближе к краю.

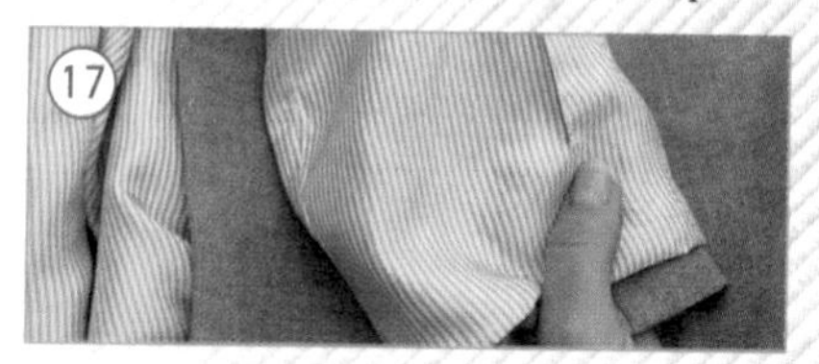

Жакет с подкладкой в готовом виде

Обработка пояса

ЦЕЛЬНОКРОЕНЫЙ ПОЯС

Юбка с цельнокроеным поясом визуально удлиняет фигуру, создавая идеальные пропорции. Высокий пояс зрительно вытягивает фигуру, делая ноги длинными, а талию тонкой. Обработать такой пояс значительно проще, чем стандартный притачной пояс.

Выкройку юбки вы можете найти в книге «Юбки от А до Я».

Как правило, юбки с цельнокроеным поясом сажаются на подкладку. Обработка пояса производится после стачивания боковых швов, потайной молнии и обработки шлицы подкладкой.

Описание работы

На деталях подкладки вытачки заложить в складки, сколоть.

Детали обтачек цельнокроеного пояса продублировать бортовкой. Бортовку выкроить без припусков на швы.

Обтачки, продублированные бортовкой, наложить на соответствующие детали подкладки, притачать.

Стачать боковые швы подкладки юбки.

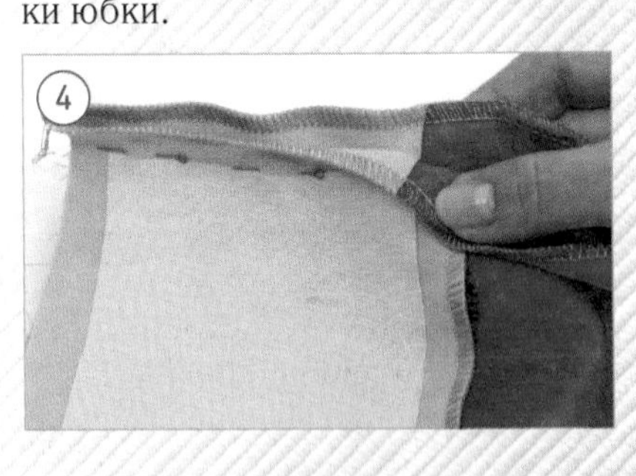

Тесьму застежки молнии отогнуть, детали подкладки (с притачанными обтачками) наложить на изделие (лицевыми сторонами внутрь) и сколоть по верхнему срезу и припускам по центру спинки.

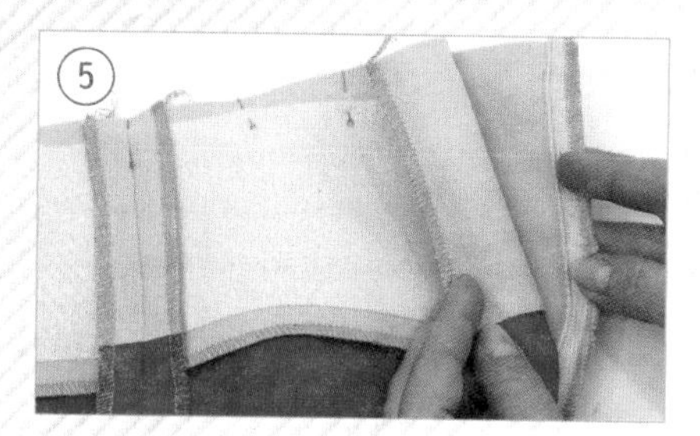

Стачать юбку с подкладкой по верхнему припуску, затем повернуть изделие на 90° и стачать припуск по тесьме застежки молнии. Сделать это нужно таким образом, чтобы зубчики молнии оставались внутри. Отступить от строчки втачивания молнии 2–3 мм.

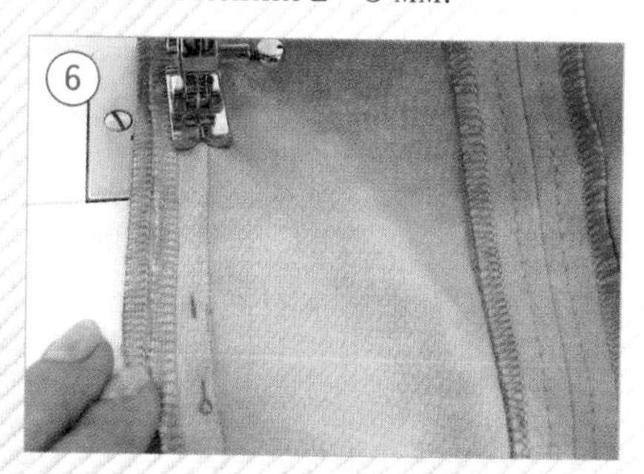

Строчку закончить внизу молнии, закрепить. Припуски срезать до 4 мм, на уголках — наискосок.

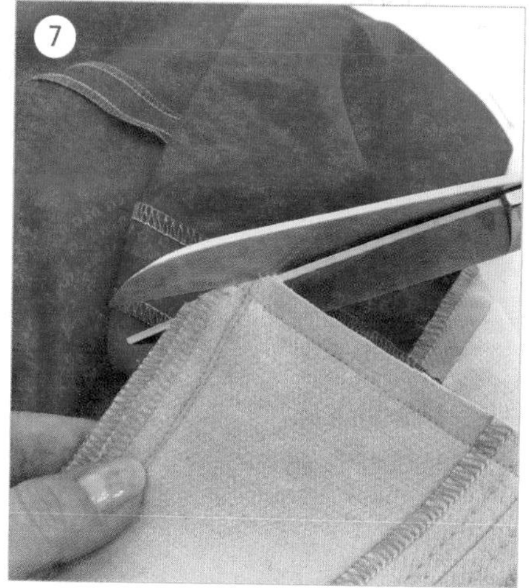

Разложить обтачку юбки в один слой, припуски заложить на обтачку. Отстрочить обтачку близко к краю, пристрачивая припуски. Начинать и заканчивать строчку как можно ближе к краям. Концы строчек закрепить.

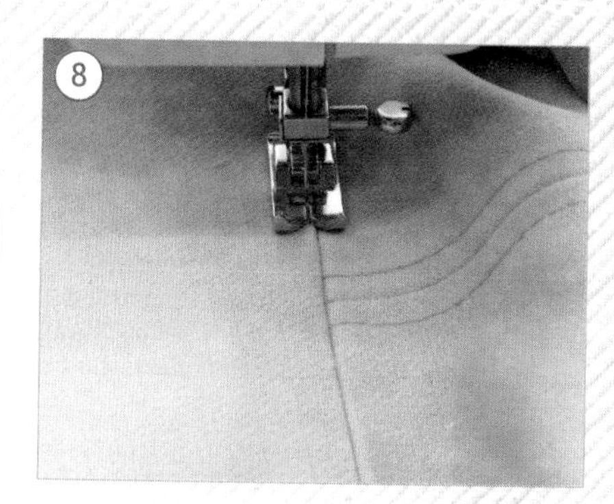

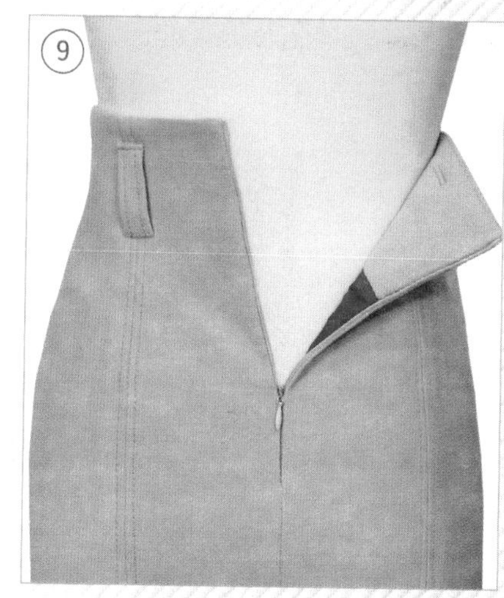

Обработанный верх юбки с лицевой стороны

ПРИТАЧНОЙ ПОЯС

Пояс на брюки или юбку выполняют после того, как стачаны и обработаны все швы, вытачки и карманы. Если в изделии предусмотрена подкладка, стачайте на подкладке все швы, оставив открытым разрез на молнию. Вытачки на подкладке юбки можно не застрачивать, а заложить в складки.

✿ *Совет* Если на поясе юбки или брюк предусмотрены шлевки, их нужно сшить и приметать по разметке к срезу по талии юбки: 2 — по боковым швам, 2 — по передним вытачкам и 1 — по центру спинки.

Описание работы

Ширина шлевок определяется моделью и может составлять от 1 до 3 см. На классических моделях на поясе делают 5 шлевок. Как правило, шлевки располагают по боковым швам, по вытачкам переда и среднему шву спинки изделия.

Для шлевок выкроить полоску ткани шириной около 3 см и длиной, равной ширине пояса, умноженной на 5 плюс 15 см на припуски.

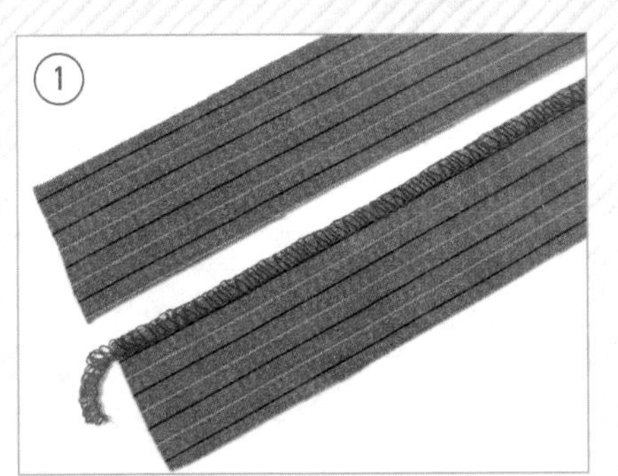

Обработать полоску для шлевок с одной стороны оверложным швом.

Подогнуть необработанную сторону на 1/3 ширины вовнутрь и приметать. Обработанную сторону подогнуть поверх и приметать.

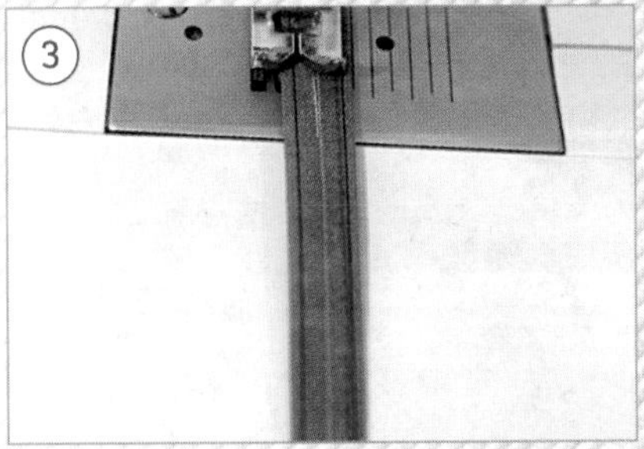

Отстрочить шлевки по обеим сторонам на расстоянии 2 мм от края. Разрезать шлевки по размеру пояса с прибавкой на швы по 1,5 см с каждой стороны и приметать их по разметке на изделие, совместив по разметке. Поверх шлевок приметать пояс.

Выкроить пояс шириной 6—7 см (3—3,5 см в готовом виде) и длиной, равной длине верхнего среза юбки плюс 3 см (заход на застежку).

Укрепить деталь пояса готовой корсажной лентой или полоской термоткани. (Корсажная лента продается в магазинах фурнитуры и на ней уже размечены припуски на швы).

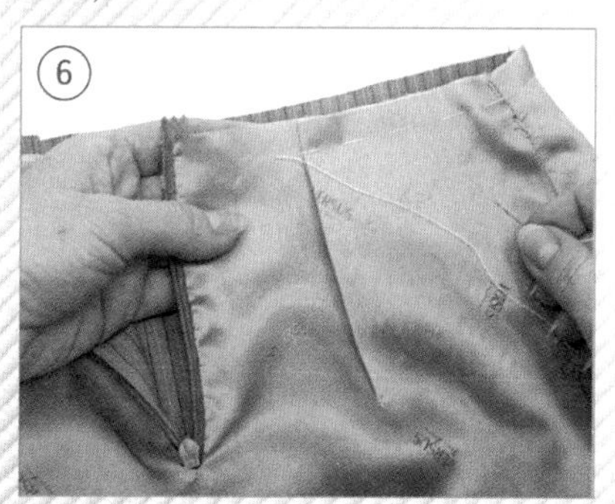

Сложить подкладку с юбкой изнаночными сторонами друг к другу и приметать по верхнему срезу.

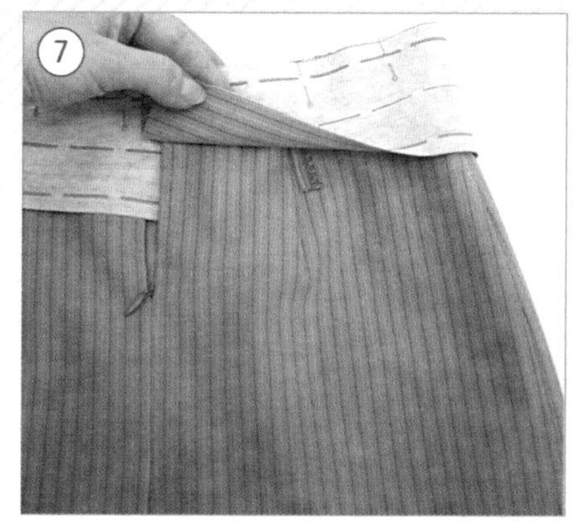

Наложить пояс на юбку лицевыми сторонами, приколоть булавками или приметать.

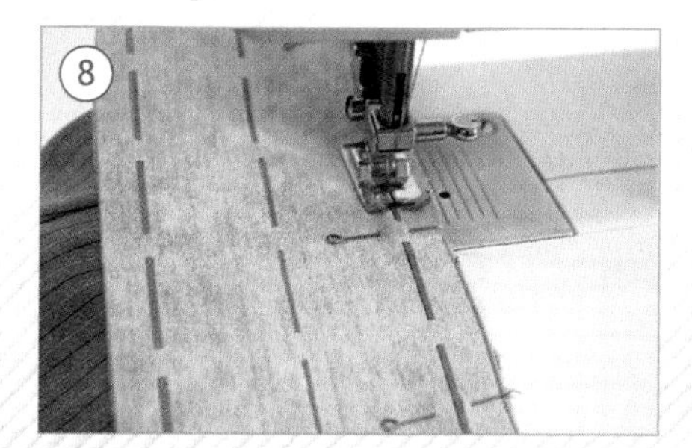

Притачать пояс по припуску к юбке.

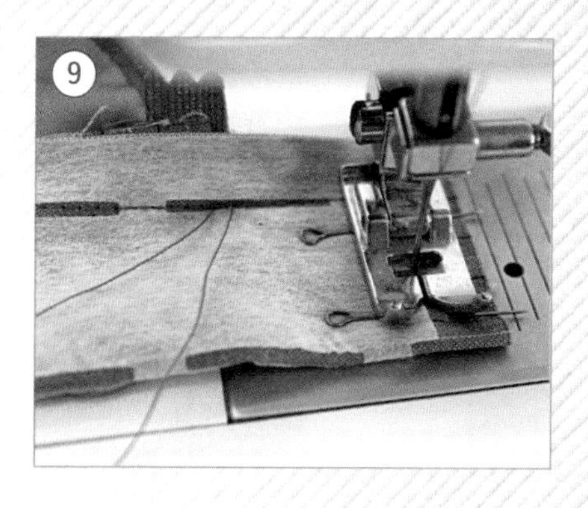

Перегнуть пояс пополам и прострочить припуск под застежку.

Прострочить короткую сторону таким образом, чтобы не прихватить в шов припуск изделия.

Срезать припуски по коротким сторонам, на углах — наискосок.

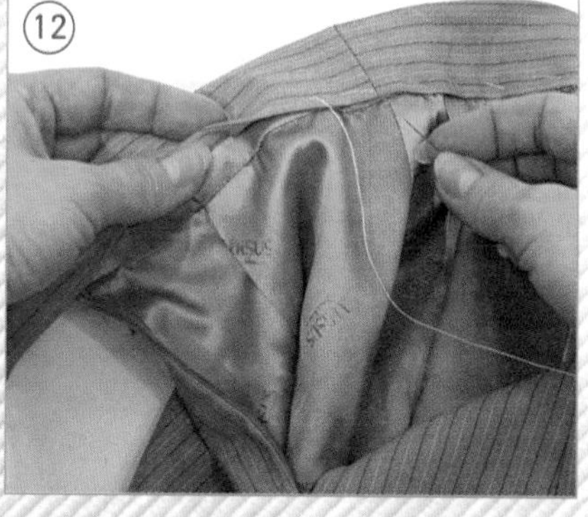

Вывернуть пояс на лицевую сторону, чисто выметать по швам, подогнуть нижний припуск по длинной стороне и приметать.

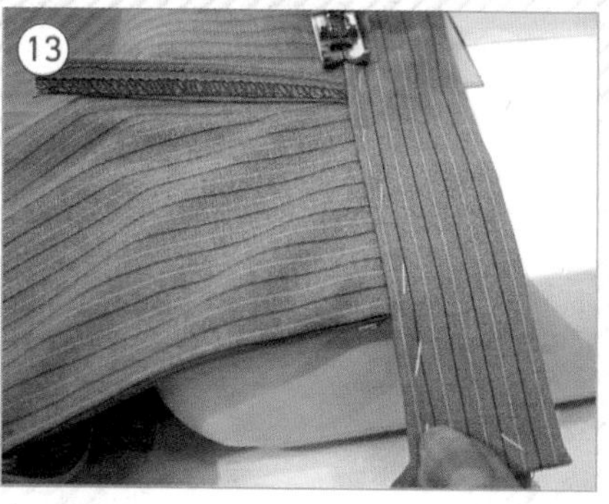

Отстрочить пояс по нижней стороне таким образом, чтобы строчка проходила чуть ниже пояса, при этом контролировать обратную сторону пояса — строчка должна проходить на расстоянии 1–2 мм от края.

Шлевки отогнуть вниз и перестрочить двумя короткими прямыми строчками на расстоянии 0,5 см от пояса.

Поднять шлевки вверх, подогнуть верхний припуск шлевок, уровняв точно по краю пояса, приколоть и пристрочить швом зигзаг (установить длину стежка на 1 и ширину на 2). Излишки припусков по верху шлевок обрезать.

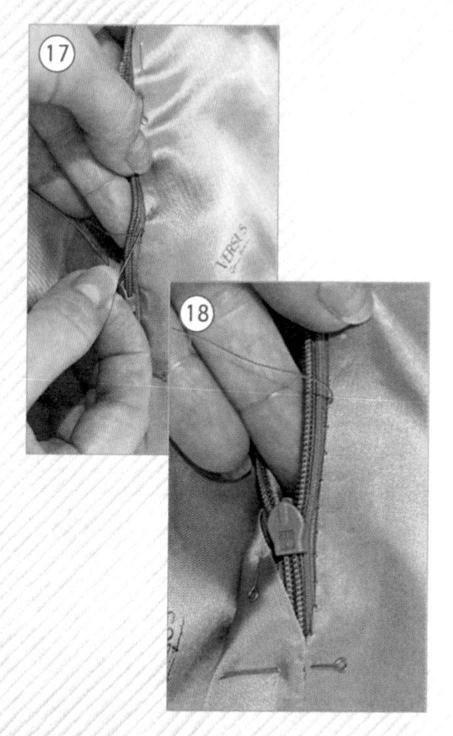

Подкладку пришить к молнии вручную короткими стежками.

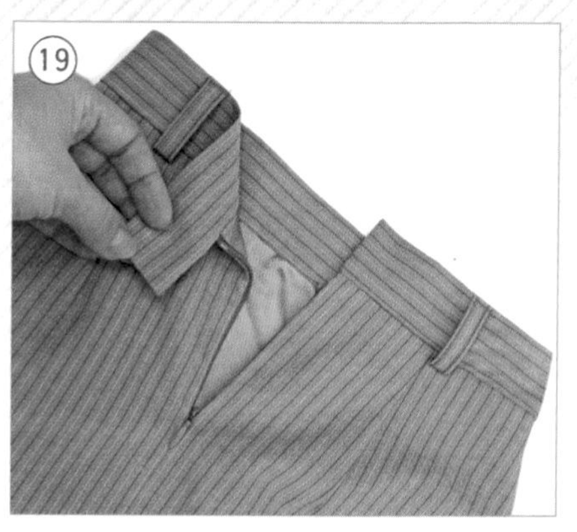

Пояс проутюжить, пришить под припуск на застежку крючки или кнопки.

ОБРАБОТКА ПОЯСА ОБТАЧКОЙ

Это самый простой способ обработки талевого среза, который очень понравится новичкам.

Описание работы

Для обработки юбки необходимо выкроить обтачки шириной 4 см плюс припуски на швы по 1,5 см по всем сторонам. Обтачки продублировать термотканью, которая выкраивается без припусков на швы. Эта операция выполняется после того, как изделие сшито полностью (за исключением пояса). Предварительно на юбке необходимо стачать боковые швы, втачать потайную молнию, обработать припуски швов.

На обтачках талевого среза стачать боковые швы.

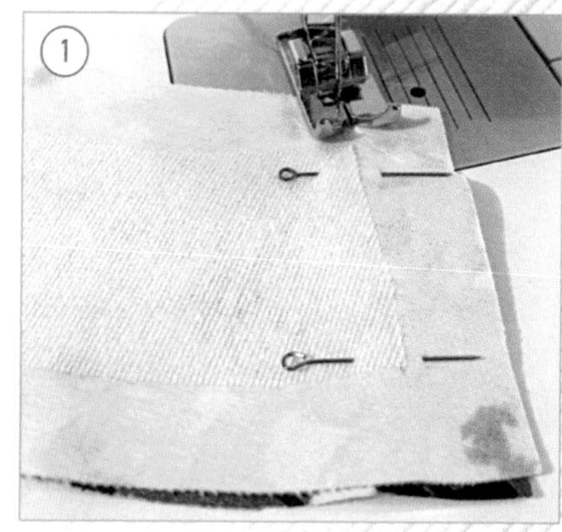

Припуски по низу срезать и обработать косой бейкой. Совместить обтачку с верхом юбки, сколоть по краям.

Притачать обтачку по верхнему срезу юбки и по коротким сторонам.

Припуски срезать.

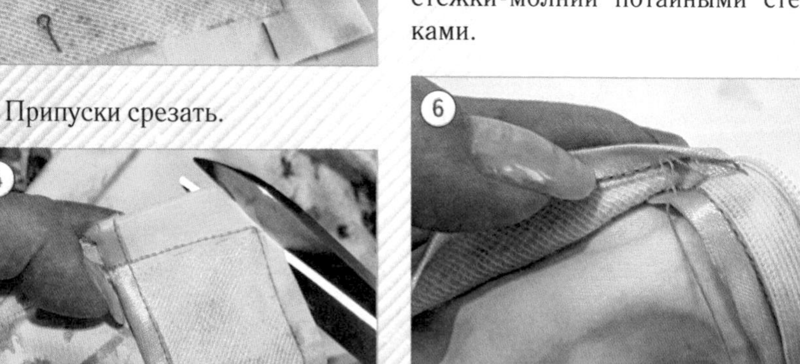

Припуски отогнуть на обтачку и притачать близко к шву.

Приметать обтачку к тесьме застежки-молнии потайными стежками.

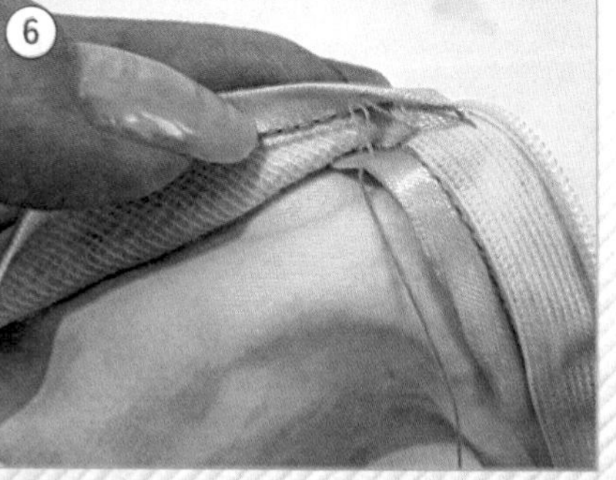

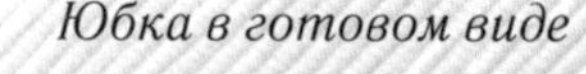

Юбка в готовом виде

Обработка шлицы

ШЛИЦА НА ПОДКЛАДКЕ

Как правило, шлица выполняется на изделиях не только для красоты, но и для удобства. Она создает дополнительную свободу движений и просто незаменима в узких юбках, жакетах и пальто. Предлагаем вам мастер-класс по обработке шлицы подкладкой.

Такой способ обработки выполняется на мужских костюмах, юбках, рукавах. Особенностью обработки шлицы подкладкой является отсутствие косой строчки, которая удерживает шлицу по верхней короткой стороне, — ее функцию выполняет подкладка.

Описание работы

Перед тем как приступить к обработке шлицы, следует стачать боковые швы на изделии, втачать молнию (для юбок) и стачать швы до метки разреза на шлицу. В мастер-классе обработка шлицы производится на юбке.

На деталях подкладки вытачки заложить в складки, сколоть.

На деталях подкладки спинки юбки стачать средний шов между метками разреза на молнию и шлицу.

Припуски шва обработать и разутюжить, разметить и вырезать выемку под шлицу.

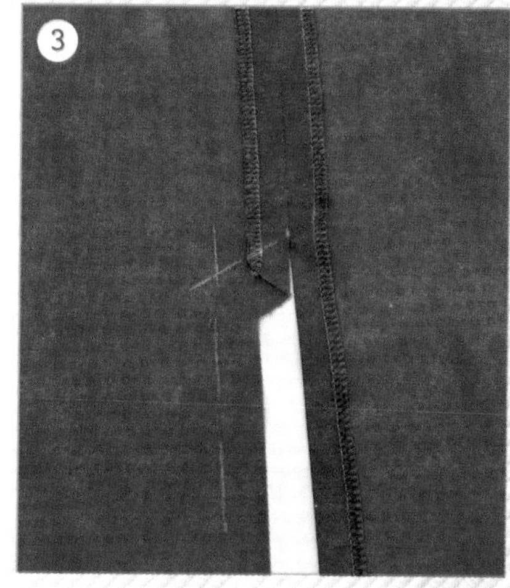

Наложить подкладку спинки на спинку юбки из основной ткани изнаночными сторонами друг к другу, отвернуть вправо и приметать припуск подкладки к левому припуску шлицы.

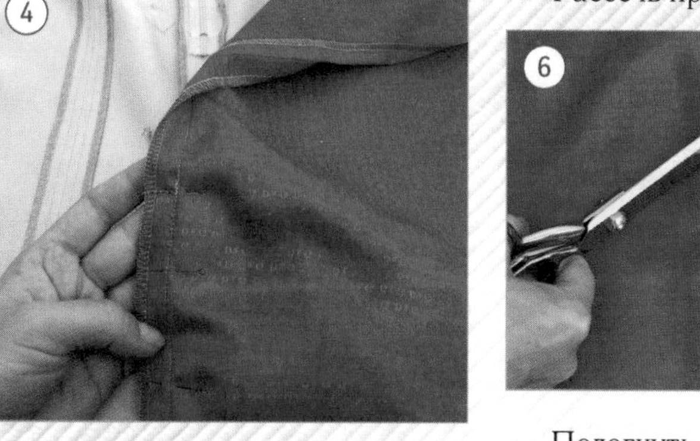

Отвернуть подкладку, шов проутюжить.

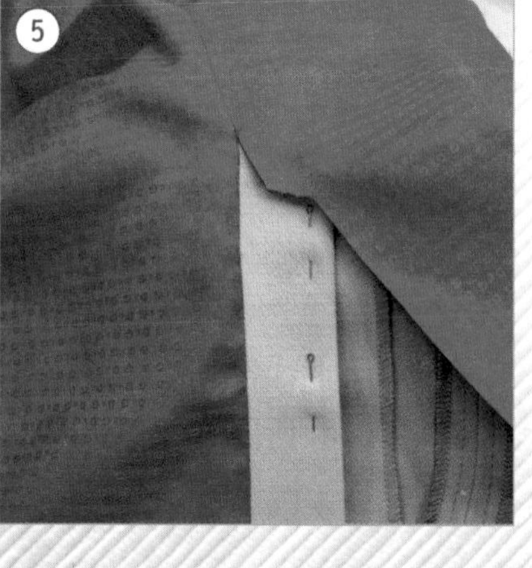

Рассечь припуск в уголок.

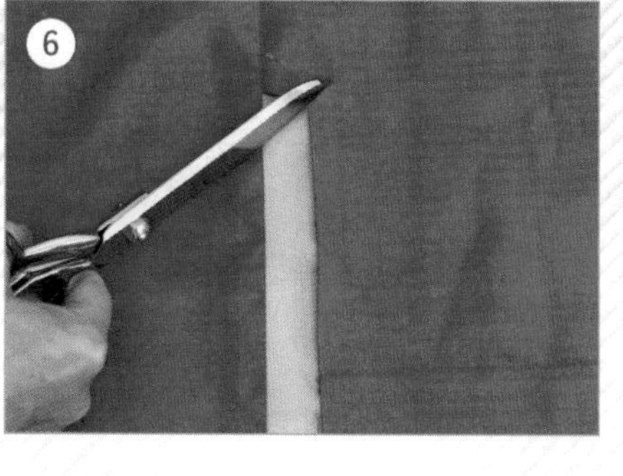

Подогнуть припуски по правой и короткой сторонам, проутюжить.

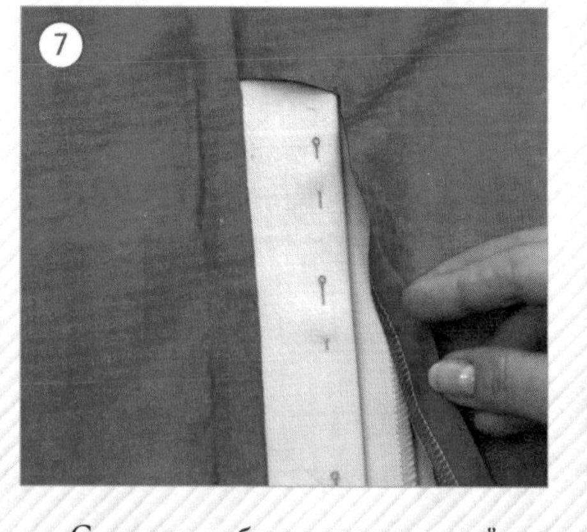

Сколоть юбку с подкладкой по короткой стороне шлицы.

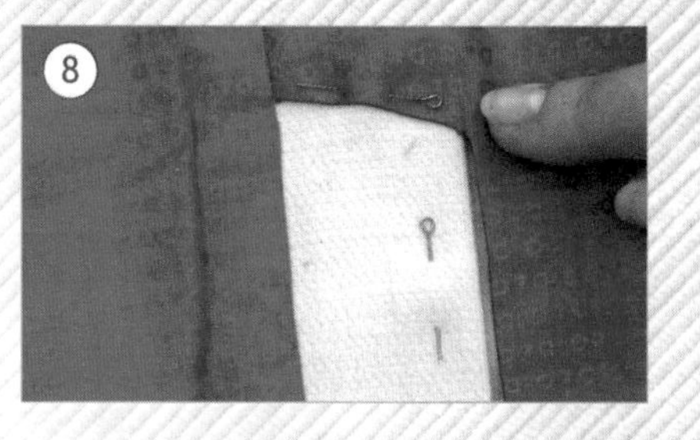

Отвернуть подкладку влево и сколоть припуск подкладки с припуском правой стороны шлицы.

Стачать припуски до надсечки.

Отогнуть подкладку вниз, сколоть короткий припуск подкладки между надсечками с припусками шлицы.

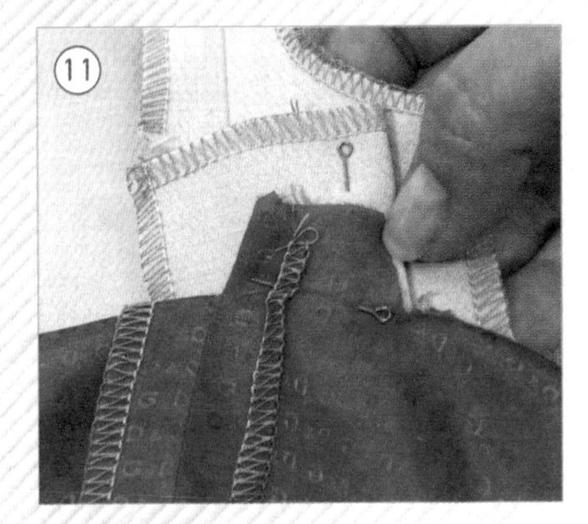

Притачать припуск подкладки к верхним припускам шлицы.

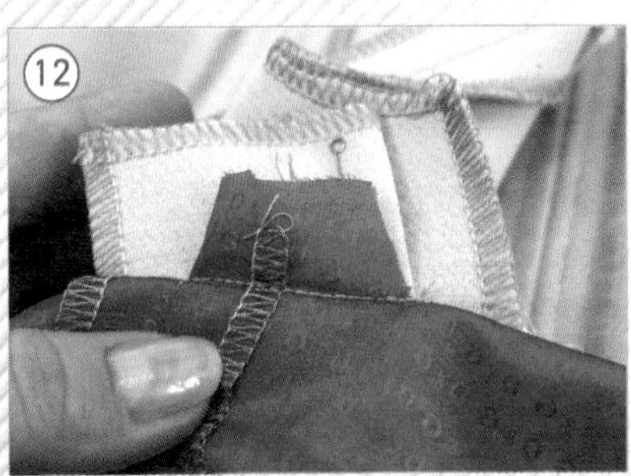

Подкладку отвернуть вверх, проутюжить. Затем продолжить шить юбку.

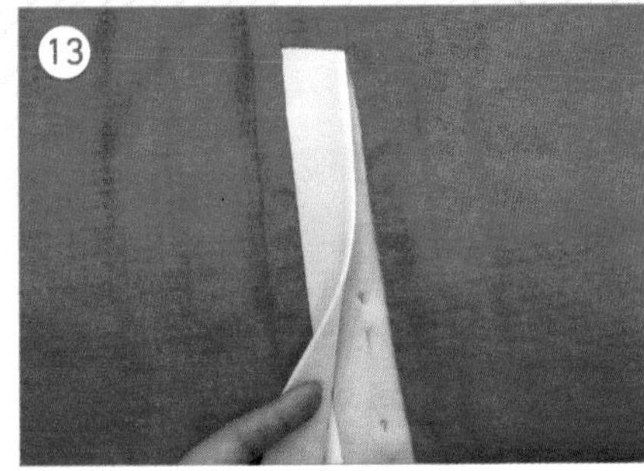

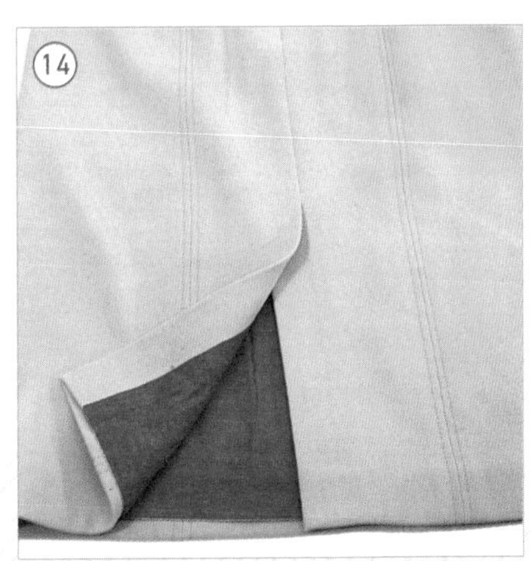

Шлица в готовом виде

ШЛИЦА БЕЗ ПОДКЛАДКИ

Это более простой способ обработки шлицы и идеально подойдет для летних юбок без подкладки. Как правило, шлица кроится шириной 8 см (плюс припуски на швы) и длиной 0,33 см от длины изделия. С одной из сторон задней половинки изделия прибавку на шлицу следует срезать до 4 см (плюс припуск на шов).

Описание работы

Припуски шлицы и припуски по низу юбки продублировать термотканью.

По среднему шву задних половинок юбки вшить потайную молнию, открытый участок шва стачать до разреза на шлицу.

Припуски по швам и шлице обработать косой бейкой.

Припуски по низу юбки подогнуть и проутюжить.

Припуски шлицы отогнуть на изнаночную сторону и проутюжить.

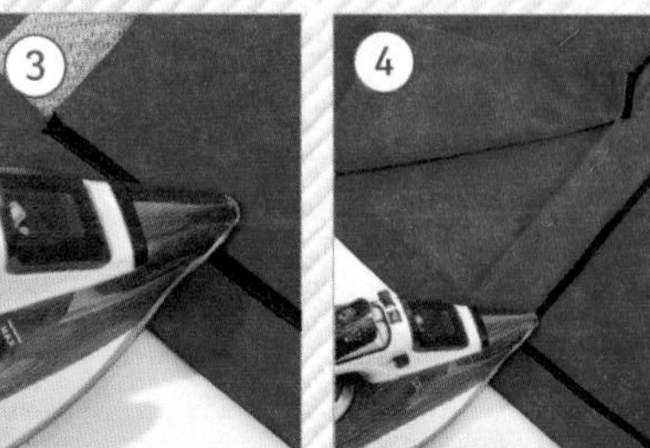

Припуск по низу юбки отвернуть, вложить по краю клеевую паутинку, затем проутюжить горячим утюгом, приклеивая припуск.

Припуски по шлице обработать аналогичным образом.

Совместить шлицу по линии середины задней половинки юбки и перестрочить под углом 45° двойной строчкой. Концы строчки закрепить.

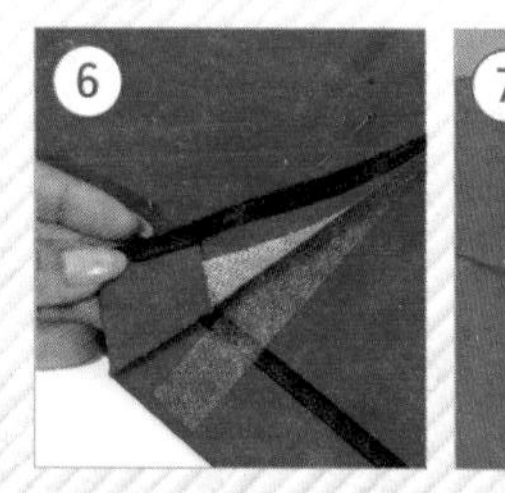

Припуски по низу дополнительно пришить парой стежков к боковым припускам юбки.

Припуск по низу юбки в готовом виде.

Шлица в готовом виде

Полезные мелочи

ПОДГИБ ПРИПУСКА ПО НИЗУ ИЗДЕЛИЯ С РЕГИЛИНОМ

Регилин притачать к нижнему припуску юбки близко к краю.

Подогнуть нижний припуск юбки и приколоть булавками или сметать. Регилин должен быть зашит внутрь припуска.

Отстрочить припуск по краю подгиба, концы нитей закрепить и отрезать. Выполняя строчку, не растягивать край юбки, чтобы по низу не образовались волны.

ПОДГИБ ПРИПУСКОВ ПРИ ПОМОЩИ КЛЕЕВОЙ ПАУТИНКИ

Припуски по низу юбки подогнуть и проутюжить.

Припуски шлицы (если она предусмотрена в изделии) отогнуть на изнаночную сторону и проутюжить.

Припуск по низу юбки отвернуть, вложить по краю клеевую паутинку, затем проутюжить горячим утюгом, приклеивая припуск.

Припуски по шлице обработать аналогичным образом.

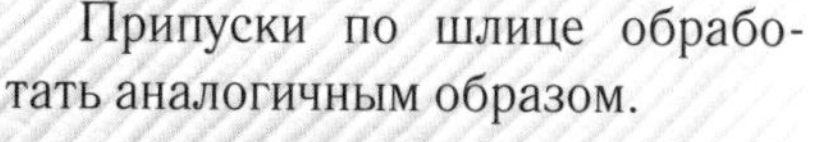

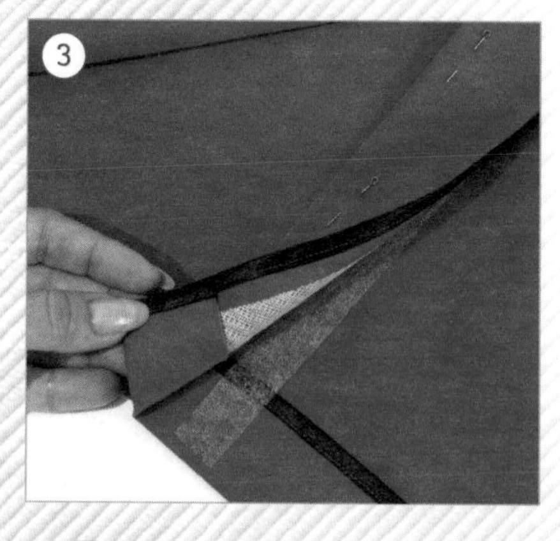

Припуски по низу дополнительно пришить парой стежков к боковым припускам юбки.

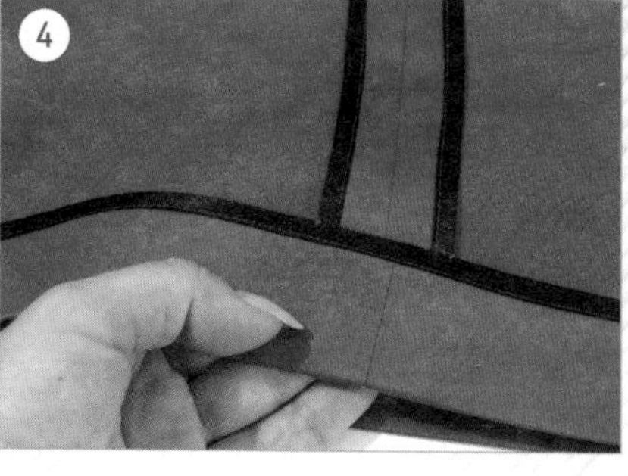

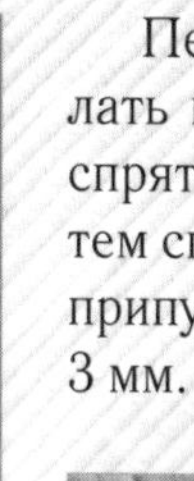

ПОДГИБ ПРИПУСКОВ ВРУЧНУЮ

Если вы считаете подгиб припусков при помощи клеевой паутинки недостаточно крепким, предлагаем вам второй способ подгиба припусков — вручную потайными стежками. Для наглядности мы взяли контрастные нитки.

Используйте тонкую иголку, чтобы шов с лицевой стороны не был виден. Этот прием подгибки называется «назад иголку», поскольку игла вкалывается справа-налево, постоянно возвращаясь назад, и образует гибкий шов.

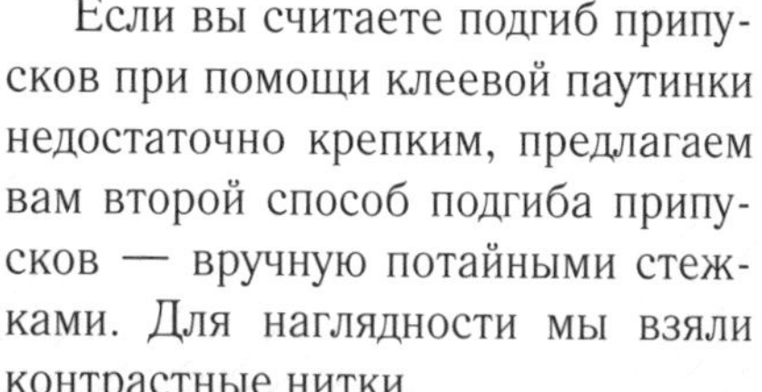

Первый прокол иголки сделать в припуск по боковому шву, спрятав узелок под припуск. Затем справа-налево прихватить сам припуск. Ширина стежка — около 3 мм.

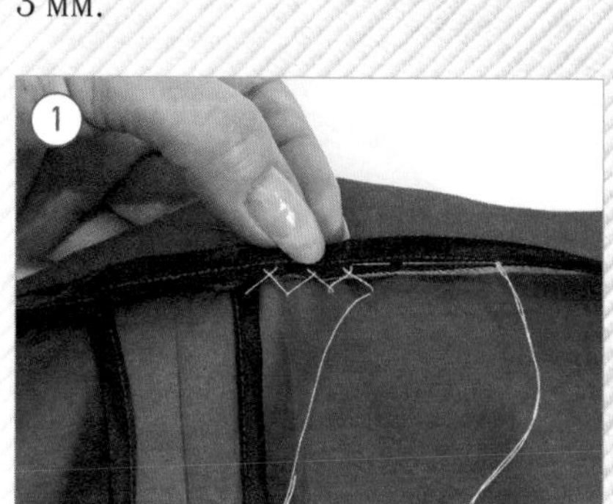

Отогнуть край припуска. Перекрестить нитку и вколоть иголку в изделие, стараясь не проколоть ткань полностью, а лишь поддеть иголкой 1–2 нити. Все прокалывания должны производиться справа-налево.

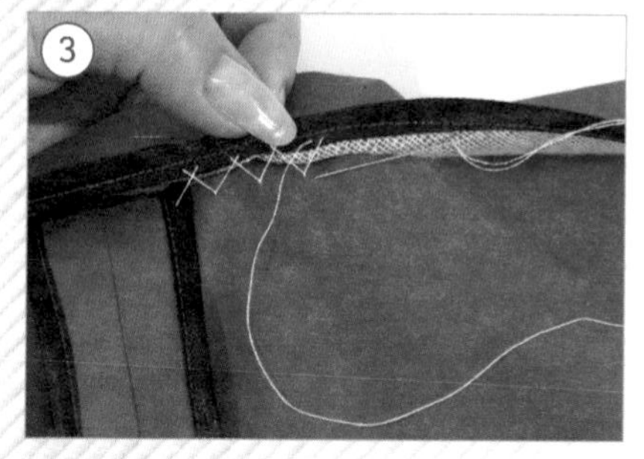

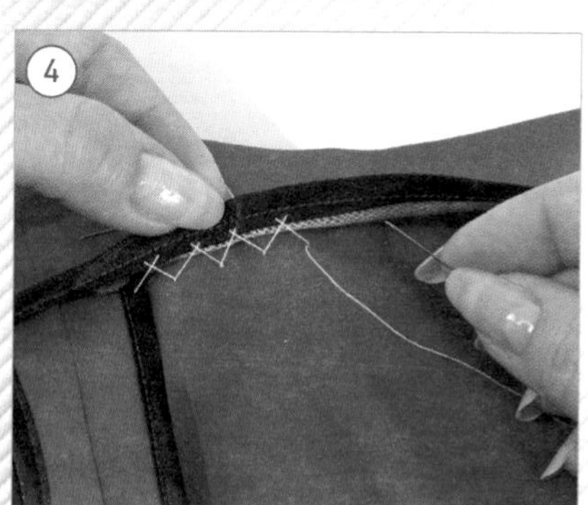

После того как небольшой участок припуска пройден, подтянуть нить, чтобы она не обвисала.

Продолжать подгиб, снова отогнув край припуска.

ПОДГИБ ПРИПУСКОВ, ОБРАБОТАННЫХ КОСОЙ БЕЙКОЙ

Нижний припуск юбки обработать косой обтачкой, при этом контролировать изнаночную сторону обтачки.

Припуск по низу юбки подогнуть и проутюжить.

Притачать припуск по низу юбки, проложив строчку по верхнему краю бейки.

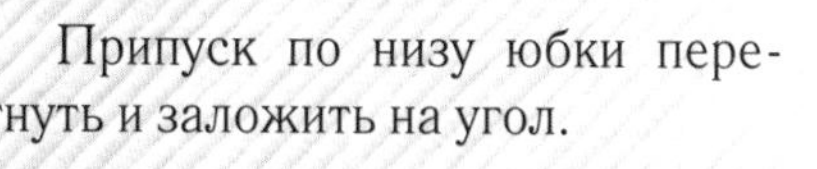

Подгиб юбки в готовом виде

ОБРАБОТКА ПРИПУСКОВ «КОНВЕРТОМ» ВРУЧНУЮ

Припуск по низу юбки перегнуть и заложить на угол.

Подогнуть припуск низа и запаха, сформировать красивый уголок, проутюжить припуски.

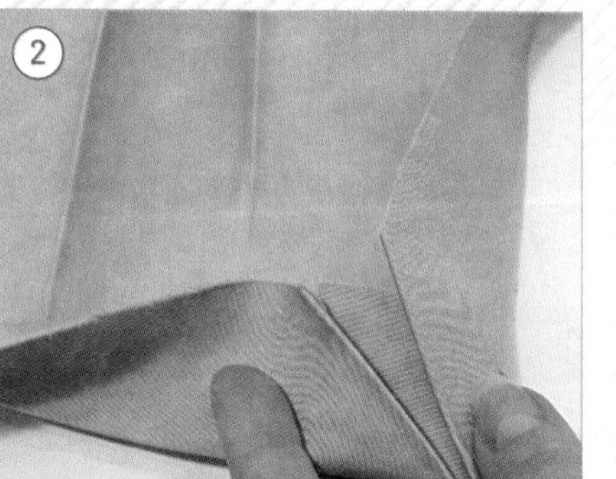
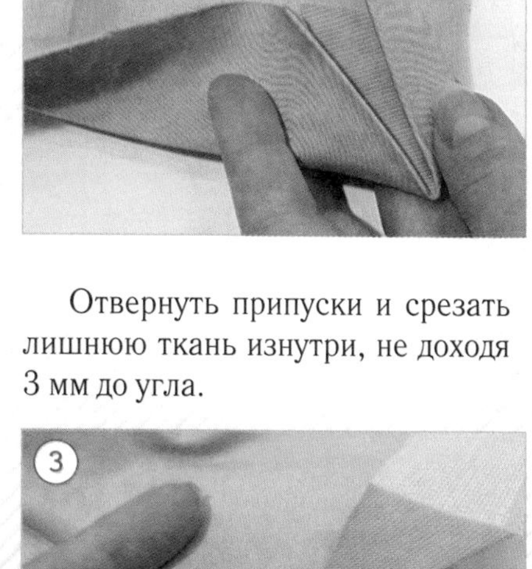

Отвернуть припуски и срезать лишнюю ткань изнутри, не доходя 3 мм до угла.

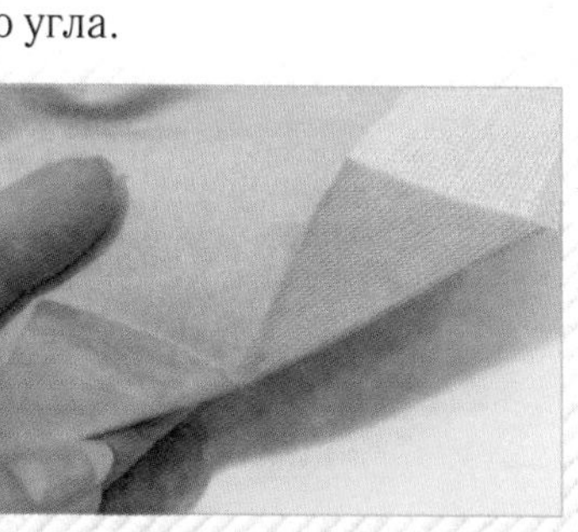
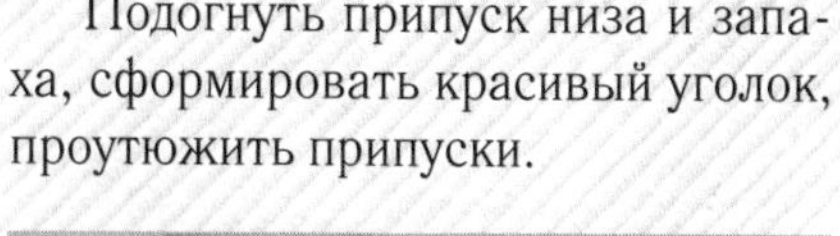

Снова подогнуть припуски на уголок, сколоть булавками по сгибам, зафиксировав угол.

Подогнуть припуски по нижней стороне юбки и сторонам запаха.

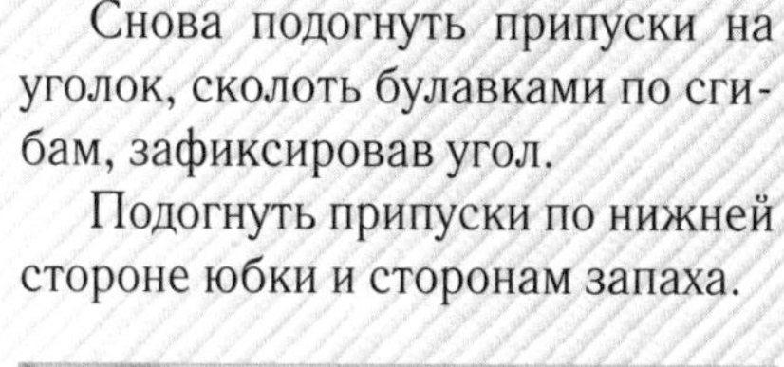

Сметать припуски уголка вручную потайными стежками. Слегка раздвинуть и отогнуть припуски, вкалывать иголку от уголка, стараясь сделать несколько маленьких стежков, затем натянуть нитку и продолжать до тех пор, пока припуски уголка не будут полностью соединены потайным швом. Нитку закрепить.

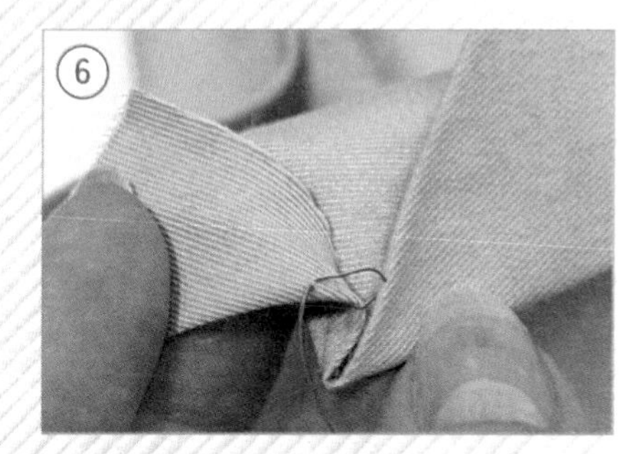

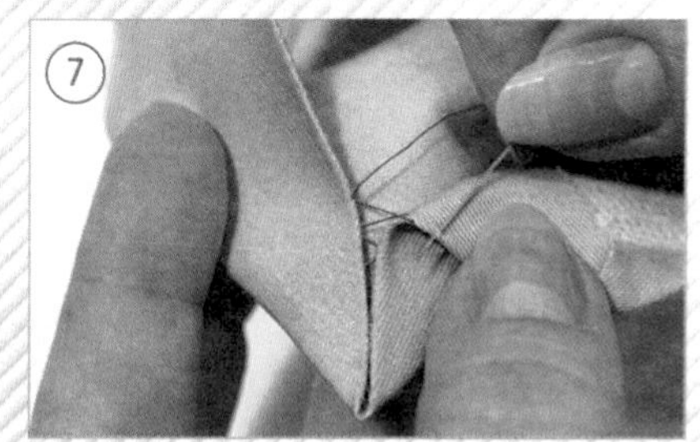

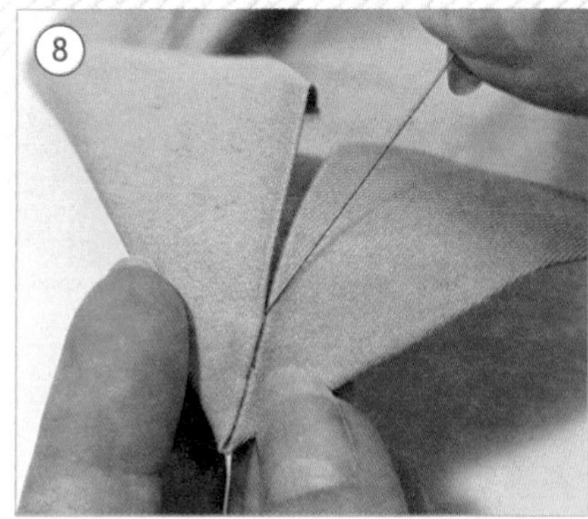

После того как короткий шов зашит вручную, отстрочить припуски по запаху и низу юбки, проложив строчку близко к краю подгиба.

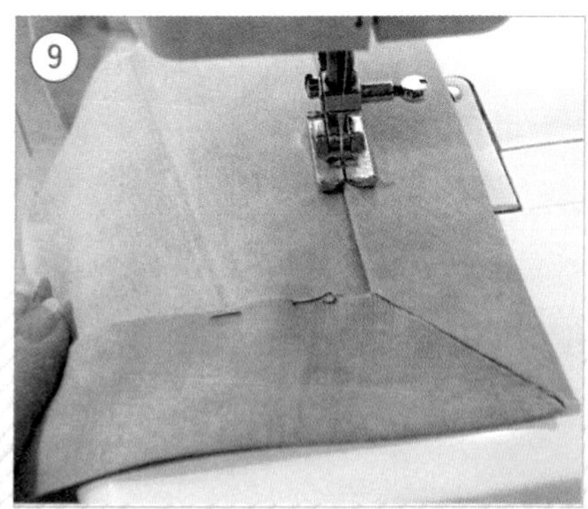

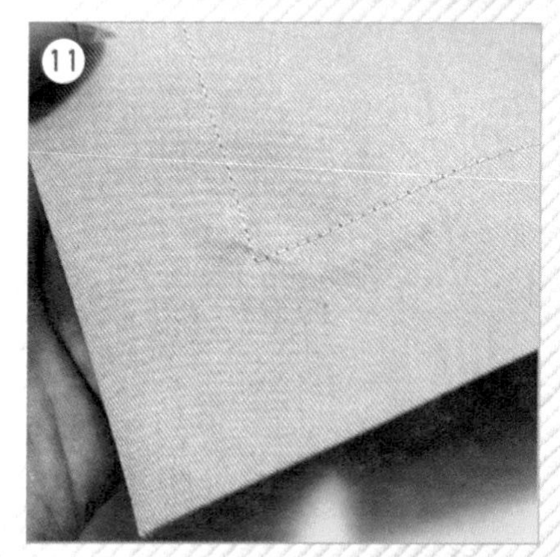

Вид отстроченных припусков с лицевой стороны

ОТДЕЛКА ПОДКЛАДКИ КАНТОМ

Отделка подкладки пиджаков и пальто кантом выполняется на изделиях экстра-класса. Кант придает внутренней стороне изделия изысканный вид и является визитной карточкой стиля дизайнера. Цвет отделочного канта подбирается к цвету изделия. Как правило, отделочный кант бывает яркого, насыщенного цвета — красного, бардового, фиолетового, оранжевого, реже — бежевого, серого. Чтобы кант не дал усадку при утюжке, рекомендуется замочить его в воде, высушить и проутюжить. Затем приступают к отделке изделия. Отделочный кант притачивается к подборту после дублирования подборта термотканью.

Затем подборт притачивается к изделию и обрабатывается как обычно.

После того, как все детали подкладки стачаны между собой, подкладка притачивается к подборту.

Описание работы

На подборте припуски перенести на лицевую сторону при помощи наметочных стежков. Отделочный кант наложить с лицевой стороны подборта точно по намеченным припускам, притачать.

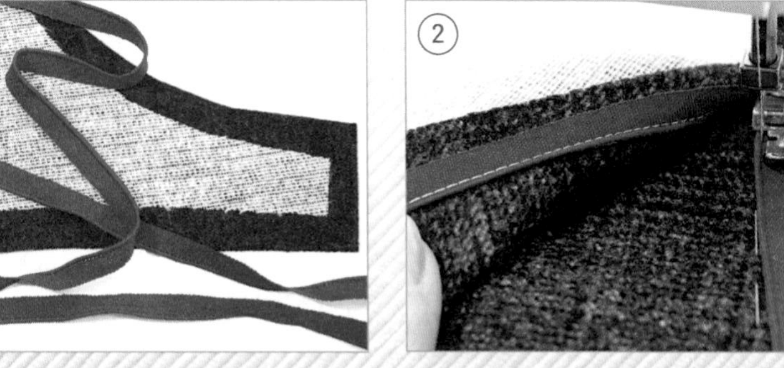

Подкладку и подборт сложить лицевыми сторонами. Стачать точно по первой строчке.

Шов проутюжить с лицевой стороны.

Далее пришить подкладку к изделию по вырезу горловины спинки, припускам рукавов и низу.

ВОЗДУШНЫЕ ПЕТЛИ

Сшить воздушные петли можно несколькими способами. Самый простой — выполнить воздушные петли из косой шелковой бейки.

Описание работы

Косую бейку перегнуть пополам, но не утюжить!

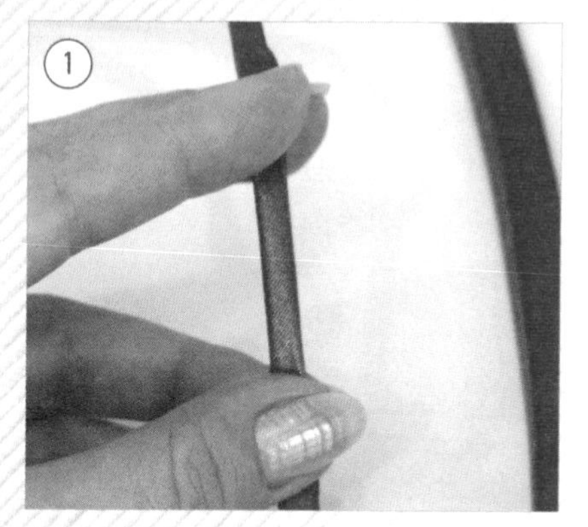

Бейка косая и может растягиваться, поэтому не рекомендуется наметывать сложенную бейку, а надо сразу строчить, перегибая ее по мере выполнения строчки. Строчку следует прокладывать точно в край бейки, сострачивая обе стороны.

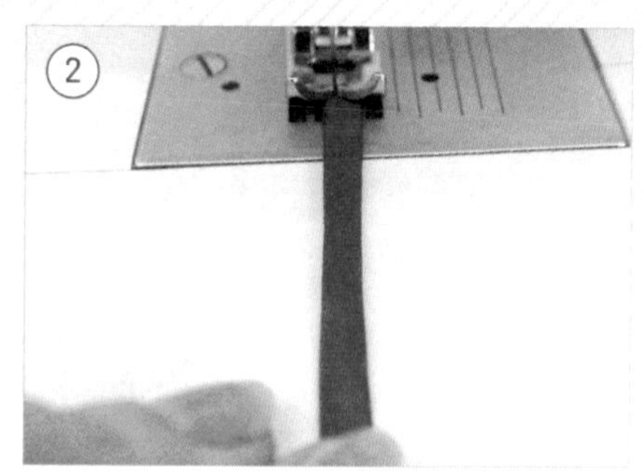

Сшитую бейку отмерьте по размеру пуговицы — петля должна быть чуть шире и пуговица должна свободно в нее проходить.

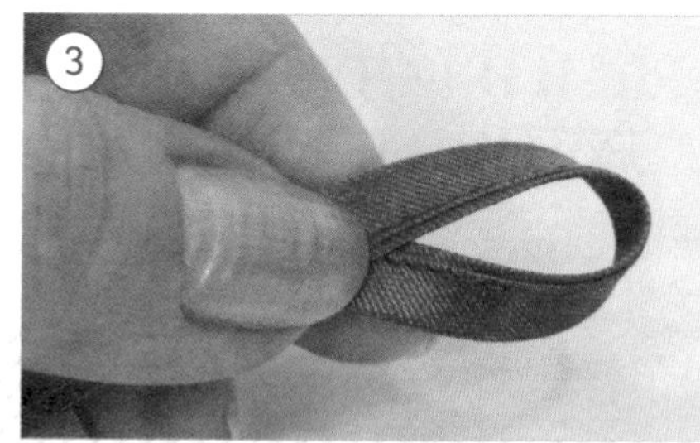

Разрежьте бейку на петли, добавив по 1 см припуск на шов.

Если в изделии предусматривается больше одной петли, отрежьте равные куски бейки по длине первой петли. Далее приметайте полученную воздушную петлю по месту, пристрочите.

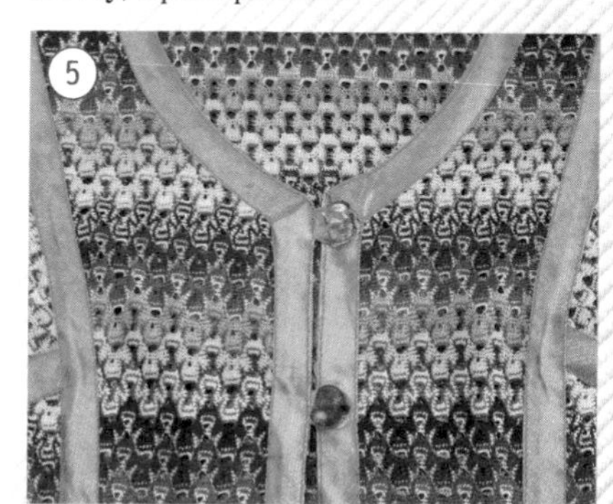

Воздушные петли в готовом изделии

12+
Издание для досуга

Серия «Шкатулка рукоделия»

Анастасия Корфиати

КРОЙКА И ШИТЬЕ: ОСНОВНЫЕ ТЕХНИКИ И ПРИЕМЫ

Заведующая редакцией Ж. Фролова
Руководитель направления Я. Радаева
Ведущий редактор О. Макеева
Технический редактор И. Нагорнова
Корректор О. Соколова
Компьютерная верстка Н. Виткаловой
Компьютерный дизайн обложки М. Сафиуллина

Подписано в печать 30.10.2015
Формат 70x90/16. Усл. печ. л. 10,53
Тираж 3000 экз. Заказ № 1841

Общероссийский классификатор продукции
ОК-005-93, том 2; 953000 — книги и брошюры

ООО «Издательство АСТ»
129085, Москва, Звездный бульвар. д. 21, стр. 3, к. 5

Отпечатано в филиале "Тверской полиграфический комбинат детской литературы" ОАО "Издательство "Высшая школа"
170040, г. Тверь, проспект 50 лет Октября, 46
Тел.: +7 (4822) 44-85-98. Факс: +7 (4822) 44-61-51